Marsilio

Camilla Läckberg (1974) è l'autrice della serie poliziesca ambientata a Fjällbacka che ha per protagonisti Erica Falck e Patrik Hedström, tradotta in quarantadue lingue e pubblicata in sessanta paesi, con venti milioni di copie vendute nel mondo. Vive con i quattro figli a Stoccolma, dove continua a lavorare ai suoi libri, da cui è stata tratta anche una serie televisiva. Oltre ai gialli della serie di Fjällbacka, Marsilio ha pubblicato la raccolta di racconti *Tempesta di neve e profumo di mandorle*.

I delitti di Fjällbacka

1. *La principessa di ghiaccio*
2. *Il predicatore*
3. *Lo scalpellino*
4. *L'uccello del malaugurio*
5. *Il bambino segreto*
6. *La sirena*
7. *Il guardiano del faro*
8. *Il segreto degli angeli*
9. *Il domatore di leoni*
10. *La strega*

Camilla Läckberg
Il predicatore

Traduzione di Laura Cangemi

Titolo dell'opera originale
PREDIKANTEN

First published by Bockförlaget Forum, Sweden

Traduzione dallo svedese di
LAURA CANGEMI

Prima edizione nell'"Universale Economica" aprile 2019

Stampa Nuovo Istituto Italiano d'Arti Grafiche - BG

IL PREDICATORE

a Micke

La giornata cominciò in maniera promettente. Si svegliò presto, prima del resto della famiglia, e dopo essersi vestito il più silenziosamente possibile riuscì a sgattaiolare fuori senza farsi notare. Prese anche l'elmo da cavaliere e la spada di legno, che fece oscillare felice mentre percorreva di corsa i cento metri dalla casa all'imbocco di Kungsklyftan. Si bloccò per un attimo e guardò pieno d'ammirazione la spaccatura verticale nella roccia. La distanza tra le due pareti che si ergevano per una decina di metri verso il cielo, dove il sole aveva appena cominciato a sorgere, era di un paio di metri. I tre grandi blocchi di pietra rimasti sospesi in eterno proprio a metà erano uno spettacolo suggestivo. Quel luogo esercitava un magico potere d'attrazione su un bambino di sei anni, e il fatto che Kungsklyftan fosse territorio proibito ne aumentava il fascino.

Era stato battezzato Kungsklyftan, Gola del Re, quando Oscar II aveva visitato Fjällbacka alla fine dell'Ottocento, ma non era certo una cosa che lui sapesse o a cui avrebbe potuto dare qualche importanza quando s'insinuò lentamente nelle ombre, con la spada di legno pronta ad attaccare. Papà gli aveva però raccontato che le scene dell'antro infernale di *Ronja* erano state girate proprio lì, e quando aveva visto il film si era emozionato a veder cavalcare nella gola il brigante Matteo. A volte lì giocava a fare il brigante, ma quella mattina era un cavaliere. Un cavaliere della Tavola Rotonda, come nel grande libro illustrato che gli aveva regalato la nonna per il suo compleanno.

Strisciò fino ai massi che punteggiavano il terreno e si preparò ad attaccare il grande drago sputafuoco, armato di coraggio e di spada. Il sole estivo non arrivava ancora sul fondo della gola, il che la rendeva un luogo freddo e buio, perfetto per un drago. Presto gli avrebbe fatto sgorgare il sangue dalla gola: dopo una lunga lotta contro la morte sarebbe caduto senza vita ai suoi piedi.

Con la coda dell'occhio vide qualcosa che attirò la sua attenzione. Dietro un masso si scorgeva un lembo di stoffa rossa, e la curiosità prese il sopravvento. Il drago poteva aspettare. Magari proprio in quel punto si nascondeva un tesoro. Prese lo slancio e saltò sul masso, guardando giù sul lato opposto. Per un attimo rischiò di cadere all'indietro, ma dopo aver oscillato e roteato le braccia per qualche attimo ritrovò l'equilibrio. In seguito non avrebbe ammesso di essersi spaventato, ma in quel preciso istante, in quel breve spazio di un momento, provò una paura che non aveva precedenti nei suoi sei anni di vita. Una signora gli aveva teso un agguato. Era lì stesa sulla schiena e lo guardava con gli occhi fissi. Il primo impulso fu di scappare, prima che lei lo agguantasse e capisse che lui andava a giocare lì anche se era proibito. Forse lo avrebbe costretto a dire dove abitava e lo avrebbe portato a forza da mamma e papà che si sarebbero arrabbiati e gli avrebbero chiesto quante volte gli avevano detto che non doveva andare a Kungsklyftan senza un adulto.

Ma la cosa strana era che la signora non si muoveva. Era

anche senza vestiti, e il bambino si sentì in imbarazzo pensando che stava guardando una donna nuda. La cosa rossa che aveva visto non era un lembo di stoffa ma una borsa, proprio accanto a lei, ma non vedeva vestiti da nessuna parte. Strano, starsene lì nudi. Faceva freddino.

Poi fu colpito da quell'idea impensabile, che la signora fosse morta! Non riuscì a farsi venire in mente altra spiegazione per quella strana immobilità. L'intuizione lo indusse a saltare giù dal masso e ad arretrare lentamente verso l'imbocco della gola. Quando fu a un paio di metri dalla signora fece dietrofront e corse fino a casa alla massima velocità possibile. Della sgridata che lo aspettava non gli importava più niente.

Il sudore le appiccicava le lenzuola alla pelle. Si girava e rigirava nel letto, ma era impossibile trovare una posizione comoda. La luminosa notte estiva non facilitava le cose, ed Erica prese mentalmente nota, per la millesima volta, di comprare delle tende scure da appendere alle finestre, o meglio, di convincere Patrik a farlo.

Il suo respiro regolare e sereno accanto a lei la mandava in bestia. Aveva un bel coraggio a starsene lì a ronfare mentre lei passava sveglia una notte dopo l'altra! Il bambino era anche suo. Non avrebbe dovuto condividere la sua insonnia per simpatia, o qualcosa del genere? Lo toccò, nella speranza che si svegliasse. Neanche un segno di vita. Lo toccò un po' più forte. Lui grugnì, si tirò su il lenzuolo e le girò le spalle.

Con un sospiro, Erica si mise supina, le braccia incrociate sul petto, gli occhi fissi al soffitto. La pancia si ergeva come un grosso mappamondo davanti a lei. Cercò di immaginare il piccolo nuotare nel liquido, al buio, magari con il pollice in bocca, ma era ancora tutto troppo irreale perché l'immagine prendesse forma nella sua mente. Era all'ottavo mese ma non riusciva ancora a credere che lì dentro ci fosse un piccolo essere umano. Be', in ogni caso in un futuro piuttosto prossimo sarebbe diventato una realtà più che palpabile. Erica era combattuta tra il desiderio e il timore. Era difficile andare oltre il parto con il pensiero. Anzi, a essere sinceri in quel momento era difficile andare oltre il fatto di non riuscire più a dormire sulla pancia. Guardò le cifre fosforescenti sulla sveglia. Le quattro e quarantadue. Che fosse il caso di accendere la luce e leggere un pochino?

Tre ore e mezza e un brutto poliziesco più tardi, stava per alzarsi dal letto quando il telefono si mise a squillare. Con un gesto abituale, passò il ricevitore a Patrik.

«Pronto?» La voce era impastata di sonno.

«Sì, certo... oh merda... sì, posso essere lì tra un quarto d'ora. Ci vediamo.»

Si girò verso Erica. «Abbiamo ricevuto una chiamata. Devo andare.»

«Ma sei in ferie! Non può occuparsene qualcun altro?» Si accorse da sola di avere la voce lagnosa, ma una notte di veglia non contribuiva certo a metterla di buon umore.

«Si tratta di un omicidio. Mellberg mi ha chiesto di raggiungerlo. Sta andando sul posto anche lui.»

«Un omicidio? E dove?»

«Qui a Fjällbacka. Un bambino ha trovato una donna morta a Kungsklyftan, stamattina.»

Patrik si vestì rapidamente, operazione facilitata dal fatto che si era a metà luglio e bastavano pochi capi leggeri. Prima di precipitarsi giù dalla scala tornò verso il letto e le diede un bacino sulla pancia, in un punto dalle parti del quale le sembrava di ricordare di aver avuto, in passato, un ombelico.

«Ciao ciao, piccolino. Fai il bravo con la mamma, e vedrai che tra poco torno.»

Poi le baciò leggero la guancia e si affrettò a uscire. Con un sospiro, Erica si sollevò dal letto e si mise uno di quei tendoni da circo che ormai rappresentavano gli unici capi di abbigliamento tra cui poteva scegliere. Nonostante si fosse ripromessa di non farlo, aveva letto una montagna di libri sulla gravidanza, e ora pensava che tutti quelli che scrivevano dello stato di grazia connesso all'attesa di un bambino avrebbero dovuto essere trascinati in piazza e presi a bastonate. Insonnia, dolori articolari, varici, emorroidi, sudorazione e scompensi ormonali nell'accezione più ampia: tutto questo era ben più vicino alla realtà. E col cavolo che ci si ritrovava a risplendere di una luce interiore. Brontolando, scese lentamente la scala per bersi la prima tazza di caffè della giornata, sperando che servisse a diradare la nebbia.

Sul posto regnava già un'attività febbrile. L'imbocco di Kungsklyftan era stato delimitato con il nastro giallo, e poco lontano si contavano tre auto della polizia e un'ambulanza. I tecnici di Uddevalla erano già al lavoro e Patrik sapeva di non dover mettere piede sulla scena del crimine. Sarebbe stato un errore da principianti, il che non impediva al suo capo, il commissario Mellberg, di passeggiare con la grazia di un elefante in mezzo ai tecnici che, disperati, guardavano le sue scarpe e i suoi vestiti che a ogni istante trasferivano migliaia di fibre e particelle nel loro fragile ambiente di lavoro. Quando Patrik si fermò prima del nastro di plastica e lo chiamò, osservarono sollevati il commissario allontanarsi e uscire dalla zona delimitata.

«Ciao, Hedström.»

La voce era cordiale, al limite del gongolante, e Patrik trasalì, sorpreso. Per un attimo pensò che Mellberg stesse per abbracciarlo, ma fu solo una fuggevole quanto allarmante impressione. Il suo capo sembrava trasformato! Patrik era in ferie da una sola settimana, ma l'uomo che aveva davanti era davvero un altro rispetto a quello che aveva lasciato seduto alla scrivania, tutto rannuvolato, a brontolare che le ferie avrebbero dovuto essere abolite come concetto in sé.

Mellberg strinse vigorosamente la mano a Patrik e gli assestò una pacca sulla spalla.

«Come va con la chioccia che è a casa a covare, eh? Verrà fuori qualcosa o no?»

«Non prima di un mese, pare.»

Patrik non riusciva ancora a capire cos'avesse scatenato tutta quell'allegria nel suo capo, ma mise da parte la curiosità e cercò di concentrarsi sul motivo per cui era stato convocato.

«Cos'avete trovato esattamente?»

Mellberg fece uno sforzo per cancellarsi il sorriso dalla faccia e indicò le viscere scure della gola.

«Stamattina presto un bambino sui sei anni è uscito di casa di nascosto mentre i suoi dormivano ancora, con l'intenzione di giocare ai cavalieri qui tra i blocchi di pietra, e invece ci ha trovato una donna morta. L'allarme è stato dato alle sei e un quarto.»

«Da quanto tempo sono qui i tecnici della scientifica?»

«Un'oretta. Il personale sanitario è arrivato per primo e ha potuto confermare subito che non c'era più nulla da fare, per cui i tecnici hanno avuto modo di lavorare liberamente. Un po' rompicoglioni, a dire il vero... Sono entrato soltanto a dare un'occhiatina e quelli si sono comportati da veri cafoni. D'altra parte a forza di strisciare dalla mattina alla sera con una pinzetta in mano a cercare fibre non è strano che si venga colpiti da fissazioni anali...»

Ecco, adesso il suo capo era tornato quello di sempre. Quest'ultima affermazione era decisamente nel suo stile. D'altra parte Patrik sapeva anche, per esperienza, che non valeva la pena tentare di correggere le sue convinzioni. Era più semplice lasciarle semplicemente entrare da un orecchio e uscire dall'altro.

«Cosa sappiamo della donna?»

«Al momento niente. È sui venticinque anni, a spanne. L'unico capo di abbigliamento, ammesso che lo si possa definire tale, è una borsetta. Per il resto è nuda come mamma l'ha fatta. Belle tette, tra l'altro.»

Patrik chiuse gli occhi e ripeté tra sé e sé, come un mantra interiore: tra non molto andrà in pensione... tra non molto andrà in pensione...

Imperturbabile, Mellberg continuò: «La causa della morte non è evidente, ma in generale è piuttosto malconcia. Ematomi su tutto il corpo e anche qualche ferita, apparentemente dovuta a delle coltellate. Ah, un'altra cosa: è stesa su una coperta grigia. Il medico legale è qui e la sta esaminando, per cui speriamo di avere un primo parere abbastanza rapidamente.»

«Non abbiamo nessuna denuncia di scomparsa di una persona più o meno di quell'età?»

«No. Soltanto un tizio di mezza età, l'altra settimana, ma poi si è scoperto che si era semplicemente stufato di starsene gomito a gomito con la moglie in una roulotte ed era scappato con una tipa conosciuta al Galären.»

Patrik vide che quelli della scientifica stavano infilando delicatamente il cadavere nel sacco per il trasporto. Mani e piedi erano avvolti in sacchetti, come da regolamento, per non disperdere eventuali tracce. I tecnici di Uddevalla, abituati a lavorare in squadra, si diedero da fare per completare l'operazione in modo rapido. Subito dopo, anche la coperta sarebbe stata infilata in un sacchetto di plastica, per essere esaminata meglio.

La sorpresa che si disegnò sui loro volti e il modo in cui si bloccarono di colpo rivelarono a Patrik che era successo qualcosa di inaspettato.

«Cosa c'è?»

«Non ci crederete, ma qui ci sono delle ossa. E due teschi. Potrebbe benissimo trattarsi di due scheletri.»

Estate 1979

Era la notte del solstizio d'estate. Mentre pedalava verso casa, la ragazza sbandava pericolosamente. I bagordi erano stati più scatenati del previsto, ma non importava. Ormai era adulta, poteva fare quello che le pareva. La cosa più bella era potersene stare alla larga dalla bambina per un po'. La bambina con i suoi strilli, la sua sete di tenerezza e tutte le esigenze che lei non riusciva a colmare. Dopotutto era colpa di quell'esserino se lei era ancora costretta a vivere con sua madre, quella befana che sì e no la lasciava uscire dalla porta, anche se aveva quasi vent'anni. Era un miracolo che fosse riuscita ad andare a festeggiare la mezz'estate, quella sera.

Se non fosse stato per la bambina, a quell'ora avrebbe potuto stare per conto suo e guadagnare dei soldi suoi, uscendo e tornando quando le pareva, senza che nessuno s'immischiasse. Ma con la piccola non era possibile. Avrebbe voluto darla via, ma la befana non aveva sentito ragioni, e a pagarne il prezzo ora era lei. Dato che ci teneva tanto, poteva occuparsene direttamente, no?

La befana sarebbe andata su tutte le furie, vedendola rientrare a quell'ora. Aveva l'alito che puzzava di alcol e il giorno dopo l'avrebbe sicuramente pagata. Ma ne era valsa la pena. Non si era divertita così da prima che quella rompiscatole venisse al mondo.

Attraversò pedalando l'incrocio all'altezza del distributore e proseguì ancora per un tratto. Poi svoltò a sinistra verso Bräcke, e per poco non finì nel fosso. Riuscì a raddrizzare la bicicletta e accelerò per prendere lo slancio in vista della prima salita ripida. La velocità le faceva sventolare i capelli nell'aria immobile della luminosa notte estiva. Per un attimo chiuse gli occhi e ripensò a un'altra luminosa notte estiva, quella in cui il tedesco l'aveva messa incinta. Era stata una notte splendida e proibita, ma non era valsa il prezzo che lei aveva dovuto pagare.

D'un tratto riaprì gli occhi. Qualcosa aveva fatto inchiodare la bici, e l'ultimo ricordo fu la strada che le veniva incontro.

Una volta rientrato alla stazione di polizia di Tanumshede, Mellberg sprofondò, cosa alquanto inusuale per lui, nei suoi pensieri. Neanche Patrik disse granché, seduto di fronte a lui nella saletta del personale: stava rimuginando come il suo capo sugli eventi della mattinata. In realtà faceva troppo caldo per bere un caffè, ma aveva bisogno di qualcosa che lo ritemprasse, e di certo non poteva ricorrere ad alcolici. Entrambi si sollevavano la camicia dalla pelle per trovare un po' di sollievo. L'impianto dell'aria condizionata era guasto da due settimane e ancora non si era riusciti a far venire qualcuno ad aggiustarlo. Di mattina si stava ancora abbastanza bene, ma intorno a mezzogiorno la calura raggiungeva punte insopportabili.

«Cosa succede?» Mellberg si grattò pensoso in un punto del nido di capelli in cui si sistemava il riporto per nascondere la pelata.

«Non ne ho idea, se devo essere sincero. Un cadavere di donna steso sopra due scheletri. Se non fosse che qualcuno è stato effettivamente ucciso, mi sembrerebbe una specie di scherzo da ragazzi. Scheletri rubati da un laboratorio di biologia o qualcosa del genere. Ma non si può prescindere dal fatto che la donna è stata assassinata. Ho anche sentito uno dei tecnici dire che le ossa non sembravano particolarmente recenti, per quanto, naturalmente, dipenda anche da come si sono conservate, se all'aperto, esposte alle intemperie, o in un luogo protetto. Speriamo che il medico legale sappia dirci approssimativamente a quando risalgono.»

«Giusto. Quando pensi che potremo avere il rapporto?» Mellberg corrugò la fronte sudata.

«In giornata avremo una prima bozza, ma per un esame più approfondito ci vorranno un paio di giorni. Quindi, per il momento dovremo lavorare con quello che abbiamo. Dove sono gli altri?»

Mellberg sospirò. «Gösta è in ferie, oggi. Una qualche gara di golf del diavolo, o roba del genere. Ernst e Martin sono fuori per una chiamata. Annika è in Grecia. Evidentemente pensava che qui sarebbe stata un'estate piovosa come al solito. Poveretta, andarsene dalla Svezia con questo tempo.»

Patrik tornò a guardare Mellberg, sorpreso, chiedendosi il motivo di quell'insolita espressione di simpatia. C'era in ballo qualcosa di strano, ma non valeva la pena sprecare del tempo per pensarci. Avevano cose più importanti di cui occuparsi.

«In effetti tu saresti in ferie fino alla fine della settimana, ma potresti prendere in considerazione l'idea di dare una mano? Ernst non ha abbastanza fantasia e Martin non ha abbastanza esperienza per condurre un'indagine. Insomma, avremmo davvero bisogno del tuo aiuto.»

La richiesta era talmente lusinghiera per Patrik che accettò su due piedi. Sicuramente Erica gliel'avrebbe fatta pagare cara, ma si consolò al pensiero che, se avesse avuto bisogno di lui per un'emergenza, per tornare a casa gli sarebbe bastato un quarto d'ora. Inoltre, con quel caldo, avevano finito per darsi un po' sui nervi a vicenda, quindi poteva essere addirittura salutare stare un po' alla larga l'uno dall'altra.

«Per prima cosa vorrei controllare se è arrivato qualche avviso di ricerca relativo a donne scomparse. Dobbiamo allargare il raggio d'azione, almeno da Strömstad a Göteborg. Chiederò a Martin o Ernst di farlo. Mi sembra di averli visti rientrare.»

«Bene, benissimo. Mi pare lo spirito giusto. Continua così!»

Mellberg si alzò e gli diede una pacca amichevole sulla spalla. Patrik si rese conto che, come al solito, a lui sarebbe toccato il lavoro sporco e al suo capo gli onori, ma era un dato di fatto e non valeva la pena prendersela più di tanto.

Sospirando, mise nella lavastoviglie sia la sua tazza che quella di Mellberg. Niente crema solare, per quel giorno.

«Forza, alzarsi! Cosa credete che sia questo, un fottuto albergo in cui potete grattarvi la pancia tutto il tempo?»

La voce lacerò lo spesso strato di nebbia e gli riecheggiò dolorosamente contro le tempie. Johan socchiuse un occhio per richiuderlo appena fu abbagliato dalla luce intensa del sole.

«Ma che cazzo...» Suo fratello Robert, maggiore di lui di un anno, si girò nel letto e si mise un cuscino sulla testa. Quando gli fu strappato di dosso, si alzò a sedere brontolando.

«Mai che si possa dormire un po' di più.»

«Voi due dormireste tutto il giorno, tiratardi come siete. È quasi mezzogiorno. Se non andaste a zonzo tutte le notti a fare Dio sa cosa magari non avreste bisogno di sprecare le giornate dormendo. Mi serve una mano, qui. Avete vitto e alloggio a scrocco, grandi e grossi come siete, quindi non mi pare di pretendere troppo chiedendo una mano ogni tanto, visto che sono vostra madre.»

Solveig Hult aveva incrociato le braccia sul petto enorme. Era affetta da un'obesità patologica, e mostrava il pallore tipico di chi non mette mai piede fuori dalla porta. I capelli non lavati le scendevano in ciocche unte intorno al viso.

«Avete quasi trent'anni e siete ancora sulle spalle di vostra madre. Dei veri uomini! E dove li trovate i soldi per uscire a far bagordi tutte le sere, se posso chiederlo? Lavorare non lavorate, e contributi per il vostro mantenimento non ne vedo. Vi dico solo questo: se vostro padre fosse stato qui, ci avrebbe pensato lui a farvi mettere la testa a posto! Avete saputo niente dall'ufficio di collocamento? Dovevate andarci la settimana scorsa!»

Questa volta toccò a Johan mettersi il cuscino sulla faccia per tentare di isolarsi da quelle lagne continue, un disco rotto, ma anche a lui venne strappato di mano. Si mise a sedere con la testa che pulsava come una banda musicale al completo a causa dei postumi della sbornia.

«La tavola l'ho sparecchiata. Prendetevi da mangiare nel frigo.»

Il sederone di Solveig uscì dondolando dalla stanzetta che i due fratelli dividevano e la porta si richiuse di colpo. Non osando rimettersi a dormire, tirarono fuori un pacchetto di sigarette e ne accesero una ciascuno. Della colazione potevano fare a meno, mentre il tabacco, bruciando gradevolmente in gola, rimetteva in moto gli spiriti vitali.

«Che colpo ieri sera, eh?» Robert rise e soffiò fuori il fumo formando degli anelli. «L'avevo detto che in quella casa c'era roba mica male. Fa l'amministratore delegato per una qualche azienda di Stoccolma... per forza si concede il meglio.»

Johan non rispose. A lui i furti con scasso non scatenavano la stessa botta di adrenalina: al contrario, prima e dopo si ritrovava un grosso grumo di angoscia nello stomaco. Però aveva sempre fatto come diceva Robert e neanche gli passava per l'anticamera del cervello di poter agire diversamente.

Il colpo della sera precedente aveva fruttato più di quanto non succedesse da un pezzo. La gente aveva cominciato a pensarci due volte prima di portare oggetti di valore nelle seconde case: per lo più ci metteva roba vecchia, di cui non sapeva cosa fare, o comprata all'asta, che era sembrata un grande affare ma in realtà non valeva una cicca. Quella notte, invece, avevano trovato un televisore nuovo, un lettore dvd, dei giochi della Nintendo e alcuni gioielli della padrona di casa. Robert avrebbe venduto il bottino attraverso i suoi soliti canali e il tutto avrebbe fruttato un bel po' di grana. Certo però non sarebbe durata a lungo. I soldi rubati bruciavano nelle tasche, e nel giro di un paio di settimane sarebbero finiti, dilapidati in giochi d'azzardo, serate passate fuori a spendere e spandere, e qualche acquisto. Johan guardò il costoso orologio che portava al polso. Per fortuna la vecchia non riconosceva la roba di valore. Se avesse saputo quanto aveva pagato per quell'affare avrebbe rotto i coglioni a vita.

A volte gli sembrava di essere incastrato in una ruota per criceti che non faceva che girare mentre gli anni passavano. Non era cambiato un bel niente da quando erano adolescenti, e non riusciva a vedere nemmeno uno spiraglio. L'unica cosa che dava un senso alla sua vita era anche l'unica che avesse tenuto nascosta a Robert. Un istinto profondo gli diceva che confidarsi con lui non avrebbe portato a nulla di buono. Robert avrebbe solo insozzato tutto con le sue battute volgari.

Per un attimo si concesse di pensare alla morbidezza dei

capelli di lei contro la sua guancia ruvida, a quanto gli sembrava piccola quella mano stretta tra le sue.

«Ehi, lascia perdere i sogni a occhi aperti. Abbiamo degli affari da sbrigare.»

Robert si alzò con la sigaretta che penzolava dall'angolo della bocca e lo precedette. Come sempre, Johan lo seguì. Non poteva fare altro.

In cucina, Solveig era al solito posto. Fin da quando era piccolo, da quella cosa successa a suo padre, Johan l'aveva vista lì sulla sua sedia davanti alla finestra, le dita che giocherellavano con quello che aveva davanti a sé sulla tavola. Nei primi ricordi era bella, ma con gli anni l'adipe si era depositato in strati sempre più spessi sul suo corpo e sui lineamenti del viso.

Lì seduta, sembrava in trance. Le dita vivevano di vita propria, intente ad accarezzare e cincischiare. Erano vent'anni abbondanti che si occupava di quegli album del cavolo, sistemandoli e risistemandoli. Ogni tanto ne comprava uno nuovo e ci rimetteva dentro le foto e i ritagli di giornale, disponendoli meglio. Johan non era così stupido da non capire che era un modo per trattenere un'epoca felice, ma prima o poi avrebbe dovuto rendersi conto anche lei che era passata da un pezzo.

Le foto risalivano al periodo in cui Solveig era una bellezza. Il culmine della sua vita era stato il matrimonio con Johannes Hult, figlio minore di Ephraim Hult, famoso predicatore nonconformista e proprietario della tenuta più fiorente della zona. Johannes era un uomo ricco e di classe, e per quanto povera lei era la più bella ragazza nata nel Bohuslän, o almeno così dicevano tutti. E se ci fosse stato bisogno di ulteriori prove, potevano bastare gli articoli che aveva ritagliato quando era stata incoronata reginetta della festa del primo maggio per due anni di seguito. Erano quelli, e le tante fotografie in bianco e nero che la ritraevano da giovane, che tirava fuori e risistemava amorevolmente ogni giorno da più di vent'anni. Sapeva che da qualche parte, sotto gli strati di grasso, era ancora nascosta quella ragazza, e grazie alle foto riusciva a trattenerla, anche se a ogni anno che passava le sfuggiva sempre di più tra le dita.

Con un ultimo sguardo, Johan lasciò sua madre dov'era e seguì Robert. Era come diceva lui: avevano degli affari da sbrigare.

Erica pensò alla possibilità di uscire per una passeggiata, ma si rese conto che forse farlo proprio nel momento in cui il sole era più alto e la calura più intensa non era la cosa migliore. Era stata benissimo per tutta la gravidanza, finché non era scoppiata la canicola. Da allora girava come una balena sudaticcia cercando disperatamente un po' di fresco. Patrik, Dio lo benedica, aveva avuto l'idea di comprarle un ventilatore da tavolo e ora lei se lo portava dietro per tutta la casa come un tesoro inestimabile. Purtroppo però era elettrico, il che limitava la scelta perché la distanza da una presa non poteva mai essere maggiore della lunghezza del cavo.

Nella veranda l'attacco era nella posizione ideale per permetterle di stendersi sul divano. Ma nessuna posizione era comoda per più di cinque minuti, cosa che la costringeva a girarsi di qua e di là per trovarne un'altra. In certi casi si ritrovava un piedino in mezzo alle costole, oppure una manina si ostinava a prenderla a pugni nel fianco, e a quel punto doveva spostarsi di nuovo. Come avrebbe fatto a resistere un altro mese era un vero mistero.

Quando era rimasta incinta, lei e Patrik stavano insieme solo da sei mesi, ma stranamente la cosa non aveva preoccupato nessuno dei due. Erano entrambi abbastanza maturi e abbastanza sicuri di quello che volevano, e non trovavano che ci fossero motivi validi per aspettare. Solo negli ultimi tempi, quando ormai era cosa praticamente fatta, le era venuto qualche ripensamento. Era possibile che avessero sperimentato troppo poco la vita insieme prima di fare quel passo? Che ripercussioni avrebbe avuto sul loro rapporto il precipitoso arrivo di un piccolo estraneo bisognoso di tutta l'attenzione che fino a quel momento avevano potuto dedicare l'uno all'altra?

Certo, la fase iniziale dell'amore cieco e travolgente era ormai passata, e adesso avevano una base d'appoggio più realistica e quotidiana, con una buona consapevolezza dei reciproci lati positivi e negativi, ma se con l'arrivo del bambino fossero rimasti solo quelli peggiori? Quante volte aveva sentito parlare delle statistiche sull'impressionante numero di relazioni che andavano a rotoli nel corso del primo anno di vita del primogenito? In ogni caso ormai era inutile rimuginarci sopra. Quel che è fatto è fatto, e poi non poteva negare che sia lei che Patrik desideravano con ogni fibra del corpo l'arrivo di quel figlio. Sperava davvero che quel desiderio bastasse per superare la profonda trasformazione che avrebbe subito la loro esistenza.

Allo squillo del telefono trasalì. Si sollevò faticosamente dal divano e sperò che chi chiamava avesse la pazienza di aspettare prima di riattaccare.

«Sì, pronto?» «Ah, ciao, Conny.» «Ma sì, grazie. Fa solo un po' troppo caldo, con la pancia che mi ritrovo.» «Venite a trovarci? Ma certo... Volete passare a bere un caffè...» «Ah, volevate fermarvi a dormire? Mm...» Erica sospirò tra sé e sé. «Sì, certo. Quando arrivate?» «Stasera? No, nessun problema, figurati. Preparerò il letto nella stanza degli ospiti.»

Riattaccò stancamente. Avere una casa a Fjällbacka comportava un grande svantaggio, in estate. Di colpo si facevano vivi parenti e conoscenti che nel corso dei dieci mesi più freddi dell'anno non chiamavano mai. In novembre non c'era nessuno che fosse particolarmente interessato a venire a trovarla, ma in luglio si ricordavano tutti della possibilità di qualche notte gratis con vista mare. Erica aveva sperato di essere risparmiata, quell'estate, visto che la prima metà del mese era trascorsa senza che nessuno si fosse fatto sentire. E invece adesso suo cugino Conny era già partito da Trollhättan con moglie e due figli. In compenso se la sarebbe cavata con una notte soltanto. Non che avesse mai avuto una passione per quei cugini, ma la buona educazione le impediva di rifiutarsi di accoglierli anche se, scrocconi com'erano, forse avrebbe dovuto farlo.

Erica era comunque contenta di avere, insieme a Patrik, una casa a Fjällbacka in cui accogliere gli ospiti, invitati o meno che fossero. Dopo l'improvvisa scomparsa dei genitori, suo cognato aveva cercato di venderla, ma sua sorella Anna ne aveva finalmente avuto abbastanza dei suoi maltrattamenti, fisici e psichici. Si era separata da Lucas e adesso era comproprietaria della casa con Erica. Dato che Anna era rimasta a Stoccolma con i due bambini, Erica e Patrik avevano potuto andare ad abitarci insieme, facendosi carico, in cambio, di tutte le spese. A tempo debito avrebbero dovuto risolvere il problema in maniera definitiva, ma per il momento Erica era solo contenta di aver potuto tenere la casa e di poterci vivere per tutto l'anno.

Si guardò intorno, rendendosi conto che, se voleva renderla presentabile in tempo per l'arrivo degli ospiti, doveva darsi una mossa. Pensò a come avrebbe reagito Patrik al pensiero dell'invasione, ma poi sollevò il mento e si disse che, se aveva il coraggio di lasciarla lì da sola per andare a lavorare pur essendo in ferie, lei era padrona di accogliere tutti gli ospiti che voleva. Aveva già dimenticato di aver pensato, poco prima, che non averlo intorno per un po' sarebbe stato abbastanza piacevole.

Ernst e Martin erano effettivamente appena rientrati, e Patrik decise di cominciare informandoli sul caso. Li chiamò nel proprio ufficio, e i due presero posto sulle sedie davanti alla scrivania. Il viso paonazzo di Ernst tradiva la sua collera per il fatto che fosse stato Patrik a vedersi assegnare l'indagine, ma lui scelse di far finta di niente. Era un problema di Mellberg, e nel peggiore dei casi, se il collega si fosse rifiutato di collaborare, se la sarebbero cavata senza il suo aiuto.

«Immagino che abbiate già saputo cos'è successo.»

«Sì, dalla radio della polizia.» Martin, giovane ed entusiasta, a differenza di Ernst era seduto dritto sulla sedia, con il blocco sulle ginocchia e la penna in resta.

«Una donna è stata trovata assassinata a Kungsklyftan, nuda. Doveva avere tra i venti e i trent'anni. *Sotto* di lei sono stati rinvenuti due scheletri umani di origine ed epoca incerte, ma Karlström, della scientifica, mi ha fornito una valutazione ufficiosa secondo la quale non erano proprio di giornata. A quanto pare, quindi, abbiamo un bel po' di lavoro extra, oltre alle risse tra ubriachi e ai fermi per guida in stato di ebbrezza che ci capitano in questo periodo. Dato che, oltretutto, Annika e Gösta sono in ferie, per il momento ci toccherà rimboccarci le maniche. In effetti sarei in ferie anch'io, ma ho accettato di rientrare e, su richiesta di Mellberg, di assumere la direzione dell'indagine. Domande?»

In realtà l'interpellato era Ernst, che però evitò il confronto diretto, sicuramente con l'intenzione di lamentarsi alle sue spalle.

«Cosa vuoi che faccia?» Martin era come un cavallo schiumante chiuso in un recinto, e stava tracciando impaziente dei cerchi sul blocco con la penna.

«Vorrei che cominciassi controllando sul Sis quali denunce sono state fatte relativamente a donne scomparse negli ultimi... due mesi, diciamo. Meglio prenderla alla larga, almeno finché non sapremo qualcosa dal medico legale. Anche se secondo me la morte è avvenuta molto più di recente, forse appena un paio di giorni fa.»

«Ma come, non lo sai?» chiese Martin.

«Cosa?»

«Che il database è bloccato. Ci toccherà lasciar perdere il Sis e ricorrere alla vecchia procedura.»

«Che tempismo! Comunque, visto che, a quanto dice Mellberg e a quanto mi risulta da prima di andare in ferie, noi non abbiamo niente del genere in sospeso, direi di fare un giro di telefonate a tutti i distretti confinanti. Procedi per cerchi concentrici, ampliando la ricerca a mano a mano. Capisci cosa intendo?»

«Certo. E fino a che distanza devo arrivare?»

«Continua finché non troverai qualcosa che corrisponde. Telefona anche a Uddevalla, appena avremo finito qui, in modo da avere una scheda segnaletica su cui basarti per la ricerca.»

«E io cosa faccio?» Nella voce di Ernst non si percepiva un entusiasmo propriamente contagioso.

Patrik abbassò gli occhi sugli appunti che aveva buttato giù rapidamente dopo il colloquio con Mellberg.

«Vorrei che tu cominciassi andando a parlare con quelli che abitano intorno all'imbocco di Kungsklyftan per verificare se hanno visto o sentito qualcosa stanotte o nelle prime ore della mattina. Quel posto brulica di turisti, di giorno, quindi il tutto dev'essersi svolto a una cert'ora della notte o della mattina. Possiamo partire dal presupposto che siano stati trasportati attraverso l'imbocco più grande, perché difficilmente potrebbero averli portati lungo la scalinata che parte da Ingrid Bergmans Torg. Il bambino ha trovato la donna verso le sei, quindi io mi concentrerei sull'arco di tempo che va dalle nove di ieri sera alle sei di oggi. Quanto a me, pensavo di scendere a dare un'occhiata in archivio. C'è qualcosa, nei due scheletri, che fa suonare un campanello. Ho la sensazione che dovrei sapere cosa, ma... A voi non viene in mente niente? Niente che emerga nella memoria?»

Spalancò le braccia e aspettò con le sopracciglia sollevate una risposta, ma Martin ed Ernst si limitarono a scuotere la testa. Sospirò. Be', allora non restava che infilarsi nelle catacombe...

Ignaro di essere caduto in disgrazia, anche se, avendo il tempo di pensarci, avrebbe potuto indovinarlo, Patrik si mise a frugare in mezzo alle vecchie carte conservate nei sotterranei della stazione di polizia di Tanumshede. Sulla maggior parte dei raccoglitori si era depositato uno spesso strato di polvere, ma per fortuna il contenuto sembrava in buono stato. Quasi tutto il materiale era archiviato in ordine cronologico e, pur non sapendo esattamente cosa cercava, Patrik era certo che si trovava lì dentro.

Si mise seduto a gambe incrociate sul pavimento e sfogliò sistematicamente un raccoglitore dopo l'altro. Decenni di destini umani gli passarono tra le mani, e più procedeva più si rendeva conto di quante persone e famiglie comparissero regolarmente nei registri della polizia. Sembra che la criminalità passi in eredità dai genitori ai figli e perfino ai nipoti, pensò vedendo saltare fuori lo stesso cognome per l'ennesima volta.

Il cellulare squillò e sul display Patrik lesse che era Erica.

«Ciao amore, tutto bene?» Conosceva già la risposta. «Sì, lo so che fa caldo. Dovrai rassegnarti a stare seduta davanti al ventilatore. Non c'è molto altro da fare.» «Senti, qui abbiamo un omicidio e Mellberg vuole che conduca io l'indagine. Saresti molto triste se rientrassi al lavoro per qualche giorno?»

Patrik trattenne il respiro. Sapeva che avrebbe dovuto telefonarle lui per dirle che forse sarebbe stato richiamato in servizio. Invece, alla solita maniera sfuggente dei maschi, aveva preferito rimandare l'inevitabile. D'altra parte, però, sapeva benissimo anche lei quali erano i presupposti della sua professione: l'estate era il periodo più frenetico. Di conseguenza dovevano alternarsi prendendo pochi giorni alla volta di ferie pur sapendo che nemmeno quelli erano davvero garantiti. Tutto dipendeva dal numero di casi di ubriachezza molesta, rissa e altri effetti secondari del turismo che la stazione doveva accollarsi. E un omicidio aveva uno status assolutamente a sé stante.

Erica aveva detto qualcosa che per poco non gli era sfuggito.

«Visite, hai detto? Chi? Tuo cugino?» Patrik sospirò. «Cosa vuoi che dica? Certo sarebbe stato più piacevole restare soli, stasera, ma se stanno arrivando stanno arrivando. Si fermano solo una notte, però, vero?» «Okay, allora compro gamberi per tutti, per cena. Si cucinano in fretta, così non stai troppo ai fornelli. Sarò a casa verso le sette. Un bacio.»

S'infilò il cellulare in tasca e riprese a sfogliare le carte che aveva davanti. Un raccoglitore contrassegnato dalla scritta *Scomparsi* attirò la sua attenzione. Qualcuno dotato di una certa ambizione aveva in qualche occasione raccolto tutte le denunce di scomparsa legate a indagini di polizia. Patrik sentì che era proprio quello che stava cercando. Aveva le mani impolverate e prima di aprire il raccoglitore se le pulì sui bermuda. Dopo aver letto qua e là si accorse di essere finalmente sulla pista giusta. Avrebbe dovuto ricordarsi subito di quella storia, considerando quanto era limitato il numero degli scomparsi, ma evidentemente l'età cominciava a farsi sentire. Adesso comunque aveva lì davanti le denunce, e sentiva che non poteva trattarsi di una coincidenza. Due donne date per disperse nel 1979 e mai ritrovate. Due scheletri rinvenuti a Kungsklyftan.

Portò su il raccoglitore intero e lo appoggiò sulla scrivania.

I cavalli erano l'unica ragione per cui restava lì. Spazzolò con mano esperta il baio castrato con energici colpi di striglia. Il lavoro fisico per lei era una valvola attraverso cui sfogare la frustrazione. Era un vero schifo avere diciassette anni e non poter decidere della propria vita. Appena fosse stata maggiorenne se ne sarebbe andata da quel buco di merda e avrebbe accettato la proposta del fotografo che le si era avvicinato mentre camminava per il centro di Göteborg. Una volta diventata modella, a Parigi, avrebbe guadagnato un sacco di soldi e gliel'avrebbe detto lei dove potevano ficcarsi quegli studi. Il fotografo le aveva spiegato che per ogni anno che passava il suo valore come modella diminuiva, e prima che le si aprisse una strada avrebbe dovuto buttare via un altro anno, solo perché il suo vecchio si era fissato su quella palla della scuola. Mica serviva studiare per sfilare in passerella! E poi, a venticinque anni o giù di lì, quando avrebbe cominciato a essere troppo vecchia per quel lavoro, si sarebbe sposata un milionario, e allora sì che avrebbe riso delle minacce di diseredarla! In un giorno avrebbe potuto spendere, facendo shopping, una cifra uguale a tutto il suo cazzo di patrimonio.

E quell'altra palla di suo fratello, perfettino com'era, non migliorava le cose. Certo era meglio abitare con lui e Marita che a casa, ma non di tanto. Era così maledettamente ammodo che non sbagliava mai, così lei si prendeva automaticamente tutte le colpe.

«Linda?»

Uffa, neanche lì nella scuderia la lasciavano in pace.

«Linda?» La voce si fece più incalzante. Lui sapeva che era lì, non valeva la pena tentare di svignarsela.

«Sì, che palle, che c'è?»

«Non c'è bisogno di usare quel tono con me. Non mi pare che sia troppo chiederti di essere un po' più educata.»

Come unica risposta gli arrivò un'imprecazione soffocata, ma Jacob lasciò perdere.

«Guarda che sei mio fratello, mica mio padre!»

«Lo so, sì, ma finché abiti in casa mia ho una certa responsabilità nei tuoi confronti.»

Solo perché aveva quindici anni più di lei Jacob pensava di sapere tutto, ma era facile guardare gli altri dall'alto in basso quando si era con il culo nella bambagia. Il vecchio ripeteva in ogni occasione che Jacob sì che era un figlio di cui andare orgogliosi, e che avrebbe amministrato la tenuta di famiglia nel migliore dei modi, quindi Linda era convinta che un giorno tutta la baracca sarebbe finita nelle mani di suo fratello. Jacob nel frattempo poteva permettersi di fingere che i soldi non contassero niente per lui, ma Linda sapeva che era un bluff. Tutti lo ammiravano perché si occupava di ragazzi sbandati, ma sapevano anche che al momento giusto avrebbe ereditato la tenuta e una vera e propria fortuna, e allora sarebbe stato interessante vedere quanta voglia di fare volontariato gli sarebbe rimasta.

Le venne da ridere. Se Jacob avesse saputo che di sera

usciva di nascosto gli sarebbe venuto un colpo e, se avesse scoperto con chi, le avrebbe fatto una bella ramanzina. La solidarietà con i meno abbienti andava benissimo, finché non arrivavano alla porta di casa. E poi Jacob avrebbe avuto anche altri motivi, più profondi, per andare su tutte le furie, se fosse venuto a sapere che lei si vedeva con Johan. Era loro cugino, e la faida tra i due rami della famiglia durava da prima che lei nascesse, anzi, addirittura da prima che nascesse Jacob. Non sapeva perché, sapeva solo che era così, e quando usciva di nascosto per vedere Johan la cosa le provocava un fremito in più all'altezza del diaframma. Con lui si trovava bene. Effettivamente era piuttosto riservato, ma nonostante tutto aveva dieci anni di più e questo gli conferiva una sicurezza che i suoi coetanei neanche si sognavano. Che fossero cugini non le importava. Ormai i cugini avevano addirittura il permesso di sposarsi e, anche se la cosa non rientrava nei suoi progetti per il futuro, non aveva niente contro l'idea di esplorare qualche cosina con lui, a condizione che succedesse in segreto.

«Vuoi qualcosa o hai solo intenzione di sorvegliarmi in generale?»

Jacob fece un profondo sospiro e le appoggiò una mano sulla spalla. Lei cercò di indietreggiare, ma lui non mollò la presa.

«Davvero non capisco da dove venga tutta questa aggressività. I ragazzi con cui lavoro avrebbero dato qualsiasi cosa per avere una casa e un'infanzia come le tue. Un minimo di gratitudine e di maturità non sarebbe affatto fuori luogo, sai? E comunque sì, voglio qualcosa. Marita ha preparato la cena, quindi è il caso che tu vada a cambiarti e venga a mangiare.»

Le tolse la mano dalla spalla e uscì dalla scuderia, salendo verso la casa padronale. Linda mise giù la striglia brontolando e andò a darsi una sistemata. Nonostante tutto, aveva una certa fame.

Martin aveva di nuovo il cuore spezzato. Ormai aveva perso il conto delle volte che era successo, ma l'abitudine non diminuiva il dolore. Come sempre, aveva creduto che la donna che aveva appoggiato la testa sul cuscino accanto a lui fosse, finalmente, quella giusta. Era consapevole del fatto che era già impegnata, ma con la sua solita ingenuità si era convinto di essere più di un semplice passatempo e che i giorni del convivente di lei fossero contati. Non poteva immaginare che l'aspetto innocente e la grazia dei modi facessero di lui quello che uno zuccherino rappresenta per le mosche, nei confronti delle donne stagionate e annoiate dalla quotidianità con i loro uomini. Uomini che loro non avevano alcuna intenzione di lasciare a favore di un simpatico poliziotto venticinquenne, con il quale però non avevano remore a rotolarsi nel letto ogni volta che il desiderio e il bisogno di conferme si facevano sentire. Non che Martin avesse qualcosa contro la parte fisica di una relazione, anzi, sotto quell'aspetto ci sapeva fare, ma il problema stava nel fatto che era un giovanotto insolitamente romantico. L'amore, insomma, trovava terreno fertile in Martin Molin. Per questo le sue brevi storie si concludevano, per lui, in pianto e stridore di denti ogni volta che una donna lo ringraziava per ciò che era stato e se ne tornava alla sua vita, magari noiosa, ma anche solida e confortevole.

Seduto alla scrivania si lasciò scappare un sospiro, ma poi si costrinse a concentrarsi sull'incarico che gli era stato affidato. Le telefonate fatte fino a quel momento non avevano dato frutti, ma gli restavano ancora diversi distretti di polizia da chiamare. Che il database dovesse bloccarsi proprio quando gli serviva era da ascrivere alla sua solita sfortuna. Ora gli toccava stare lì a comporre un numero telefonico dopo l'altro per cercare di trovare qualcosa che potesse corrispondere alla descrizione della donna morta.

Due ore più tardi si appoggiò allo schienale della sedia e gettò deluso la matita contro la parete. Nessuna delle denunce per scomparsa riguardava la vittima dell'omicidio. E adesso cosa potevano fare?

Era un affronto, ecco cos'era. Stando all'anzianità, la responsabilità dell'indagine sarebbe dovuta toccare a lui, non a quel moccioso, ma la giustizia non è davvero di questo mondo. Erano anni che cercava d'ingraziarsi quello stramaledetto Mellberg, e questa era la ricompensa. Dirigendosi verso Fjällbacka Ernst prendeva le curve ad alta velocità, e se non fosse stato alla guida di un'auto della polizia avrebbe visto parecchi gestacci nello specchietto retrovisore. Che ci provassero, quei rompicoglioni di turisti, e gliel'avrebbe fatta pagare lui.

Quello di andare a parlare con i vicini di casa era un incarico da affidare all'ultimo arrivato, non a un agente con venticinque anni di esperienza. Avrebbe dovuto occuparsene il pivellino, Martin, mentre lui avrebbe fatto due chiacchiere con i colleghi dei distretti confinanti.

Si sentiva ribollire dentro. D'altra parte era il suo stato d'animo costante fin dall'infanzia, quindi non c'era niente di strano. Il suo temperamento collerico non lo rendeva particolarmente adatto a un lavoro che comportava un continuo contatto con la gente, ma in compenso incuteva un certo rispetto nei delinquenti, i quali si rendevano conto istintivamente che, se ci tenevano alla salute, facevano meglio a non mettersi contro Ernst Lundgren.

Mentre attraversava il paese, le persone allungavano il

collo, seguendolo con lo sguardo e indicandolo. Capì che la notizia si era già diffusa in tutta Fjällbacka. In Ingrid Bergmans Torg dovette avanzare a passo di lumaca a causa delle numerose auto parcheggiate in divieto, ma con sua grande soddisfazione notò che il suo passaggio provocava una serie di precipitose ritirate dai tavolini del Café Bryggan. Meglio per loro: se al suo ritorno avesse trovato ancora lì le auto, si sarebbe divertito a rovinare le ferie a chi amava il parcheggio selvaggio. Li avrebbe anche fatti soffiare nel palloncino, magari. Quando l'avevano visto passare, diversi di loro erano seduti davanti a una bella birra gelata. Con un po' di fortuna poteva perfino riuscire a requisire qualche patente.

Era difficile parcheggiare anche nella corta strada che correva lungo Kungsklyftan, ma trovò da infilarsi in un buco. Poi cominciò il porta a porta. Come al solito, nessuno aveva visto nulla. Gente che normalmente si accorgeva anche di una scoreggia in casa dei vicini diventava cieca e sorda appena era la polizia a voler sapere qualcosa. Anche se, dovette riconoscere Ernst, poteva benissimo essere che non avessero sentito niente. In estate le notti erano talmente animate, con tutti gli ubriachi che facevano le ore piccole prima di tornarsene a casa, che si finiva per imparare a ignorare i rumori per poter dormire. Ciò non toglie che la cosa fosse alquanto irritante.

Solo all'ultimo tentativo trovò qualcosa d'interessante. Nulla di clamoroso, ma sempre meglio di niente. L'anziano proprietario della casa più lontana dall'imbocco di Kungsklyftan aveva sentito passare un'auto, quando si era alzato per pisciare. Era perfino in grado di precisare l'ora, le tre meno un quarto, ma non si era preso la briga di guardare fuori, quindi non sapeva dire niente né dell'auto né di chi era al volante. Però, essendo un ex istruttore di guida, di modelli ne conosceva diversi e di quello poteva dire che aveva qualche annetto.

Un successone, insomma. Dopo due ore Ernst sapeva soltanto che probabilmente l'assassino aveva portato lì il cadavere verso le tre a bordo di un'auto non troppo recente. Non c'era certo di che esultare.

L'umore risalì comunque di un paio di tacche quando, di ritorno verso la stazione, ripassando per la piazza notò che altri amanti del parcheggio selvaggio avevano preso il posto di quelli di prima. Era il momento di farli soffiare fino a sputare i polmoni.

L'insistente squillare del campanello interruppe Erica che faticosamente tentava di passare l'aspirapolvere in giro per la casa. Il sudore le colava abbondantemente dalla fronte, e prima di aprire la porta si scostò un paio di ciocche dal viso. Per essere già lì dovevano aver guidato come dei pazzi.

«Ciao cicciona!»

Erica fu stritolata in un abbraccio e si accorse che non era l'unica ad aver sudato. Con il naso infilato sotto l'ascella di Conny decise che probabilmente, al confronto, lei profumava di rosa e mughetto.

Dopo essersi sciolta dall'abbraccio del cugino salutò Britta, sua moglie, limitandosi a darle la mano, dato che si erano viste sì e no un paio di volte. Aveva una stretta umida e molliccia che faceva pensare a un pesce morto. Con un brivido, trattenne l'impulso di asciugarsi il palmo sui pantaloni.

«Che pancione! Cos'hai lì dentro, due gemelli?»

I commenti sul suo fisico la infastidivano enormemente, ma ormai aveva capito che la gravidanza è uno stato che autorizza chiunque a fare ogni genere di apprezzamento e a toccare la pancia in maniera decisamente troppo confidenziale. Le era addirittura capitato che dei perfetti sconosciuti si fossero fatti avanti e gliel'avessero palpata senza tanti complimenti. Erica sapeva che entro pochi secondi sarebbe arrivata la tastata obbligatoria, e infatti poco dopo si sentì addosso le mani di Conny.

«Oh oh, che calciatore che avete qui dentro. Un maschietto, non c'è dubbio, con le pedate che tira. Venite a sentire, bambini!»

Erica non ebbe il coraggio di protestare e fu aggredita da due paia di manine appiccicose di gelato che le lasciarono una serie di impronte sulla maglia premaman bianca. Per fortuna Lisa e Victor, sei e otto anni, si distrassero presto.

«E il padre orgoglioso cosa dice, eh? Conta i giorni?» Conny non attese la risposta ed Erica ricordò che i dialoghi non erano il suo forte. «Eh già, per la miseria, mi torna in mente quando sono venuti al mondo i nostri due mocciosi. Un'esperienza grandiosa, davvero. Però gli consiglio di evitare di guardare proprio lì. C'è il rischio di perdere la voglia per un pezzo.»

Ridacchiando diede di gomito a Britta, che si limitò a rivolgergli un'occhiata scocciata. Erica si rese conto che la giornata sarebbe stata molto lunga e sperò che Patrik non facesse tardi.

Patrik bussò piano alla porta di Martin. Era un po' invidioso dell'ordine che regnava nell'ufficio. La scrivania era talmente lustra che la si sarebbe potuta usare come tavolo operatorio.

«Come va? Trovato qualcosa?»

L'aspetto sconsolato del collega gli rivelò la risposta ancora prima che Martin scuotesse la testa. Merda. Il primo passo, nell'indagine, non poteva essere altro che l'identificazione della donna. Da qualche parte delle persone dovevano essere in pensiero per lei. Qualcuno doveva pur essersi accorto della sua assenza!

«E tu?» Martin accennò con la testa al raccoglitore che aveva in mano Patrik. «Hai trovato quello che cercavi?»

«Penso di sì.»

Patrik prese una sedia appoggiata alla parete e l'accostò in modo da ritrovarsi di fianco al collega.

«Guarda qui. Alla fine degli anni settanta a Fjällbacka sparirono due donne. Non capisco come ho fatto a non ricordarmene subito! All'epoca furono notizie da prima pagina. Comunque, ecco qui il materiale archiviato.»

Il raccoglitore che appoggiò sulla scrivania era polverosissimo, e Patrik si accorse che a Martin prudevano le mani per il desiderio di pulirlo. Uno sguardo intimidatorio lo indusse a rinunciare. Patrik lo aprì e gli mostrò le foto in cima alla pila di fogli.

«Questa è Siv Lantin, scomparsa il giorno della festa di mezz'estate del 1979. Aveva diciannove anni.» Tirò fuori la foto successiva. «Questa invece è Mona Thernblad, all'epoca diciottenne, svanita nel nulla due settimane dopo. Nessuna di loro fu mai ritrovata nonostante la mobilitazione di tutto il paese, che si organizzò in squadre e batté tutta la zona, oltre ai dragaggi e a tutto il resto. La bicicletta di Siv venne recuperata in un fosso, ma non c'era altro. E di Mona è rimasta solo una scarpa da ginnastica.»

«Sì, ora che me lo dici me ne ricordo anch'io. C'era un indiziato, o sbaglio?»

Patrik sfogliò tra le carte ingiallite e indicò un nome scritto a macchina.

«Johannes Hult. Tra tutti quelli che avrebbero potuto farlo, fu suo fratello, Gabriel Hult, a telefonare alla polizia per riferire di aver visto Johannes con Siv Lantin a Bräcke, la notte in cui lei sparì.»

«E quanto fu presa sul serio quell'imbeccata? Voglio dire, se uno denuncia il proprio fratello come sospetto omicida ci dev'essere sotto qualcosa di grosso, non credi?»

«La faida nella famiglia Hult andava avanti da anni e ne erano tutti al corrente, quindi immagino che l'informazione sia stata trattata con una buona dose di scetticismo. Però andava verificata lo stesso, e Johannes fu convocato per un paio di interrogatori. Ma, a parte la dichiarazione del fratello, non c'erano altri indizi a suo carico, così, dato che la sua parola pesava quanto quella dell'altro, fu rilasciato.»

«Adesso dov'è?»

«Non ne sono sicuro, ma mi pare di ricordare che Johannes Hult si suicidò poco dopo. Ci vorrebbe Annika... lei metterebbe insieme un fascicolo aggiornato in un baleno. Quello che abbiamo qui è ben poca cosa.»

«Hai l'aria di essere convintissimo che i due scheletri che abbiamo trovato appartengano a quelle donne.»

«Mah, convintissimo... diciamo che mi pare verosimile. Due donne sono scomparse negli anni settanta e adesso saltano fuori due scheletri che pare abbiano qualche annetto. Quante probabilità ci sono che si tratti di una mera coincidenza? Sicuro non lo sono, e ci toccherà aspettare che il medico legale dica la sua. Però ho intenzione di informarlo di queste circostanze il più rapidamente possibile.»

Patrik diede un'occhiata all'orologio. «È meglio che mi dia una mossa. Ho promesso di rientrare presto stasera. È venuto a trovarci il cugino di Erica e devo andare a comprare un po' di gamberi e roba varia per stasera. Puoi assicurarti che chi si occupa dell'autopsia riceva queste informazioni? E fai il punto della situazione con Ernst, quando torna. Vediamo se ha trovato qualcosa di importante.»

Quando uscì dalla stazione di polizia, il caldo lo investì compatto come una parete. Si affrettò verso l'auto per trovarsi il più rapidamente possibile in un ambiente dotato di aria condizionata. Se quella calura uccideva lui, chissà che effetto faceva su Erica.

Una vera sfiga ricevere visite proprio in quel periodo. Però capiva che per lei era difficile dire di no. E dato che la famiglia Flood sarebbe ripartita il giorno dopo, in fondo sarebbe andata sprecata una sola sera. Alzò al massimo il climatizzatore e puntò verso Fjällbacka.

«Hai parlato con Linda?»

Laine si torse nervosamente le mani, un gesto che lui aveva imparato a detestare.

«Non è che ci sia tanto di cui parlare. Deve solo fare quello che le è stato detto.»

Gabriel non alzò neanche la testa, limitandosi a continuare tranquillamente con le sue faccende. Il tono era scostante, ma Laine non si sarebbe lasciata mettere a tacere tanto facilmente. Purtroppo. Erano anni che desiderava che sua moglie scegliesse il silenzio. Avrebbe fatto miracoli per la sua personalità.

Quanto a lui, Gabriel Hult era un revisore dei conti in tutto e per tutto. Adorava raffrontare il dare e l'avere e far quadrare il saldo finale, mentre detestava di tutto cuore quanto aveva a che fare con i sentimenti e non con la logica. La rispettabilità era la sua fissazione e nonostante la calura estiva portava camicia e giacca, effettivamente più leggere del solito, ma non per questo meno formali. I capelli scuri si erano diradati con gli anni, ma li teneva pettinati all'indietro, senza tentare di nascondere la pelata. La ciliegina sulla torta era rappresentata dagli occhiali rotondi costantemente appoggiati sulla punta del naso, che gli permettevano di guardare con aria condiscendente le persone con cui parlava. Ognuno al suo posto: un motto che seguiva alla lettera, desiderando che anche le persone intorno a lui facessero lo stesso. Invece pareva che dedicassero tutte le loro energie a minacciare il suo equilibrio perfetto e a rendergli la vita difficile. Sarebbe stato tutto molto più semplice se avessero fatto quello che diceva lui e basta, invece di agire di testa propria commettendo un sacco di sciocchezze.

Il grande cruccio della sua vita era, al momento, Linda. Jacob non era stato così problematico durante l'adolescenza! Nell'immaginario di Gabriel le femmine erano più tranquille e remissive dei maschi. Invece era alle prese con un mostro capace solo di fare il bastian contrario, che si adoperava per distruggere la sua vita nel minor tempo possibile. Quell'idea di diventare modella, poi, era proprio un'idiozia, a suo modo di vedere. La ragazzina era graziosa, ma purtroppo aveva ereditato il cervello di sua madre e nel duro mondo della moda non sarebbe durata un'ora.

«Ne abbiamo discusso altre volte, Laine, e da allora non ho cambiato opinione. Non ho intenzione di lasciar andare Linda a posare per un qualche fotografo che non mira ad altro che a denudarla. Deve continuare a studiare, punto e basta.»

«Già, ma tra un anno sarà maggiorenne e potrà fare come le pare. Non è meglio, a questo punto, che la sosteniamo adesso, invece di rischiare che sparisca appena compiuti i diciott'anni?»

«Linda sa bene da dove le arrivano i soldi, mi stupirebbe alquanto che sparisse senza prima essersi assicurata la continuità del rifornimento. E se continuerà a studiare sarà così: le ho promesso che, se andrà avanti, avrà i suoi soldi ogni mese, ed è una promessa che ho intenzione di mantenere. Ma non voglio sentire altre obiezioni.»

Laine continuava a torcersi le mani. Sapeva di aver perso e uscì dallo studio a testa china, chiudendosi piano le porte scorrevoli alle spalle. Gabriel tirò un sospiro di sollievo. Quelle chiacchiere insistenti gli davano sui nervi. Dopo tanti anni, Laine avrebbe dovuto conoscerlo a sufficienza per sapere che non era tipo da cambiare idea, una volta presa una decisione.

Non appena ebbe ricominciato ad annotare cifre, si sentì nuovamente pervadere da un senso di calma e appagamento. I moderni programmi di contabilità per computer non avevano mai riscosso la sua simpatia: amava troppo la sensazione che gli dava un libro mastro aperto sulla scrivania, con file ordinate di numeri da sommare a ogni pagina. Una volta completato il lavoro, si appoggiò soddisfatto allo schienale della sedia. Su quel mondo aveva il pieno controllo.

Per un attimo, Patrik si chiese se aveva sbagliato casa. Quella non poteva essere la stessa che aveva lasciato la mattina, immersa nella pace e nella tranquillità. Il livello del rumore era decisamente superiore alla norma, e all'interno l'edificio sembrava essere stato colpito da una granata. Dappertutto erano sparsi oggetti mai visti prima e quelli che avrebbero dovuto essere in determinati posti non lo erano. A giudicare dall'espressione di Erica, probabilmente si era aspettata che lui arrivasse un'ora o due prima.

Stupitissimo, contò solo due bambini e due adulti più del solito e si chiese come diavolo facessero a causare il baccano di un'intera scolaresca. Il televisore era acceso, con Disney Channel a volume sparato, e un bambinetto inseguiva una bambina ancora più piccola con una pistola giocattolo. I genitori dei due angioletti erano spaparanzati nella veranda e l'uomo, un buzzurro grande e grosso, gli fece ciao con la manina senza accennare ad alzarsi dal divano e a distogliere l'attenzione dal piatto di dolci che aveva davanti.

Patrik raggiunse in cucina Erica, che gli collassò tra le braccia.

«Per favore, portami via di qui! In una vita precedente devo aver commesso qualche terribile peccato, per meritarmi questo. I bambini sono diavoli sotto spoglie umane e Conny è... Conny. Sua moglie non ha praticamente emesso suono e ha l'aria così acida da far cagliare il latte. Aiuto! Speriamo che ripartano presto!»

Lui le accarezzò la schiena per consolarla e sentì che aveva la maglietta impregnata di sudore.

«Vai a farti una doccia tranquilla, per un po' mi occupo io degli ospiti. Sei bagnata fradicia.»

«Grazie, sei un angelo. C'è una caffettiera piena. Sono già alla terza tazza, ma Conny ha cominciato ad alludere alla possibilità di passare a qualcosa di più forte, per cui potresti controllare cos'abbiamo da offrire.»

«Ci penso io, amore. Adesso vai, prima che cambi idea.»

Lei gli diede un bacino riconoscente e si avviò faticosamente su per la scala, puntando alla doccia.

«Voglio il gelato.»

Victor era comparso all'improvviso alle spalle di Patrik e gli stava puntando contro la pistola.

«Purtroppo non ne abbiamo.»

«Allora vai a comprarlo.»

L'insolenza del bambino gli dava veramente sui nervi, ma cercò lo stesso di mantenere un atteggiamento gentile e, controllando la voce, rispose: «No, non ho nessuna intenzione di farlo. Sul tavolino ci sono dei dolcetti. Prendete quelli.»

«Voglio il gelaaaaaato!» urlò il bambino, cominciando a saltare, il viso paonazzo.

«Ti ho detto che non c'è.» La pazienza di Patrik si stava esaurendo.

«GELATO, GELATO, GELATO, GELATO...»

Victor non era tipo da arrendersi al primo ostacolo, ma evidentemente dagli occhi di Patrik si capiva che aveva passato il segno, perché improvvisamente smise di urlare e uscì lentamente dalla cucina. Poi corse in lacrime dai suoi genitori, seduti nella veranda nella più completa indifferenza.

«Quel signore è cattivo! Io voglio il GELAAATO!»

Reggendo in mano la caffettiera, Patrik cercò di far finta di niente e andò a salutare gli ospiti. Conny si alzò e gli tese la mano, e anche Britta gli porse la sua, dandogli modo di stringere il solito merluzzo morto.

«Sai, Victor è nella fase in cui si devono mettere alla prova i limiti della propria volontà. Non vogliamo che sia inibito nello sviluppo della sua personalità, così lasciamo che percepisca da solo dove passa il confine tra le sue esigenze e quelle dell'ambiente intorno a lui.»

Britta guardò teneramente il figlioletto e a Patrik venne in mente che Erica gli aveva detto che faceva la psicologa. Se quello era il suo concetto di educazione, il piccolo Victor si sarebbe ritrovato ad avere contatti frequenti con i suoi colleghi, da grande. Conny sembrava non essersi praticamente accorto di quanto stava succedendo e zittì il figlio ficcandogli in bocca un grande pezzo di dolce. A giudicare dalla stazza del bambino, doveva essere un metodo a cui faceva ricorso spesso. Patrik però non poté non ammettere che, nella sua semplicità, era efficace e accattivante.

Quando Erica scese la scala, con un'espressione molto più rilassata grazie alla doccia appena fatta, Patrik stava mettendo in tavola i gamberi e un po' di stuzzichini. Dopo essersi reso conto, con la sua sensibilità, che sarebbe stato l'unico modo per evitare la catastrofe più totale, era anche andato a prendere una pizza per ciascuno dei bambini, giusto in tempo per la cena.

Presero posto a tavola, e nell'attimo in cui Erica stava per aprire bocca per invitare tutti a cominciare Conny si lanciò sui gamberi e si servì. Sul suo piatto se ne ammonticchiarono una, due, tre grosse manciate, e la zuppiera rimase mezza vuota.

«Mm, che bontà! Avete davanti a voi uno che i gamberi li apprezza.» Conny si diede orgoglioso una pacchetta sulla pancia e si tuffò sulla sua montagna di cibo.

Patrik, che aveva messo in tavola tutti e due i costosissimi chili di gamberi che aveva comprato, si limitò a sospirare, prendendone una mezza manciata che occupò un misero angolino del piatto. Erica fece altrettanto, passando poi la zuppiera a Britta che, immusonita, si prese quello che restava.

Dopo la cena disastrosa, prepararono i letti nella stanza degli ospiti e si congedarono, con il pretesto che Erica aveva bisogno di riposare. Patrik mostrò a Conny dov'era il whisky e poi, sollevato, salì la scala per rifugiarsi nella calma del piano superiore.

Quando finalmente si ritrovarono a letto, raccontò a Erica gli eventi della giornata. Ormai aveva rinunciato da tempo a tenerle nascosti i dettagli delle indagini in cui era coinvolto, ma sapeva anche che lei non ne parlava con nessuno. Quando arrivò al particolare delle due donne scomparse, si accorse che stava rizzando le orecchie.

«Mi ricordo di aver letto di quella storia. Dunque pensate che siano quelle che avete trovato?»

«Ne sono abbastanza sicuro, altrimenti sarebbe una coincidenza davvero inspiegabile. Comunque potremo cominciare a indagare a fondo solo quando avremo in mano il rapporto del medico legale. Per il momento dobbiamo tenere aperte tutte le piste.»

«Hai bisogno di aiuto per trovare altro materiale?»

Erica si era voltata verso di lui, elettrizzata, e Patrik le lesse l'entusiasmo negli occhi.

«No, no, no. Tu devi stare tranquilla. Non dimenticarti che il medico ti ha messa in malattia.»

«Sì, ma all'ultimo controllo la pressione era normale, e poi a starmene chiusa in casa divento pazza. Non sono neanche riuscita a cominciare il nuovo libro.»

Quello su Alexandra Wijkner e la sua tragica morte era stato un grande successo, con il risultato che Erica aveva firmato un contratto per un secondo libro su un altro caso di omicidio realmente avvenuto, che aveva richiesto un grosso sforzo da parte sua, a livello sia professionale che emotivo. Da quando l'aveva consegnato all'editore, in maggio, non aveva più ritrovato l'energia per avviare un nuovo progetto. La pressione troppo alta e la conseguente decisione del medico di metterla in malattia erano state la classica goccia, e l'avevano indotta, suo malgrado, a rimandare la ripresa del lavoro a dopo il parto. Però non era da lei starsene a casa a girarsi i pollici.

«Dopotutto Annika è in ferie, quindi non può pensarci lei. Inoltre, fare questo genere di ricerche non è facile quanto sembra. Bisogna sapere dove andare a mettere le mani, e io lo so. Dai, posso dare un'occhiatina...»

«No, non se ne parla. Se tutto va come deve andare, Conny e il suo seguito scatenato partiranno domani mattina, e tu dovrai solo prendertela calma. E adesso taci, per favore, che devo fare due chiacchiere con il mio piccino lì dentro. Bisogna cominciare i preparativi per la sua carriera di calciatore...»

«O la tua piccina.»

«O la mia piccina. Però in questo caso andiamo sul golf. Per il momento il calcio femminile non frutta granché.»

Erica sospirò, ma si stese ubbidiente sulla schiena per facilitare la comunicazione.

«Non si accorgono quando esci di nascosto?»

Johan era steso sul fianco, accanto a Linda, e le stava facendo il solletico con un filo di paglia.

«No, perché Jacob si fida di me.» Aggrottò la fronte e imitò il tono grave di suo fratello. «È una cosa che ha imparato in uno dei corsi su come-ti-creo-un-bel-rapporto-con-gli-adolescenti che ha frequentato. Il peggio è che ci cascano quasi tutti e che per alcuni di loro Jacob è praticamente Dio. Certo, se uno è cresciuto senza un padre finisce che prende quel che c'è.» Irritata, allontanò dal viso il filo di paglia con cui Johan la stuzzicava. «Piantala.»

«Ma scusa, non si può neanche scherzare un pochino?»

Lei si accorse che ci era rimasto male e si allungò a baciarlo per rabbonirlo. Era una brutta giornata, tutto qui. La mattina le erano venute le mestruazioni, il che significava che non avrebbe potuto fare l'amore con Johan per una settimana, e poi abitare con il fratello perfettino e la moglie altrettanto perfettina le dava sui nervi.

«Oh, se un anno potesse passare in fretta! Almeno potrei andarmene da questo buco!»

Per non farsi scoprire nel loro nascondiglio nel fienile dovevano sussurrare, ma Linda batté la mano sulle tavole di legno per sottolineare le parole.

«Vuoi andartene anche da me, per caso?»

L'espressione ferita sul volto di Johan si era accentuata, e Linda si morse la lingua. Dopo aver fatto carriera nel grande mondo non avrebbe degnato neanche di uno sguardo quelli come Johan, ma finché fosse stata costretta a starsene lì avrebbe dovuto farselo andare bene, anche solo per passare il tempo. Comunque, non era il caso che lui lo capisse. Così si raggomitolò come una micina e gli si strinse contro. Non ottenendo alcuna reazione, prese il suo braccio e se lo appoggiò sul corpo. Le dita di lui cominciarono a salire e scendere su di lei. Sorrise. Gli uomini erano anche troppo facili da manipolare.

«Potresti venire con me anche tu, no?»

Lo disse con la certezza che non sarebbe mai riuscito a sradicarsi da Fjällbacka, e soprattutto da suo fratello. A volte si chiedeva se riuscisse almeno ad andare al cesso senza prima chiedere il permesso a Robert.

Lui evitò di rispondere alla domanda e chiese invece: «Ne hai parlato con il tuo vecchio? Che ne dice della tua idea di andartene?»

«Secondo te? Per un altro anno potrà decidere lui, ma quando sarò maggiorenne non potrà più dire niente. E la cosa lo fa imbestialire. A volte penso che gli piacerebbe inserirci nei suoi fottuti libri contabili. Jacob: "dare". Linda: "avere".»

«Come, dare?»

Linda rise della domanda. «Sono termini contabili, non c'è bisogno che te ne preoccupi.»

«Mi chiedo come sarebbe andata a finire se io...» Mentre fissava lo sguardo da qualche parte dietro di lei, masticando un filo di paglia, i suoi occhi si fecero assenti.

«Come sarebbe andata a finire, cosa?»

«Se il mio vecchio non avesse scialacquato tutti i soldi. Magari saremmo stati noi ad abitare alla tenuta e tu a ritrovarti nella casetta di legno con zio Gabriel e zia Laine.»

«Ah ah, che spettacolo! Mamma in castigo tra quelle quattro mura, povera in canna.»

Linda buttò indietro la testa ridendo di cuore, e Johan dovette zittirla perché non si sentisse fino alla casa di Jacob e Marita, vicinissima al fienile.

«Forse il mio vecchio sarebbe ancora vivo, e mia madre non passerebbe le giornate a sfogliare album di fotografie.»

«Ma non è stato per i soldi che si è...»

«Come fai a saperlo? Che ne sai tu del perché l'ha fatto, eh?» La voce gli era salita di un'ottava, diventando stridula.

«Lo sanno tutti.»

A Linda non andava a genio la piega presa dalla conversazione. Non osò guardare Johan negli occhi. Fino a quel momento la faida familiare con tutto ciò che ci girava intorno era stata un argomento evitato con cura, come per un tacito accordo.

«Pensano tutti di saperlo, ma non sa un cazzo nessuno. E tuo fratello che abita nella nostra fattoria... è una cosa che mi manda in bestia!»

«Scusa, non è mica colpa di Jacob se è andata come è andata.» Le sembrò strano trovarsi improvvisamente a difendere lo stesso fratello su cui in genere riversava ogni genere di insulti, ma il sangue non è acqua. «Ha avuto la fattoria dal nonno, e oltretutto è sempre stato il primo a prendere le parti di zio Johannes.»

Johan sapeva che aveva ragione e sentì scorrere via la rabbia. Era solo che a volte gli faceva troppo male ascoltare Linda parlare della sua famiglia: gli ricordava tutto quello che aveva perso lui. Non osava dirglielo, ma a volte la trovava davvero ingrata nei confronti della vita. Lei e i suoi avevano tutto, mentre la sua famiglia non aveva nulla. Dov'era la giustizia in quella situazione?

Allo stesso tempo, le perdonava qualsiasi cosa. Non aveva mai amato nessuno con tanta passione, e la sola vista del suo corpo snello accanto al proprio lo faceva bruciare. A volte non gli sembrava vero che un angelo come lei sprecasse il proprio tempo con lui, ma non era tanto pazzo da mettere in discussione la fortuna che gli era capitata. Cercava invece di non pensare al futuro e di godere del presente. La strinse a sé e chiuse gli occhi inspirando il profumo dei suoi capelli, poi le slacciò il primo bottone dei jeans, ma lei lo fermò.

«Non posso, ho le mestruazioni. Faccio io.»

Gli sbottonò i jeans e lui si stese sulla schiena. Dietro le palpebre chiuse gli balenò uno sprazzo di cielo.

Era passato soltanto un giorno dal ritrovamento della donna morta, ma Patrik bruciava già d'impazienza. Da qualche parte, qualcuno si chiedeva dove fosse finita. Rifletteva, si preoccupava, lasciava correre i pensieri lungo binari mentali sempre più angoscianti. E l'aspetto terribile della situazione era che in questo caso perfino i timori peggiori erano stati confermati. Più di ogni altra cosa Patrik desiderava dare un nome alla donna, per poter informare dell'accaduto chi le voleva bene. Niente è peggio dell'incertezza, neanche la morte. L'elaborazione del lutto non può cominciare finché non si sa cosa si deve piangere. Certo non sarebbe stato facile dare la notizia, compito che Patrik si era già preparato mentalmente ad affrontare, ma una parte importante del lavoro della polizia consisteva proprio nell'accompagnare e nel sostenere i familiari delle vittime, oltre che nello scoprire cos'era accaduto alla persona a cui avevano voluto bene.

L'infruttuoso giro di telefonate di Martin aveva complicato di parecchio l'identificazione. Nelle zone vicine non era stata denunciata alcuna scomparsa di persone che potessero corrispondere al corpo ritrovato, e questo comportava che il campo delle ricerche dovesse essere esteso a tutta la Svezia e forse anche all'estero. Per un attimo gli parve un'impresa impossibile, ma scacciò subito quel pensiero. In quel momento era l'unica cosa che potevano fare per lei.

Martin bussò discretamente alla porta.

«Come vuoi che prosegua? Devo passare ai distretti metropolitani oppure...» Sollevò spalle e sopracciglia con aria interrogativa.

D'un tratto Patrik avvertì tutto il peso di quell'indagine. In realtà non c'era nulla che indicasse una direzione o un'altra, ma da qualche parte dovevano pur cominciare.

«Parti con i distretti metropolitani. Göteborg è già stato fatto, quindi per cominciare contatta Stoccolma e Malmö. Presto dovremmo avere il primo rapporto dal medico legale e se abbiamo fortuna potrebbe venirne fuori qualcosa di significativo.»

«Okay.» Uscendo, Martin diede una manata sullo stipite. Poi si diresse verso il proprio ufficio. Lo squillo stridulo del campanello lo fece girare sui tacchi e tornare indietro. In genere se ne occupava Annika, ma in sua assenza la porta della stazione la apriva chi c'era.

La ragazza sulla soglia aveva l'aria inquieta. Era esile, con due lunghe trecce bionde.

«Vorrei parlare con un responsabile.»

Aveva parlato in inglese con un forte accento straniero, probabilmente tedesco. Martin le aprì e le fece cenno di entrare. Poi chiamò rivolto al corridoio: «Patrik, c'è una persona che vuole vederti.»

Solo dopo gli venne in mente che forse avrebbe dovuto informarsi sul motivo della visita, ma Patrik aveva già fatto capolino dal suo ufficio e la ragazza si era diretta verso di lui.

«È lei il responsabile?»

Per un attimo Patrik fu tentato di spedirla da Mellberg, che tecnicamente era più alto in grado, ma vedendo la sua espressione disperata decise di risparmiarle l'esperienza. Mandare dal suo capo una ragazza così carina sarebbe stato come spedire una pecorella al macello, e il suo istinto protettivo ebbe la meglio.

«Sì, posso aiutarti?» le chiese in inglese, indicandole a gesti di entrare e accomodarsi sulla sedia.

«Il mio inglese è pessimo. Lei parla in tedesco?»

Patrik fece un rapido esame di quanto aveva imparato a scuola. La risposta dipendeva da cosa intendesse lei con "parlare in tedesco". Era in grado di ordinare una birra e chiedere il conto, ma sospettava che la ragazza non fosse lì in veste di cameriera.

«Un pochino» le rispose in tedesco, agitando la mano per dire "così così".

Lei parve accontentarsi e si mise a parlare lentamente e chiaramente per dargli la possibilità di capire quello che stava dicendo. Con sua grande sorpresa, Patrik si accorse di sapere più di quanto immaginasse e, pur non afferrando tutte le parole, di riuscire a comprendere il succo del discorso.

La ragazza si presentò con il nome di Liese Forster. Secondo la sua versione, la settimana precedente aveva denunciato la scomparsa della sua amica Tanja Schmidt. Aveva parlato con un poliziotto della stazione, il quale le aveva detto che l'avrebbe contattata non appena avesse saputo qualcosa, ma era passato tutto quel tempo e lei non aveva sentito niente. La preoccupazione le si leggeva in faccia e Patrik prese subito sul serio quello che stava dicendo.

Tanja e Liese si erano incontrate in treno, entrambe dirette in Svezia ed entrambe provenienti dal nord della

Germania. Ma non si conoscevano da prima. Si erano trovate bene da subito, Liese disse che erano diventate come sorelle. Dato che lei non sapeva precisamente dove andare, Tanja le aveva proposto di accompagnarla in una piccola località sulla costa occidentale svedese, Fjällbacka.

«Perché proprio Fjällbacka?» chiese Patrik, in un tedesco stentato.

La risposta fu esitante. Era l'unico argomento che Tanja non aveva affrontato spontaneamente e con allegria, e Liese riconobbe di non sapere perché. Tanja aveva rivelato soltanto che doveva andarci perché aveva una faccenda da sbrigare. Dopo, avrebbero potuto continuare il viaggio. Prima però, aveva detto, doveva cercare qualcosa. La questione era evidentemente delicata, e Liese aveva evitato di indagare oltre. Le faceva comunque piacere avere compagnia e aveva acconsentito di buon grado, a prescindere dalle motivazioni di Tanja.

Quando l'amica era scomparsa, si trovavano al campeggio di Sälvik da tre giorni. Era uscita la mattina dicendo che aveva da fare e che sarebbe tornata nel pomeriggio. Scesa la sera e poi anche la notte, la preoccupazione di Liese aveva cominciato ad aumentare a mano a mano che le lancette dell'orologio si spostavano sul quadrante. La mattina dopo, all'azienda di promozione turistica in Ingrid Bergmans Torg aveva chiesto dove si trovava la stazione di polizia più vicina. Aveva sporto denuncia, e ora si chiedeva cosa fosse successo.

Patrik era perplesso. Per quanto ne sapeva lui, non era stata sporta alcuna denuncia di scomparsa. All'altezza dello stomaco cominciò ad avvertire un peso sempre più insopportabile. Quando chiese a Liese di descrivere l'amica, la risposta rafforzò i suoi timori. La descrizione collimava perfettamente con quella della donna trovata morta a Kungsklyftan, e quando, con il cuore pesante, Patrik mostrò alla ragazza una foto del cadavere i singhiozzi di Liese gli confermarono quanto aveva già intuito. Martin poteva interrompere il suo giro di telefonate, e qualcuno avrebbe dovuto rispondere per non aver fatto rapporto in maniera corretta sulla scomparsa di Tanja. Era stato sprecato inutilmente molto tempo prezioso, e Patrik non nutriva molti dubbi sulla direzione in cui cercare per trovare il colpevole.

Quando Erica si svegliò da un sonno che, per una volta, era stato profondo e senza sogni, Patrik era già andato al lavoro. Guardò l'orologio. Erano le nove, e dal piano di sotto non si sentivano rumori.

Preparato il caffè, Erica apparecchiò per sé e per gli ospiti, che si presentarono in cucina uno più assonnato dell'altro. Dopo essersi serviti e avere cominciato a mangiare, però, erano già tornati tutti vispi.

«Allora, la prossima tappa è Koster?»

La domanda era stata posta un po' per cortesia e un po' perché Erica non vedeva l'ora che gli ospiti levassero le tende.

Conny scambiò una rapida occhiata con la moglie e disse: «Mah, ieri sera io e Britta ne abbiamo parlato e visto che siamo qui e il tempo è così bello abbiamo pensato di fare una gita su una delle isole, oggi. Sbaglio o voi avete una barca?»

«Sì, è vero...» ammise Erica a malincuore. «Però non sono sicura che Patrik abbia voglia di prestarla. Sai, l'assicurazione e tutto il resto...» Era la prima scusa che le era venuta in mente. Il pensiero che si fermassero anche solo qualche ora più del previsto le faceva formicolare le gambe per la frustrazione.

«Capisco, ma abbiamo pensato che magari potresti accompagnarci tu in qualche bel posto, e poi ti telefoniamo quando vogliamo essere recuperati.»

Conny interpretò la mancanza di una reazione immediata come un tacito assenso. Erica invocò il cielo di darle la pazienza necessaria e si autoconvinse che non era il caso di scatenare una crisi familiare per risparmiarsi qualche ora in compagnia del cugino e dei suoi. Se non altro, durante la giornata non avrebbe dovuto stare con loro e poteva sperare che ripartissero prima che Patrik rientrasse dal lavoro. Aveva già deciso di preparare qualcosa di particolarmente buono e di concedersi una serata d'intimità con lui. In teoria era in ferie. E chissà quanto tempo avrebbero avuto per dedicarsi l'uno all'altra una volta che fosse nato il piccolo! Meglio approfittarne adesso.

Quando la famiglia Flood al completo ebbe finalmente messo insieme tutta la roba da spiaggia, si avviarono verso il molo di Badholmen. Il dislivello tra la barchetta di legno azzurro e il pontile era notevole, e con l'ingombro del pancione le ci volle un po' per calarsi a bordo. Dopo un'ora che girava a caccia di un "isolotto", o meglio ancora di una "spiaggetta" per gli ospiti, trovò finalmente una piccola baia che miracolosamente gli altri turisti non avevano individuato. Dopo averli scaricati puntò subito verso casa, per scoprire, una volta raggiunto il molo, che risalire sul pontile era un'impresa impossibile. Dovette abbassarsi a chiedere aiuto ad alcuni bagnanti di passaggio.

Poi, sudata, accaldata, stanca e imbestialita, partì in auto verso casa. Ma subito prima della club house del circolo velico cambiò idea e svoltò a sinistra, invece di proseguire verso Sälvik. Seguì la strada che girava a destra, intorno alla collina, oltrepassò il centro sportivo e il quartiere residenziale di Kullen e parcheggiò davanti alla biblioteca.

Sarebbe impazzita, a stare tutto il giorno in casa con le mani in mano. Patrik poteva protestare quanto voleva, ma lei gli avrebbe dato una mano con le ricerche, che gli piacesse o no!

Entrando alla stazione di polizia, Ernst si avviò a passi timorosi verso l'ufficio di Hedström. Quando Patrik l'aveva chiamato sul cellulare ordinandogli, con voce gelida, di presentarsi immediatamente, aveva subito intuito il pericolo. Dopo un esame di coscienza per cercare di ricordarsi cosa poteva aver combinato, era stato costretto ad ammettere che c'era solo l'imbarazzo della scelta e che difficilmente avrebbe potuto indovinare. Era lui, *de facto*, il maestro delle scorciatoie, che aveva elevato ad arte il sotterfugio.

«Siediti.»

Ernst ubbidì senza recalcitrare, ma assunse un'espressione di sfida per proteggersi dalla tempesta in arrivo.

«Cosa c'è di tanto urgente? Ero impegnato, il fatto che ti sia stata occasionalmente affidata la responsabilità di un'indagine non ti dà il diritto di convocarmi qui in modo così arrogante.»

L'attacco è la miglior difesa, si disse. Ma a giudicare dall'espressione sempre più cupa di Patrik al momento non era quella la strategia giusta.

«Sei stato tu a ricevere la denuncia della scomparsa di una turista tedesca, una settimana fa?»

Merda. Se n'era proprio dimenticato. La biondina era arrivata subito prima di pranzo e lui aveva cercato di sbarazzarsene il più velocemente possibile per andare a mangiare. Tanto, quelle storie di amici che sparivano finivano sempre in niente. Per lo più erano caduti sbronzi marci in un fosso, oppure avevano passato la notte a casa di qualche altro compagno di bagordi. Porca troia. Questa l'avrebbe pagata cara, lo sapeva. Neanche gli era venuto in mente che potesse esserci un collegamento con la donna che avevano trovato il giorno prima. Ormai non restava che cercare di minimizzare.

«Ah, quella. Sì, mi sa di sì.»

«Ti sa di sì?!» La voce normalmente controllatissima di Patrik risuonò come un tuono nel piccolo ufficio. «O l'hai ricevuta, o non l'hai ricevuta! Non c'è una via di mezzo. E se hai ricevuto una denuncia, dove ca... dove è finita?» Patrik era talmente in bestia che si mangiava le parole. «Ti rendi conto di quanto questa negligenza può essere costata all'indagine in termini di tempo?»

«Be', certo è una sfortunata coincidenza, ma come potevo sapere che...»

«Non devi sapere, devi svolgere le tue mansioni! Spero davvero di non dovermi più trovare in una situazione del genere. E adesso dobbiamo recuperare le ore preziose che abbiamo perso.»

«Se c'è qualcosa che posso...» Ernst cercò di usare un tono il più possibile sottomesso e assunse un'espressione pentita. Dentro di sé imprecava per la rabbia al pensiero di essere stato apostrofato a quel modo da un ragazzino, ma dato che Hedström al momento sembrava avere una certa influenza su Mellberg sarebbe stato stupido peggiorare ulteriormente la situazione.

«Hai già fatto abbastanza. L'indagine la porteremo avanti io e Martin. Tu ti occuperai dei casi correnti. È stato denunciato un furto con scasso a Skeppsstad. Ho parlato con Mellberg, che mi ha autorizzato a farti andare sul posto da solo.»

Per segnalare che il colloquio era concluso, Patrik girò le spalle a Ernst e si mise a scrivere al computer con una frenesia tale che i tasti crepitavano.

Ernst uscì brontolando. Che sarà mai, dimenticarsi di stendere un rapportino qualsiasi! Al momento giusto avrebbe fatto una chiacchierata con Mellberg in merito all'opportunità di affidare un'indagine su un omicidio a una persona tanto umorale. Già, per la miseria, l'avrebbe fatta eccome.

Il ragazzino brufoloso davanti a lui era il ritratto della letargia. Aveva lo sconforto disegnato nei lineamenti del viso e ormai dovevano essere passati anni dall'ultima volta che la vita gli era sembrata degna di essere vissuta. Jacob riconobbe al volo i sintomi e non poté fare a meno di raccogliere la sfida. Sapeva di avere la capacità di indirizzarlo su un binario completamente diverso, e la possibilità di riuscirci dipendeva unicamente dal fatto che il ragazzo stesso nutrisse o meno il desiderio di essere riportato sulla retta via.

Nella comunità di fedeli il lavoro che Jacob portava avanti con i giovani era conosciuto e rispettato. Erano state molte le anime spezzate entrate lì per uscirne trasformate in cittadini produttivi e reinseriti a tutti gli effetti nella società. Tuttavia, dato che non si poteva contare più di tanto sui finanziamenti statali, all'esterno il carattere religioso della comunità veniva sfumato. C'erano sempre persone prive di fede pronte a gridare alla setta appena qualcosa si allontanava dal significato che nei loro rigidi schemi aveva la parola "religione".

Gran parte del rispetto di cui godeva se l'era conquistato grazie ai propri meriti, ma non poteva negare che qualcosa era anche da ascrivere al fatto che il suo nonno paterno era Ephraim Hult, il Predicatore. Non aveva fatto parte della stessa congregazione, ma sulla costa del Bohuslän la sua fama era talmente diffusa da essere riconosciuta in tutti i gruppi nonconformisti. Naturalmente la chiesa di stato, chiusa com'era, considerava il Predicatore un ciarlatano, ma lo facevano anche tutti quei predicatori che si limitavano a pronunciare il sermone della domenica davanti a file di banchi vuoti, quindi non era una cosa a cui i gruppi cristiani più indipendenti dessero un gran peso.

Erano dieci anni che il lavoro con i disadattati e i tossicodipendenti riempiva la vita di Jacob. Ma ultimamente non gli dava più lo stesso senso di appagamento di un tempo. Pur avendo contribuito di persona a mettere in piedi la comunità di Bullaren, sentiva che il lavoro non bastava più a riempire il vuoto con cui conviveva dalla nascita. Gli mancava qualcosa, e la ricerca di questo qualcosa lo spaventava. Dopo anni in cui gli era sembrato di poggiare su un terreno solido ora lo sentiva ondeggiare sotto i piedi in maniera preoccupante, e il pensiero del baratro che avrebbe potuto aprirglisi davanti per inghiottirlo tutto intero, anima e corpo, lo atterriva. Quante volte, forte delle sue certezze, aveva predicato in tono saccente che il dubbio è il principale strumento del diavolo, senza sapere che un giorno si sarebbe trovato lui stesso in quella condizione!

Si alzò e girò le spalle al ragazzo. Si mise a guardare dalla finestra rivolta verso il lago, vedendo però solo il proprio riflesso nel vetro. Un uomo forte e sano, pensò amaramente. I capelli scuri erano molto corti. Glieli tagliava Marita, ed era davvero brava. Il viso era ben disegnato, con lineamenti fini ma non per questo meno virili. Non era né magro né particolarmente grosso: rispondeva perfettamente alla definizione di "corporatura normale". Il suo pezzo forte erano però gli occhi, di un azzurro intenso, dotati della capacità quasi unica di apparire contemporaneamente miti e penetranti. Occhi che l'avevano aiutato a riportare molte persone sulla retta via. Lo sapeva, e li sfruttava.

Non quel giorno, però. I suoi demoni privati gli impedivano di concentrarsi sui problemi di qualcun altro, e comunque gli risultava meno difficile assorbire quello che gli diceva il ragazzo se non era costretto a fissarlo. Distolse lo sguardo dalla propria immagine riflessa e lo spostò sul lago e sui boschi che gli si aprivano intorno per chilometri e chilometri. Faceva così caldo che vedeva l'aria vibrare al di sopra della distesa d'acqua. La grande fattoria era costata poco, visto lo stato in cui versava dopo anni di mancata manutenzione, e solo grazie a moltissime ore di lavoro comune erano riusciti a ristrutturarla trasformandola in quello che era adesso. Niente di lussuoso, ma le costruzioni erano state rinfrescate, pulite e rese accoglienti. I rappresentanti del comune restavano sempre molto colpiti dall'edificio principale e dalla splendida area intorno e facevano lunghe tirate sugli effetti positivi che potevano esercitare su dei poveri ragazzi disadattati. Fino a quel momento non avevano mai avuto problemi con i finanziamenti, e nei dieci anni trascorsi da quando aveva aperto la comunità l'attività era sempre proseguita senza intoppi. Dunque il problema era solo nella sua testa. O forse era l'anima?

Poteva essere stata la pressione della quotidianità a dargli una spinta nella direzione sbagliata quando si era trovato a un bivio determinante. Non aveva avuto il minimo dubbio sul fatto di accogliere in casa propria la sorella. Chi, se non lui, poteva essere in grado di lenire la sua irrequietezza interiore e calmare il suo temperamento ribelle? Invece lei gli si era dimostrata superiore, in quella lotta psicologica, e mentre l'ego di Linda si rafforzava di giorno in giorno lui sentiva che il costante senso d'irritazione minava le fondamenta di tutto il suo essere. A volte si sorprendeva a pensare, le mani chiuse a pugno, che quella era solo una ragazzina stupida e sciocca che meritava che la famiglia ritirasse la propria mano protettiva dalla sua testa. Ma non era un modo cristiano di ragionare, e quei pensieri non portavano che a lunghe ore di esami di coscienza e appassionati studi biblici nella speranza di trovare la forza che gli serviva.

Visto dall'esterno era ancora una roccia, la serenità e la fiducia fatte persona. Jacob sapeva che i ragazzi che aveva intorno avevano bisogno di trovare in lui qualcuno a cui potersi comunque appoggiare e non era ancora pronto a sacrificare quell'immagine di sé. Anche dopo avere sconfitto la malattia che per un lungo periodo aveva imperversato nel suo corpo, aveva continuato a lottare per non perdere il controllo sull'esistenza. Ma il mero sforzo di mantenere una facciata impeccabile stava consumando le sue ultime risorse, e il baratro si avvicinava a grandi passi. Di nuovo rifletté sull'ironia insita nel fatto che, dopo tanti anni, il cerchio si stava chiudendo. La notizia l'aveva indotto, per un secondo, a fare ciò che non si doveva fare: dubitare. Era durato solo un istante, ma il dubbio aveva aperto una piccolissima crepa nel robusto pilastro che teneva in piedi la sua vita, e quella crepa si stava allargando sempre di più.

Jacob scacciò quei pensieri e si costrinse a concentrarsi sul ragazzo che aveva davanti e sulla sua miserevole vita. Le domande gli vennero fuori automaticamente, così come il sorriso empatico che riservava alle nuove pecore nere che si univano al gregge.

Un altro giorno. Un altro essere umano a pezzi da rimettere insieme. Non finiva mai. Eppure perfino Dio aveva potuto riposare, il settimo giorno.

Dopo essere andata a recuperare la famigliola, ormai color rosa maialino, nella piccola baia sperduta, Erica aspettava ansiosa il ritorno di Patrik. Sperava anche che Conny e i suoi cominciassero a raccogliere la loro roba, ma erano le cinque e mezza e ancora non sembravano intenzionati a partire. Decise di temporeggiare ancora un po' prima di trovare il modo di chiedere, con il dovuto tatto, se non fosse venuto il momento di muoversi, ma proprio un po', perché le urla dei bambini le avevano fatto venire un mal di testa pulsante. Quando sentì Patrik imboccare la scala, gli andò incontro sollevata.

«Ciao, amore.» Dovette alzarsi in punta di piedi per baciarlo.

«Ciao. Non sono ancora partiti?» Patrik aveva parlato a bassa voce, guardando in direzione del soggiorno.

«No, e neanche hanno dato segno di volerlo fare. Cosa cavolo facciamo?» rispose Erica, anche lei sussurrando e alzando gli occhi al cielo per sottolineare la propria insoddisfazione.

«Non possono mica fermarsi un'altra giornata senza chiederlo, no? Oppure sì?» disse Patrik, inquieto.

Erica sbuffò. «Sapessi quanti ospiti hanno avuto qui d'estate i miei genitori nel corso degli anni! Ed erano tutti di passaggio, ma poi restavano una settimana, aspettandosi di essere serviti e riveriti e di scroccare pranzi e cene per tutto il periodo. La gente è fuori di testa. E i parenti sono i peggiori.»

Patrik aveva l'aria terrorizzata.

«Ma non possono restare per una settimana! Dobbiamo fare qualcosa! Non puoi dire a Conny che devono andare via?»

«Io? E perché proprio io?»

«Guarda che sono parenti tuoi, non miei.»

Erica dovette riconoscere che non aveva tutti i torti. Non restava che far buon viso a cattivo gioco. Si diresse verso il soggiorno per sondare le intenzioni degli ospiti, ma non ebbe neanche il tempo di aprire bocca.

«Cosa si mangia?» Quattro paia di occhi si rivolsero speranzosi verso di lei.

«Ehm...» Davanti a tanta sfacciataggine, Erica non trovò le parole. Fece un rapido inventario mentale delle provviste. «Spaghetti alla bolognese. Tra un'ora.»

Mentre raggiungeva Patrik in cucina, si sarebbe data volentieri un calcio nel sedere da sola.

«Cos'hanno detto? Quando partono?»

Erica evitò di guardarlo negli occhi e rispose: «Non lo so. Comunque tra un'ora sono pronti gli spaghetti alla bolognese.»

«Ma come, non hai detto niente?» Questa volta toccò a Patrik alzare gli occhi al cielo.

«Non è mica così facile. Provaci tu e vedrai» sibilò Erica di rimando, cominciando a sbatacchiare pentole e pentolini. «Ci toccherà stringere i denti per un'altra sera. Domani glielo dico, ma adesso comincia a tritare la cipolla, per favore. Non ce la faccio a preparare una cena per sei persone da sola.»

Lavorarono per un po' in cucina, in un silenzio di tomba, finché Erica non riuscì più a trattenersi.

«Oggi sono andata in biblioteca e ho tirato fuori un po' di materiale che potrebbe tornarti utile. L'ho messo lì.» Accennò con la testa alla tavola, dove c'era una bella pila di fotocopie.

«Ma ti avevo detto che non...»

«Lo so, lo so, ma ormai è fatta ed è stato piuttosto piacevole, come alternativa allo starmene a casa a fissare il muro. Quindi non rompere.»

Ormai Patrik aveva imparato a capire quando era il caso di tenere la bocca chiusa, così si sedette e cominciò a scorrere il materiale. Erano articoli di giornale sulla scomparsa delle due ragazze, e la lettura risultò molto interessante.

«Ehi, sei una forza! Senti, domani mi porto questa roba in ufficio e la guardo meglio, ma mi sembra che sia davvero utile.»

Le si avvicinò da dietro e le circondò con le braccia il pancione.

«Guarda che non voglio fare il rompiscatole. Sono solo preoccupato per te e il piccoletto.»

«Lo so.» Erica si girò e gli allacciò le braccia dietro la nuca. «Ma non sono fatta di porcellana e, se un tempo le donne lavoravano nei campi praticamente fino al momento di partorire, penso di poter stare seduta in una biblioteca a girare delle pagine senza che ci succeda qualcosa, no?»

«Sì, certo. Lo so.» Patrik sospirò. «Se solo ci liberassimo degli ospiti, potremmo dedicarci un po' di più l'uno all'altra. E prometti di dirmelo se vuoi che mi fermi a casa uno di questi giorni. Alla stazione sanno che sto lavorando di mia iniziativa, e che vieni prima tu.»

«Promesso. Però ora vedi di darmi una mano a preparare da mangiare. Magari servirà per dare una calmata ai bambini.»

«Ne dubito. Forse andrebbe meglio un dito di whisky prima di cena, giusto per addormentarli.» Fece un sorrisino canzonatorio.

«Quanto sei cattivo. Servilo a Conny e Britta, invece, così almeno li teniamo di buon umore.»

Patrik fece quanto gli era stato chiesto, osservando tristemente il livello ormai bassissimo del suo whisky preferito. Se si fossero fermati ancora qualche giorno, la sua collezione di bottiglie non sarebbe più stata la stessa.

Estate 1979

Aprì gli occhi con estrema cautela. Il motivo era il mal di testa lancinante che s'irradiava fino ai capelli. La cosa strana, però, era che non notava alcuna differenza tra quello che vedeva prima di aprirli e quello che vedeva ora, dopo averli aperti: solo un buio compatto. In un breve attimo di panico pensò di essere diventata cieca. Forse l'alcol distillato clandestinamente che aveva bevuto la sera prima era di cattiva qualità. Aveva sentito parlare di fatti del genere: giovani diventati ciechi bevendo alcolici distillati in casa. Dopo qualche secondo, però, cominciò a distinguere intorno a sé dei vaghi contorni e si rese conto che la sua vista non aveva niente che non andasse: semplicemente, si trovava in un ambiente privo di luce. Alzò gli occhi per cercare di scorgere le stelle o la luna, nel caso fosse stata all'aperto, ma si rese immediatamente conto che in estate il cielo non era mai così buio e che in quel caso avrebbe dovuto essere circondata dalla luce soffusa della notte nordica.

Tastò sotto di sé e si ritrovò in mano un pugno di terra sabbiosa, che lasciò scivolare tra le dita. Si sentiva un forte odore di humus, un odore dolciastro e nauseante, ed ebbe l'impressione di trovarsi sottoterra. Fu presa di nuovo dal panico, soffocata dal senso di chiuso. Senza conoscere le dimensioni dell'ambiente in cui era, ebbe comunque l'impressione di vedere delle pareti che le si chiudevano intorno lentamente, avvolgendola. Quando le sembrò che l'aria stesse per esaurirsi si afferrò il collo, ma poi si costrinse a fare alcuni respiri profondi per tenere a bada il panico.

Faceva freddo, e d'un tratto si accorse di essere nuda, a eccezione delle mutandine. Aveva il corpo dolorante in più punti. Tirò su le ginocchia e strinse le gambe al petto, tremando. Il panico aveva ceduto il passo a una paura tanto intensa che sembrava penetrare nelle ossa. Come era finita lì? E perché? Chi l'aveva svestita? L'unica risposta che il suo cervello riuscì a darle era che probabilmente lei non voleva conoscere davvero le risposte a quelle domande. Le era successo qualcosa di molto brutto e non sapeva cosa, il che moltiplicava la paura che la paralizzava.

Sulla sua mano comparve una striscia luminosa, e lei sollevò automaticamente gli occhi verso la sorgente di quella luce. Sullo sfondo nero si era disegnata una fessura sottile, che la indusse ad alzarsi faticosamente e a chiamare aiuto. Nessuna reazione. In punta di piedi, cercò di raggiungere la fessura, ma non riuscì neanche a sfiorarla. Sentì invece gocciolare qualcosa sul viso. Le gocce si trasformarono in un rivoletto e improvvisamente si rese conto di quanta sete aveva. Reagì istintivamente, aprendo la bocca per mandare giù il liquido, avidamente. All'inizio gran parte dell'acqua finiva fuori ma, una volta trovata la tecnica giusta, riuscì a saziare la sete. Poi fu come se su tutto fosse calata una specie di foschia, e la stanza cominciò a girarle intorno. Dopo, soltanto tenebre.

Per una volta Linda si svegliò presto, ma tentò ugualmente di riaddormentarsi. La sera prima, anzi, la notte prima, a voler essere pignoli, aveva fatto tardi con Johan, e il sonno la faceva sentire quasi come se avesse i postumi di una sbornia. Per la prima volta dopo mesi, sentì tamburellare la pioggia sulle tegole. La stanza che Jacob e Marita le avevano assegnato si trovava proprio sotto il colmo del tetto e il rumore delle gocce era così forte che sembrava rimbalzarle sulle tempie.

D'altra parte, era da un pezzo che non si svegliava in una camera da letto fresca. La canicola durava da quasi due mesi, il che era un vero e proprio record. L'estate più calda degli ultimi cent'anni. All'inizio aveva apprezzato il sole cocente, ma il piacere della novità era svanito presto, e ormai odiava svegliarsi tutte le mattine in mezzo a lenzuola bagnate di sudore. Proprio per questo l'aria fresca che si raccoglieva sotto le travi era tanto più piacevole. Linda scostò il lenzuolo e lasciò che il suo corpo godesse di quella temperatura gradevole. Del tutto inaspettatamente decise di alzarsi prima che fosse qualcun altro a farla scendere dal letto a forza. Magari sarebbe stato simpatico non fare colazione da sola, tanto per cambiare. Dalla cucina arrivava l'acciottolio delle stoviglie. Si mise un corto chimono e infilò i piedi nelle pantofole.

Al pianterreno, la sua comparsa fu accolta da espressioni di sorpresa. C'era l'intera famiglia riunita: Jacob, Marita, William e Petra. La loro conversazione sommessa s'interruppe di colpo quando lei si sedette su una delle sedie libere e fece per spalmarsi il burro su una fetta di pane.

«Mi fa piacere che per una volta tu voglia farci compagnia, ma preferirei che ti coprissi di più. Ci sono i bambini.»

Jacob era talmente ipocrita che le veniva la nausea. Per provocarlo lasciò che il chimono si aprisse leggermente, in modo che s'intravedesse un seno. Lui impallidì di rabbia, ma per qualche motivo non trovò la forza di dare battaglia e la lasciò fare. William e Petra la guardavano affascinati e lei fece un paio di smorfie che provocarono risate convulse in tutti e due. Questi bambini sono davvero simpatici, dovette riconoscere, ma con il tempo Jacob e Marita sicuramente li rovineranno. Una volta completata la loro educazione religiosa, ai figli non sarebbe rimasto un briciolo di gioia di vivere.

«Adesso calmatevi, per favore. State composti a tavola. Togli quella gamba dalla sedia, Petra, e stai seduta come una bambina grande. E tu tieni la bocca chiusa quando mangi, William. Non voglio vedere quello che stai masticando.»

Le risate si spensero sui volti dei due bambini, che si raddrizzarono come due soldatini di piombo, lo sguardo vacuo e fisso. Dentro di sé, Linda sospirò. A volte si domandava davvero come lei e Jacob potessero essere fratelli. Non ne aveva mai visti due più diversi, di questo era certa. E quello che trovava maledettamente ingiusto era la palese preferenza dei genitori per lui, il fatto che lo portassero in palmo di mano, mentre non facevano altro che criticare lei. Era colpa sua se era nata quando ormai pensavano di essersi lasciati alle spalle gli anni da dedicare a un figlio piccolo? O se la malattia di Jacob, tanti anni prima della sua nascita, li aveva resi recalcitranti all'idea di rischiare un'altra esperienza del genere? Certo, si rendeva conto del fatto che era quasi morto, ma non per questo doveva essere punita lei, no? Mica era colpa sua se si era ammalato.

Le attenzioni esagerate riservate a Jacob durante la malattia erano continuate per inerzia anche dopo che era stato dichiarato completamente guarito. Era come se i genitori considerassero ogni giorno della vita del fratello come un dono di Dio, mentre la sua non causava loro che irritazioni e pensieri. Per non parlare del nonno paterno. Certo, capiva che il legame tra loro fosse particolare, dopo quello che aveva fatto il vecchio per Jacob, ma questo non significava che non restasse spazio per gli altri nipoti. Era morto prima che lei nascesse, quindi lei non aveva mai dovuto subire direttamente la sua indifferenza, ma da Johan aveva saputo che sia lui che Robert praticamente non venivano presi in considerazione dal nonno, il quale aveva concentrato tutta la sua attenzione sul loro cugino. Sicuramente anche lei avrebbe subito lo stesso destino, se il nonno fosse stato ancora vivo.

L'ingiustizia le fece salire le lacrime agli occhi ma, come molte altre volte, le ricacciò indietro. Non aveva intenzione di dare a Jacob la soddisfazione di vederla piangere e il pretesto per atteggiarsi come sempre a salvatore del mondo. Sapeva che bruciava dalla voglia di ricondurla sulla retta via, ma lei avrebbe preferito morire che diventare smidollata come lui. Poteva anche darsi che le brave ragazze andassero in paradiso, ma lei aveva intenzione di spingersi molto molto più in là. Meglio andare alla deriva col botto che vivere una vita da mezzacalzetta come suo fratello, certo com'era che tutti lo adorassero.

«Hai qualcosa in programma per oggi? Avrei bisogno di una mano qui a casa.»

Mentre glielo chiedeva, Marita continuava a spalmare tranquilla il burro sulle fette di pane per i bambini. Era una donna dall'aspetto materno, leggermente sovrappeso, con un viso comune. Linda aveva sempre pensato che Jacob avrebbe potuto trovare di meglio. Improvvisamente le si parò davanti agli occhi un'immagine del fratello e della moglie in camera da letto. Di certo lo facevano rigorosamente una volta al mese, con la luce spenta e la cognata coperta fino alle caviglie dalla camicia da notte. Le venne da ridere, e gli altri la guardarono con aria interrogativa.

«Ehi, Marita ti ha fatto una domanda. Puoi aiutarla in casa oggi? Non è mica una pensione questa qui, sai?»

«Ma sì, ma sì, l'ho sentita. Non c'è bisogno di rompere in questo modo. E la risposta è no, oggi non posso darti una mano. Devo...» cercò una buona scusa «... devo dare un'occhiata a Scirocco. Ieri zoppicava un pochino.»

La motivazione fu accolta con sguardi scettici e Linda assunse la sua espressione più bellicosa, pronta a difendersi. Ma con sua grande sorpresa, nonostante l'evidente bugia, quel giorno nessuno ebbe la forza di controbattere. Aveva vinto di nuovo, e si era conquistata l'ennesima giornata di ozio.

La voglia di uscire e mettersi sotto la pioggia, con il viso rivolto verso il cielo e l'acqua che scorre sulle guance, era irresistibile. Ma gli adulti certe cose non se le possono permettere, soprattutto quando sono in servizio, così Martin dovette reprimere quell'impulso infantile. Però era davvero una meraviglia. Tutto il calore soffocante che li aveva tenuti prigionieri per due mesi era stato spazzato via da un acquazzone coi fiocchi. Sentiva l'odore della pioggia nelle narici, dalla finestra spalancata. Qualche schizzo arrivava fino alla parte della scrivania più vicina al davanzale, ma aveva spostato le carte, quindi non era un problema. Ne valeva la pena, pur di sentire il profumo del fresco.

Patrik aveva telefonato per avvertire che si era svegliato tardi, così, per una volta, Martin era stato il primo ad arrivare alla stazione. Dopo che, la sera prima, era venuta a galla la negligenza di Ernst l'atmosfera non era certo delle migliori, quindi gli faceva piacere restare un po' in pace a raccogliere le idee sugli ultimi avvenimenti. Non invidiava a Patrik il compito di comunicare il ritrovamento ai familiari della donna, ma sapeva anche lui che la certezza rappresenta il primo passo dell'elaborazione del lutto. Solo che, probabilmente, loro neanche sapevano che la figlia fosse scomparsa, quindi la notizia sarebbe arrivata come un fulmine a ciel sereno. La prima cosa da fare, comunque, era trovarli, e l'incarico di contattare i colleghi tedeschi era stato affidato a lui. Sperava di poter parlare in inglese, altrimenti sarebbe stato un problema. Ricordava un poco di tedesco studiato a scuola, e aveva capito che non poteva appoggiarsi a Patrik dopo averlo sentito arrancare per mettere insieme qualche frase il giorno prima.

Stava per sollevare la cornetta quando l'apparecchio emise uno squillo acuto. Quando capì che stava parlando con l'unità di medicina legale di Göteborg, il battito accelerò leggermente. Si allungò verso il blocco tutto scarabocchiato. In realtà il referente era Patrik, ma visto che non era ancora arrivato avrebbero dovuto accontentarsi di lui.

«Certo che avete cominciato a trovare un sacco di cadaveri nella vostra landa desolata.»

Il medico legale Tord Pedersen si riferiva all'autopsia eseguita un anno e mezzo prima sul cadavere di Alex Wijkner, che aveva avuto come conseguenza l'apertura di una delle pochissime indagini per omicidio a cui avesse lavorato la stazione di polizia di Tanumshede.

«Puoi dirlo forte. C'è da chiedersi se ci sia qualcosa di strano nell'acqua. Tra un po' raggiungeremo Stoccolma nelle statistiche.»

Il tono vagamente scherzoso, per loro come per molte persone che professionalmente vengono a contatto con morti e altre disgrazie, era un modo per riuscire ad affrontare le difficoltà quotidiane del loro lavoro, e non intaccava in alcun modo la consapevolezza delle tragedie davanti alle quali si trovavano.

«Siete già riusciti a fare l'autopsia? Immagino che con questo caldo la gente si ammazzi a vicenda più del solito!» continuò Martin.

«Sì, in effetti hai ragione. La gente perde la testa più facilmente, con queste temperature, ma negli ultimi giorni abbiamo avuto un calo di casi, così abbiamo potuto occuparci del vostro prima del previsto.»

«Sentiamo, allora.» Martin trattenne il respiro. Il successo di un'indagine dipendeva in gran parte da quanto aveva da offrire l'unità di medicina legale.

«Dunque, il tipo con cui avete a che fare non è molto simpatico. La causa della morte è stata abbastanza semplice da stabilire: è stata strangolata. Ma è quello che le è stato fatto prima che non è normale.»

Pedersen fece una pausa, a Martin parve di intuire che stesse inforcando un paio di occhiali.

«Sì?» Martin non riuscì a nascondere la propria impazienza.

«Vediamo... Vi ho mandato tutto anche via fax... Mm...» Pedersen scorreva il rapporto mentre la mano di Martin sudava intorno alla cornetta.

«Ah, ecco qui. Quattordici fratture in punti diversi dello scheletro. A giudicare dai gradi di saldatura, sono state tutte procurate prima della morte.»

«Intendi dire...»

«Intendo dire che, nel corso di una settimana circa, qualcuno le ha rotto braccia, gambe, dita delle mani e dita dei piedi.»

«Sono fratture procurate in un'unica occasione, a quanto puoi giudicare?»

«Come ti dicevo, hanno gradi di saldatura diversi, di conseguenza la mia opinione professionale è che le ossa le siano state rotte in giorni diversi della settimana. Ho fatto uno schizzo con la sequenza in cui penso che abbia riportato le fratture. È tutto nel fax. La ragazza aveva anche alcune ferite da taglio piuttosto superficiali sul corpo, anche queste a stadi diversi di cicatrizzazione.»

«Che orrore.» Martin non era riuscito a trattenere quel commento spontaneo.

«Sono dello stesso avviso.» La voce di Pedersen suonò asciutta lungo la linea telefonica. «Il dolore che ha provato dev'essere stato intollerabile.»

Per qualche istante contemplarono in silenzio la crudeltà umana. Poi Martin riprese il filo e continuò: «Sul corpo avete rilevato qualche residuo che potrebbe tornarci utile?»

«Sì, tracce di sperma. Se individuate un sospetto, possiamo fargli il test del dna. Naturalmente faremo una ricerca anche nel database, ma è raro che si ottengano risultati. Per il momento, è troppo limitato. Il giorno in cui avremo schedato il dna di tutti i cittadini è ancora così lontano che possiamo solo sognarcelo, ma allora sarà tutto diverso.»

«Già, sognare è il termine giusto. La limitazione della

libertà personale e tutte le altre storie sono dei bei bastoni tra le ruote.»

«Certo che se quello che è capitato a questa ragazza non può essere definito una limitazione alla sua libertà personale, non so proprio cosa potrebbe esserlo...»

Era una considerazione insolitamente filosofica per Pedersen, che normalmente si atteneva ai fatti. Martin si rese conto che questa volta doveva essere rimasto davvero turbato dal tragico destino della vittima. Ma non era una cosa che un medico legale potesse permettersi spesso, se voleva dormire la notte.

«Puoi darmi qualche indicazione temporale?»

«Sì, ho avuto i risultati dei test eseguiti sul posto dalla scientifica e li ho completati con le mie osservazioni, quindi posso fornirvi un intervallo di tempo abbastanza certo.»

«Sentiamo.»

«Secondo me è morta tra le sei e le undici della sera prima che venisse trovata.»

Martin era deluso. «Non riesci a circoscrivere l'ora in maniera più precisa?»

«In questi casi la prassi è di indicare un intervallo di tempo non inferiore alle cinque ore, quindi più di così non posso fare, ma la verosimiglianza di questo intervallo è pari al novantacinque per cento, quindi è alquanto affidabile. Invece posso confermarvi quello che avete sicuramente sospettato, cioè che Kungsklyftan non è il luogo del delitto: la donna è stata assassinata in qualche altro posto, lì è rimasta solo per un paio d'ore dopo la morte. Risulta dal *livor mortis*.»

«Be', sempre meglio di niente.» Martin sospirò. «E gli scheletri? Hanno fornito qualche indizio? Patrik ti ha comunicato i dati delle persone a cui pensiamo appartengano, vero?»

«Sì, li ho ricevuti, ma con quelli non abbiamo ancora finito. Trovare delle ortopantomografie degli anni settanta non è facile, ma ci stiamo lavorando e non appena sapremo qualcosa ve lo comunicheremo. Per il momento posso dirvi che si tratta di due scheletri femminili e che l'età potrebbe corrispondere. Il bacino di una delle due farebbe anche pensare che avesse partorito, il che coinciderebbe con le informazioni che abbiamo. Ma il particolare più interessante è che entrambi gli scheletri hanno fratture simili a quelle di Tanja Schmidt. Che resti tra noi, ma mi spingerei quasi a dire che sono pressoché identiche nelle tre vittime.»

Per lo stupore, a Martin cadde la penna. Ma cos'era questo incubo che si erano ritrovati tra capo e collo? Un assassino sadico che lasciava passare ventiquattro anni tra l'una e l'altra delle proprie esecuzioni? All'alternativa, cioè che non avesse aspettato tutti quegli anni e che, semplicemente, loro non avessero trovato le altre vittime, non voleva neanche pensare.

«Avevano subito anche loro ferite da taglio?»

«Non avendo a disposizione materiale organico è più difficile da stabilire, ma sulle ossa ho rilevato dei segni che potrebbero far pensare a uno stesso trattamento.»

«E la causa della morte, nel loro caso?»

«La stessa. Le lesioni all'altezza della gola sono compatibili con lo strangolamento.»

Martin continuava a prendere appunti rapidamente.

«C'è qualcos'altro di interessante che mi puoi dire?»

«Niente, se non il fatto che gli scheletri probabilmente sono stati dissotterrati. Abbiamo rilevato dei residui di terra che forse potranno dirci qualcosa, una volta analizzati. Ma il laboratorio ci sta ancora lavorando, dovete avere pazienza. C'era della terra anche su Tanja Schmidt e sulla coperta su cui era stesa. La confronteremo con i campioni prelevati dagli scheletri.» Pedersen fece una pausa, poi aggiunse: «È Mellberg che coordina l'indagine?»

La sua voce lasciava trapelare un'ombra d'inquietudine. Martin fece un sorrisino tra sé e sé, ma lo tranquillizzò.

«No, è stata affidata a Patrik. Ma chi avrà l'onore di avere risolto il caso...»

Risero entrambi, ma la risata, almeno nel caso di Martin, si fermò in gola.

Conclusa la telefonata Martin andò a recuperare il fax, e quando Patrik entrò in ufficio trovò il collega ben preparato. Dopo un rapido riepilogo della situazione, però, erano entrambi piuttosto scoraggiati. Quella faccenda aveva tutta l'aria di essere un maledetto groviglio.

Stesa a prua della barca a vela, Anna si lasciava arrostire dal sole, in bikini. I bambini stavano facendo il pisolino pomeridiano sottocoperta e Gustav era al timone. Ogni volta che la prua urtava la superficie dell'acqua il suo corpo veniva schizzato da goccioline salate che la rinfrescavano piacevolmente. Se chiudeva gli occhi, per un attimo riusciva a dimenticare i suoi crucci e a convincersi che quella era la sua vita vera.

«Anna, ti vogliono al telefono.» La voce di Gustav la svegliò da quello stato che sfiorava l'estasi.

«Chi è?» Si portò una mano alla fronte per riparare gli occhi dal sole e vide che Gustav stava agitando il suo cellulare.

«Non ha voluto dirlo.»

Merda. Anna capì immediatamente chi era, e con l'ansia che le annodava lo stomaco raggiunse Gustav, spostandosi cauta.

«Pronto?»

«Chi cazzo era quello?» sibilò Lucas.

Anna esitò. «Te l'avevo detto che sarei uscita in barca in compagnia.»

«Ah, e lui sarebbe la compagnia, eh?» La risposta era arrivata con una rapidità sorprendente. «Come si chiama?»

«Non sono affari...»

Lucas la interruppe: «COME SI CHIAMA, Anna!»

La sua resistenza scemava a ogni secondo passato al telefono con l'ex marito. In un sussurro rispose: «Gustav af Klint.»

«Ah, però! Che cosa aristocratica.» Da profonda, la sua voce si fece cupa e minacciosa: «Come ti permetti di portare i miei figli in vacanza con un altro uomo?»

«Siamo divorziati, Lucas» disse Anna.

«Sai bene quanto me che questo non cambia niente, Anna. Tu sei la madre dei miei figli e questo significa che io e te saremo per sempre uniti. Tu sei mia e i bambini sono miei.»

«Perché allora stai cercando di portarmeli via?»

«Perché sei debole di nervi, Anna. Lo sei sempre stata e sinceramente non credo che tu sia in grado di occuparti dei miei figli come meriterebbero. Guarda il modo in cui vivete. Tu lavori dalla mattina alla sera e loro sono alla scuola materna. È una vita che va bene per loro? Lo pensi davvero, Anna?»

«Ma io devo lavorare, Lucas. E come risolveresti il problema se li avessi tu? Lavori quanto me. Chi si occuperebbe di loro?»

«Una soluzione c'è, Anna, e lo sai.»

«Sei pazzo? Dovrei tornare con te dopo che hai rotto il braccio a Emma? Per non parlare di quello che hai fatto a me!» La sua voce s'impennò. Nello stesso istante in cui smise di parlare si rese conto di essersi spinta troppo in là.

«Non è stata colpa mia! È stato un incidente! Inoltre, se tu non ti fossi intestardita a remare continuamente contro, non avrei perso le staffe così spesso!»

Era come parlare al muro, completamente inutile. Dopo tutti gli anni passati con Lucas, Anna sapeva che lui credeva davvero a quello che diceva. Non era mai colpa sua. Tutto quello che accadeva dipendeva sempre da qualcun altro. Ogni volta che la picchiava la faceva sentire in colpa per non essere stata sufficientemente comprensiva, affettuosa, sottomessa.

Quando, attingendo a risorse inaspettate, era riuscita a far andare in porto il divorzio, per la prima volta dopo molti anni si era sentita forte, invincibile. Finalmente avrebbe potuto riprendersi la sua vita. Lei e i bambini avrebbero ricominciato da capo. Ma era filato tutto un po' troppo liscio. Lucas era veramente rimasto scioccato dall'aver fratturato un braccio alla figlia durante uno dei suoi accessi d'ira, ed era stato insolitamente conciliante. E la frenetica vita da scapolo condotta dopo il divorzio l'aveva tenuto occupato, permettendo ad Anna e ai bambini di stare tranquilli mentre lui era tutto teso a fare una conquista dopo l'altra. Ma proprio quando Anna cominciava a pensare di essersi salvata, Lucas si era stancato della sua nuova vita e aveva da capo rivolto lo sguardo alla sua famiglia. E presto, vedendo che i fiori, i regali e le implorazioni di perdono non servivano, aveva messo da parte i guanti di velluto. Pretendeva l'affido esclusivo, sulla base di una serie di accuse infondate che miravano a far apparire Anna una madre inadeguata. Non c'era nulla di vero, ma quando voleva Lucas sapeva essere così convincente e intrigante da farla tremare al pensiero che potesse riuscire nel suo intento. Anna sapeva che in realtà non erano i bambini che voleva. Con la sua attività professionale non sarebbe riuscito a prendersi cura di due figli piccoli, ma la sua speranza era di spaventarla a sufficienza e di indurla a tornare con lui. Nei momenti di maggiore debolezza, si sentiva quasi disposta a farlo, ma sapeva bene che in quel caso sarebbe davvero andata a fondo. Si fece forza.

«Lucas, questa discussione non serve a niente. Dopo il divorzio io mi sono lasciata il passato alle spalle, e dovresti farlo anche tu. È vero, ho conosciuto un altro uomo. Dovrai imparare ad accettarlo. I bambini stanno bene e io sto bene. Non possiamo gestire questa situazione da adulti?»

Anna aveva usato un tono implorante, ma il silenzio di Lucas era compatto. Di nuovo si rese conto di aver passato il segno. Quando udì il segnale che indicava che Lucas aveva interrotto la telefonata, capì che in qualche modo l'avrebbe pagata cara.

Estate 1979

Il dolore lancinante alla testa la indusse a conficcarsi le dita nel viso. I lunghi graffi provocati dalle unghie sulla pelle erano quasi confortanti, rispetto a ciò che sembrava farle esplodere le tempie, e l'aiutarono a concentrarsi.

Intorno a lei era ancora tutto nero, ma qualcosa l'aveva fatta emergere dal torpore profondo e senza sogni. Sopra la sua testa s'intravedeva uno spiraglio di luce, e mentre socchiudeva gli occhi guardando in quella direzione lo vide allargarsi piano piano. Momentaneamente abbagliata, pur non vedendolo sentì qualcuno entrare attraverso la fessura, ormai diventata un'apertura vera e propria, e scendere lungo dei gradini. Si stava avvicinando sempre di più. Era talmente confusa che non capiva se fosse il caso di provare paura o sollievo. Le due sensazioni convivevano, mescolate, prevalendo alternativamente l'una sull'altra.

Gli ultimi passi fino a lei, raggomitolata in posizione fetale, furono silenziosi. Senza che fosse stata pronunciata una sola parola, sentì una mano accarezzarle la testa. Forse quel gesto avrebbe dovuto calmarla, ma la sua semplicità scatenò in lei un terrore che le attanagliò il cuore.

La mano proseguì il suo percorso lungo il corpo, facendola tremare nel buio. Per un attimo l'idea di opporre resistenza allo sconosciuto senza volto le attraversò la mente, ma sparì con la stessa velocità con cui si era presentata. Le tenebre erano annientanti e la forza della mano che l'accarezzava le penetrò nella pelle, nei nervi, nell'anima. Agghiacciata, si rese conto che la sottomissione era l'unica scelta possibile.

Quando la mano, dalle carezze, passò a premere, torcere, tirare e piegare, non fu una sorpresa. In un certo modo accolse il dolore con rassegnazione. La sua certezza lo rendeva più facile da accettare del terrore insito nell'attesa dell'ignoto.

La seconda telefonata di Tord Pedersen era arrivata poche ore dopo che Patrik aveva parlato con Martin. L'identificazione di uno dei due scheletri era stata completata. Era quello di Mona Thernblad, la seconda delle due ragazze scomparse nel 1979.

Patrik e Martin stavano riguardando insieme le informazioni che avevano raccolto fino a quel momento. Mellberg brillava per la sua assenza, ma Gösta Flygare era di nuovo in ufficio dopo un'ottima prestazione golfistica. Non aveva vinto, ma con sua grande sorpresa e gioia aveva realizzato un hole-in-one ed era stato invitato a bere champagne nella club house. Martin e Patrik si erano sorbiti già tre volte la descrizione di come la pallina alla sedicesima fosse andata in buca in un colpo, e non dubitavano di doverla riascoltare ancora prima della fine della giornata. Ma gliela concedevano volentieri quella soddisfazione, e Patrik gli lasciò ancora un attimo di respiro prima di coinvolgerlo nel lavoro d'indagine. Al momento, Gösta stava telefonando a tutti i suoi amici del golf per raccontare la-sua-grande-prodezza.

«Quindi è un qualche bastardo che frattura le ossa alle ragazze prima di assassinarle» disse Martin. «E le tagliuzza con un coltello» aggiunse.

«Già, ha tutta l'aria di essere così. E direi che c'è dietro un movente di tipo sessuale. Un bastardo con tendenze sadiche che si eccita grazie al dolore altrui. Il fatto che su Tanja sia stato rilevato dello sperma rafforza l'ipotesi.»

«Parli tu con i familiari di Mona Thernblad? Voglio dire, per comunicare che l'abbiamo ritrovata.»

Martin sembrava preoccupato, e Patrik lo tranquillizzò.

«Ho pensato di andare a trovare suo padre oggi pomeriggio. La madre è morta da anni, quindi resta solo lui.»

«Come lo sai? Li conosci?»

«No, ma Erica è andata in biblioteca a Fjällbacka ieri, e ha scovato tutto quello che è uscito sui giornali riguardo a Siv e Mona. Della loro scomparsa hanno parlato a più riprese, e tra gli altri articoli ha trovato un'intervista con le due famiglie risalente a un paio di anni fa. Di Mona è rimasto appunto il padre, e Siv aveva solo la madre già all'epoca. C'era però una figlioletta, quindi avrei intenzione di parlare anche con lei, appena avremo la certezza che la terza donna sia effettivamente Siv.»

«Sarebbe una coincidenza davvero strana se così non fosse...»

«Sì, infatti ci conto, ma non possiamo darlo per scontato. Sono successe cose più strane.»

Patrik frugò tra le carte procurategli da Erica e dispose a ventaglio alcuni fogli sulla scrivania. Aveva tirato fuori anche il raccoglitore che aveva scovato nell'archivio con l'intento di passare in rassegna le informazioni sulla scomparsa delle ragazze. Ma negli articoli di giornale c'era molto di più, quindi per avere un quadro completo di quanto si sapeva erano necessarie entrambe le fonti.

«Guarda qui. Siv Lantin sparì la sera di mezz'estate del 1979, e Mona due settimane dopo.»

Per chiarirsi le idee e dare una struttura al materiale,

Patrik si era alzato dalla sedia dietro la scrivania e stava scrivendo sulla lavagna magnetica appesa alla parete.

«Siv Lantin fu vista l'ultima volta mentre tornava a casa in bicicletta dopo aver festeggiato il solstizio d'estate con gli amici. L'ultimissimo testimone la descrive mentre svolta dalla strada principale verso Bräcke. Erano le due di notte e a notarla fu un uomo alla guida di un'auto. Da quel momento non la vide più nessuno.»

«Se si prescinde dalle informazioni fornite da Gabriel Hult» osservò Martin.

Patrik annuì. «Sì, se si prescinde dalla sua testimonianza, cosa che per il momento è bene fare, secondo me. Mona Thernblad sparì due settimane dopo. A differenza di Siv, in pieno pomeriggio. Uscì di casa verso le tre per andare a correre e non rientrò più. Una delle sue scarpe venne ritrovata lungo il percorso che seguiva di solito, ma fu l'unica traccia.»

«C'erano delle somiglianze tra le due ragazze? A parte il fatto che erano di sesso femminile e più o meno della stessa età?»

Patrik non riuscì a trattenere un sorriso. «Hai guardato troppi programmi tipo *Profiler*, eh? Purtroppo devo deluderti. Anche se avessimo a che fare con un serial killer, perché immagino sia questo che ti aspetti, tra le ragazze non ci sono somiglianze, almeno evidenti.» Attaccò alla lavagna due foto in bianco e nero.

«Siv, diciannove anni, era piccola, mora e formosa. Aveva fama di ragazza facile e quando ebbe una bambina, a soli diciassette anni, in paese la cosa suscitò un certo scandalo. Sia lei che la piccola abitavano con la madre, ma a giudicare da quanto scrivono i giornali Siv usciva spesso la sera e non era troppo propensa a restare chiusa tra le pareti domestiche. Mona invece è descritta come una ragazza tutta casa e famiglia che andava bene a scuola, aveva molti amici ed era molto popolare. Era alta, bionda e atletica. Aveva diciotto anni ma abitava ancora in famiglia perché sua madre aveva problemi di salute e il padre non riusciva ad assisterla da solo. Nessuno pare aver avuto qualcosa di negativo da dire di lei. Dunque, l'unica cosa che hanno in comune queste due ragazze, oltre a essere state ritrovate sotto forma di scheletri a Kungsklyftan, è che sono scomparse oltre vent'anni fa senza lasciare traccia.»

Martin appoggiò pensoso il mento sulla mano. Sia lui che Patrik rimasero qualche istante in silenzio, esaminando i ritagli di giornale e gli appunti sulla lavagna. Pensavano entrambi a quanto erano giovani le due ragazze. Avrebbero avuto tanti anni ancora da vivere, se qualcuno non si fosse messo sulla loro strada. E adesso Tanja, della quale non avevano ancora nessuna foto da viva. Anche lei giovanissima, con una vita intera davanti, da impostare come voleva. E invece era morta, come le altre due.

«Lo sforzo investigativo fu notevolissimo.» Patrik tirò fuori dal raccoglitore un fascio di fogli scritti a macchina. «Furono sentiti amici e familiari delle ragazze, si passò porta a porta tutta la zona, e anche i delinquenti comuni vennero convocati. In totale, per quello che ho potuto vedere, gli interrogatori furono un centinaio.»

«Con qualche risultato?»

«No, niente, fino alla soffiata di Gabriel Hult, che chiamò la polizia riferendo di aver visto Siv nell'auto di suo fratello la notte in cui era scomparsa.»

«E? Non sarà mica bastato perché lo si sospettasse di averla assassinata, no?»

«No, ma quando il fratello di Gabriel, Johannes, fu interrogato negò di averle parlato o anche solo di averla vista, e in mancanza di piste più promettenti si scelse di concentrarsi su di lui.»

«E si arrivò a qualche conclusione?» Gli occhi di Martin, suo malgrado affascinato dalla vicenda, erano spalancati.

«No, non venne fuori nient'altro. E un paio di mesi dopo Johannes Hult si impiccò nel suo fienile, il che ovviamente raffreddò alquanto la pista.»

«Il fatto che si sia suicidato poco dopo è abbastanza sospetto, in effetti.»

«Sì, ma se il colpevole era lui dovrebbe essere stato il suo fantasma ad assassinare Tanja. I morti non uccidono...»

«E questa storia che fu suo fratello a telefonare per denunciare la carne della sua carne? Perché uno dovrebbe fare una cosa del genere?» Martin aggrottò la fronte. «Già, che stupido. Hult... devono essere parenti di Johan e Robert, nostre vecchie conoscenze nella cerchia dei ladruncoli locali.»

«Sì, è così. Sono proprio i figli di Johannes. Dopo aver letto della loro famiglia devo ammettere che riesco a capire un po' meglio come mai vengono a trovarci così spesso. Quando Johannes si impiccò avevano tre e quattro anni, e fu Robert a trovarlo nel fienile. Non è difficile immaginare come una cosa del genere possa aver influenzato un bambino di quell'età.»

«Già, che orrore.» Martin scosse la testa. «Per continuare ho bisogno di un caffè. Sto andando in riserva con la caffeina. Ne vuoi una tazza anche tu?»

Patrik annuì e poco dopo Martin tornò con due tazze fumanti. Finalmente, il clima era quello giusto per una bevanda calda.

Patrik riprese la sua esposizione. «Johannes e Gabriel

erano figli di un certo Ephraim Hult, altrimenti noto come il Predicatore. Era un famoso, o tristemente famoso, a seconda delle opinioni, pastore nonconformista di Göteborg. Organizzava affollate assemblee durante le quali faceva "parlare in lingue" i figli, allora molto piccoli, e poi faceva loro guarire malati e storpi. Ritenuto un imbroglione e un ciarlatano dai più, vinse comunque un terno al lotto quando una delle signore più in vista della sua cerchia di fedeli, Margareta Dybling, morì lasciandogli tutto ciò che possedeva. Oltre a una fortuna sostanziosa in denaro contante, l'eredità consisteva in una vasta estensione di boschi e in una sfarzosa tenuta nella zona di Fjällbacka. Di punto in bianco a Ephraim passò tutta la voglia di diffondere la parola di Dio: si trasferì lì con i figli e da allora la famiglia vive dei soldi della vecchia.»

La lavagna era ormai coperta di appunti, e sulla scrivania non c'era più un angolino libero dalle carte.

«Non che questa storia non sia interessante, ma cos'ha a che fare con gli omicidi? Johannes è morto più di vent'anni prima che fosse assassinata Tanja, e i morti non uccidono, come hai elegantemente detto.» Martin faticava a nascondere la propria impazienza.

«Vero, ma ho passato in rassegna tutto questo vecchio materiale, e la testimonianza di Gabriel è in effetti l'unica cosa interessante che abbia trovato. Avevo sperato di poter parlare con Errold Lind, che coordinava le indagini all'epoca, ma purtroppo è morto d'infarto nel 1989, quindi non abbiamo altro che questo. A meno che tu non abbia proposte migliori, direi di cominciare cercando di scoprire qualcosa in più su Tanja. E parliamo anche con i genitori di Siv e Mona, dopodiché decideremo se sia il caso di fare una chiacchierata con Gabriel Hult.»

«Sì, direi che è ragionevole. Da dove devo cominciare?»

«Occupati tu delle ricerche su Tanja. E da domani vedi di mettere al lavoro anche Gösta. Con oggi ha finito pure lui di oziare.»

«E Mellberg ed Ernst? Che intenzioni hai riguardo a loro?»

Patrik sospirò. «La mia strategia consisterebbe nel tenerli fuori, per quanto possibile. Noi tre dovremo dividerci un maggior carico di lavoro, ma penso che alla lunga ci converrà. Mellberg è ben contento di evitare di fare qualcosa, e si è praticamente tirato fuori da questa indagine. Ed Ernst deve sbrigare il maggior numero possibile di denunce correnti. Se ha bisogno di aiuto gli affianchiamo Gösta, mentre tu e io cercheremo di restare liberi per seguire questa indagine. Intesi?»

Martin annuì entusiasticamente. «Yes, boss.»

«Allora partiamo.»

Quando il collega fu uscito dal suo ufficio, Patrik si sedette rivolto alla lavagna e sprofondò nelle sue riflessioni. Il compito che li aspettava era enorme e la loro esperienza in fatto di omicidi quasi nulla, e in un attacco di sconforto sentì che il cuore gli si faceva pesante. Sperava intensamente che la mancanza di esperienza potesse essere compensata dall'entusiasmo. Martin era già sulla sua lunghezza d'onda, e Flygare doveva a tutti i costi essere risvegliato dal suo sonno incantato da "bella addormentata". Se poi fossero riusciti a tenere alla larga dalle indagini Mellberg ed Ernst, era convinto che avrebbero avuto qualche possibilità di risolvere il caso. Non troppe, però, soprattutto considerando che per due omicidi su tre la pista si era talmente raffreddata da essere praticamente surgelata. Sentiva che la cosa da fare era concentrarsi su Tanja, ma allo stesso tempo l'istinto gli suggeriva che tra gli omicidi esisteva un nesso così forte e reale da richiedere che le indagini procedessero parallele. Non sarebbe stato facile riannodare i fili della vecchia inchiesta, ma dovevano riuscirci.

Prese l'ombrello, controllò un indirizzo sull'elenco telefonico e si avviò con il cuore pesante. Alcune incombenze erano davvero disumane.

La pioggia tamburellava insistente sui vetri e in circostanze diverse Erica avrebbe accolto con favore la frescura che portava. Ma la sorte e i parenti appiccicosi andavano in direzione opposta, e lei si sentiva sospingere, lentamente ma inesorabilmente, verso il baratro della follia.

I bambini, frustrati dal fatto di non poter uscire all'aperto, correvano per la casa come impazziti, e Conny e Britta avevano cominciato a rivoltarsi uno contro l'altra come cani in gabbia. La situazione non era ancora degenerata in un litigio vero e proprio, ma i battibecchi erano aumentati di frequenza, e al momento comunicavano a ringhi e sbuffi, rinfacciandosi a vicenda vecchi peccati e torti subiti. Erica non desiderava altro che tirarsi una coperta sulla testa, ma ancora una volta la buona educazione, agitandole il dito davanti al naso, le impedì di farlo e la costrinse a cercare di comportarsi in modo civile nel bel mezzo delle operazioni belliche.

Quando Patrik era uscito per andare al lavoro, aveva guardato con aria sognante la porta. Non era riuscito a nascondere il sollievo che provava andando a rifugiarsi nella stazione di polizia. Per un attimo le era venuta voglia di mettere alla prova la sincerità di quanto le aveva assicurato il giorno prima, cioè che si sarebbe fermato a casa se solo lei glielo avesse chiesto. Ma sapeva che non sarebbe stato giusto farlo solo perché non voleva essere lasciata sola con i "terribili quattro" e così, da mogliettina ligia al dovere, mentre lui se ne andava l'aveva salutato con la mano dalla finestra della cucina.

Nonostante la casa fosse piuttosto grande, il caos era ormai prossimo alla catastrofe. Erica aveva tirato fuori alcuni giochi di società per i bambini, ma l'unico risultato era stato che adesso in soggiorno c'erano tessere di Scarabeo sparse dappertutto, mescolate a soldi di Monopoli e a carte da gioco. Si chinò faticosamente a raccoglierli, nel tentativo di rimettere un po' in ordine la stanza. Nella veranda la conversazione tra Conny e Britta si stava facendo sempre più concitata, ed Erica cominciava a capire perché i bambini fossero venuti su così maleducati. Con dei genitori che si comportavano come bambini di cinque anni non era facile imparare il rispetto per il prossimo e per la proprietà altrui. Sperava davvero che quella giornata passasse velocemente. Non appena fosse cessata la pioggia, avrebbe mandato via la famiglia Flood. Va bene la buona educazione, va bene l'ospitalità, ma avrebbe dovuto essere santa Brigida in persona per non esplodere, se si fossero fermati ancora.

La classica goccia arrivò all'ora di pranzo. Per preparare qualcosa che fosse all'altezza della voracità di Conny e dei gusti difficili dei bambini aveva passato un'ora davanti ai fornelli, con i piedi gonfi e un fastidioso dolore lombare, ottenendo un risultato che a suo giudizio non era niente male. Maccheroni e salsiccia gratinati le sembravano una buona soluzione per soddisfare tutte le parti in causa, ma ben presto fu evidente che si era sbagliata di grosso.

«Bleahhhh! Io odio la salsiccia. Che schifo!»

Lisa allontanò provocatoriamente il piatto e incrociò le braccia mettendo il broncio.

«Peccato, perché ho preparato solo questo.» La voce di Erica non ammetteva repliche.

«Ma ho faaaaame, voglio qualcos'altro!»

«Non c'è altro. Se non ti piace la salsiccia, puoi mangiare i maccheroni con il ketchup.» Erica si sforzò di parlare con voce mite, anche se dentro di sé ribolliva.

«I maccheroni fanno schifo. Io voglio qualcos'altro. Mammaaaaa!»

«Non potresti mettere in tavola qualcos'altro per lei?» Britta fece una carezza sulla guancia della sua lagnona e fu ricompensata con un sorriso. Certa di aver vinto, Lisa guardò Erica con aria di sfida, le guance arrossate dal trionfo. Ma ormai era stato passato il segno. Se volevano la guerra, che guerra fosse.

«Non c'è nient'altro. O mangi quello che hai davanti, o salti il pasto.»

«Ma scusa, Erica, questo mi sembra veramente irragionevole. Conny, spiegale come ci comportiamo a casa, che tipo di politica educativa portiamo avanti.» Senza aspettare che il marito intervenisse, Britta continuò: «Noi non costringiamo in alcun modo i nostri figli. Limiterebbe il loro sviluppo. Se Lisa vuole qualcos'altro, noi troviamo più che giusto che le venga dato. Voglio dire, è anche lei un individuo che ha lo stesso diritto di esprimersi che abbiamo noi. Cosa diresti tu se qualcuno ti costringesse a mangiare del cibo che non ti piace? Non penso che lo accetteresti.»

Britta aveva tenuto la lezioncina sfoderando la sua migliore voce da psicologa, ed Erica sentì che la misura era colma. Con gelida calma prese il piatto della bambina, lo sollevò sopra la testa di Britta e poi lo capovolse. Quando i maccheroni le scivolarono sui capelli finendole dentro la camicia, rimase bloccata a metà di una frase per lo stupore.

Dieci minuti dopo se n'erano andati, probabilmente

per non tornare mai più. Quel ramo del parentado l'avrebbe messa sulla lista nera, ma Erica non riusciva a provare alcun dispiacere, pur mettendosi d'impegno. Neanche si vergognava, sebbene il suo comportamento potesse essere sembrato quanto meno infantile. Era stata una sensazione bellissima poter finalmente sfogare l'aggressività accumulata in quei due giorni, e non c'era nulla di cui volesse chiedere scusa.

Aveva intenzione di passare il resto della giornata sul divano nella veranda, con un buon libro e la prima tazza di tè dell'estate. D'un tratto la vita le parve molto più rosea.

La rigogliosa vegetazione, per quanto la sua veranda fosse piccola, poteva misurarsi con i giardini più belli. Ogni piantina era stata amorevolmente coltivata a partire dal seme o dalla talea e, grazie alla calura estiva, ormai tra le pareti di vetro il clima era quasi tropicale. In un angolo coltivava anche qualche ortaggio e non c'era niente che gli desse soddisfazione come raccogliere pomodori, melanzane, cipolle e persino meloni e uva da lui stesso coltivati.

La villetta a schiera si trovava in Dinglevägen, all'ingresso meridionale di Fjällbacka, ed era piccola ma funzionale. In mezzo alle aiuole molto più modeste dei vicini, la veranda risaltava come un verde punto esclamativo.

Era solo quando si sedeva lì tra le sue piante che non sentiva la mancanza della casa precedente, quella in cui era cresciuto e aveva messo su famiglia. Ora la moglie e la figlia non c'erano più e nella solitudine il dolore era aumentato d'intensità finché, un giorno, si era reso conto di doversi congedare anche dalla casa e da tutti i ricordi di cui erano impregnate quelle pareti.

Certo, la villetta non aveva la stessa personalità, ma era anche grazie a quell'atmosfera impersonale che l'oppressione al petto aveva avuto modo di attenuarsi: adesso il dolore era più che altro un brontolio sordo che udiva costantemente in sottofondo.

Dopo la scomparsa di Mona, pensava che Linnea sarebbe morta di crepacuore, cagionevole com'era. Ma si era dimostrata più resistente del previsto. Aveva vissuto altri dieci anni. Per amor suo, ne era sicuro. Non voleva lasciarlo solo con il suo dolore. Aveva lottato ogni singolo giorno per restare attaccata a quella vita che per entrambi non era ormai altro che un'ombra di quella di un tempo.

Mona era stata la luce dei loro occhi. Era nata quando entrambi avevano abbandonato ogni speranza di avere figli, e dopo di lei non ne erano arrivati altri. Tutto l'amore di cui erano capaci si era incarnato in quella creatura solare e gioiosa la cui risata accendeva fiammelle nel petto. Che fosse potuta sparire a quel modo gli risultava ancora incomprensibile. Gli sembrava che il sole dovesse spegnersi, che il cielo dovesse precipitare. Invece non era successo niente. Al di fuori del loro nido di dolore, la vita era continuata come prima. Le persone ridevano, vivevano e lavoravano. Ma Mona non c'era più.

Avevano vissuto a lungo di speranza. Forse da qualche parte lei c'era ancora. Forse aveva scelto spontaneamente di sparire e vivere lontano da loro. Ma sapevano entrambi la verità. L'altra ragazza era scomparsa poco prima ed era una coincidenza troppo evidente per riuscire a ingannarsi. Inoltre, Mona non era il genere di figlia che avrebbe consapevolmente inflitto ai genitori un dolore così grande. Era buona e amorevole, e faceva tutto quanto poteva per prendersi cura di loro.

Il giorno in cui era morta Linnea, aveva avuto la prova definitiva che Mona era in paradiso. La malattia e il lutto avevano ridotto la sua adorata moglie a un'ombra di quella che era stata, e mentre dal letto gli teneva la mano lui si era reso conto che quello era il giorno in cui si sarebbe ritrovato solo. Dopo ore di veglia, gli aveva dato un'ultima stretta e poi sul suo viso si era disegnato un sorriso. La luce che nello stesso istante le si era accesa negli occhi era una luce che non vedeva da dieci anni, dall'ultima volta che Linnea aveva guardato Mona. Con lo sguardo fisso su un punto dietro di lui, la moglie aveva esalato l'ultimo respiro. E allora ne aveva avuto la certezza: Linnea era morta felice perché a venirle incontro era stata la figlia. Sotto molti aspetti, questo aveva reso più sopportabile la solitudine. Adesso, se non altro, le due persone che più aveva amato erano insieme, e ormai era solo questione di tempo: presto avrebbe avuto anche lui modo di ricongiungersi a loro. Non vedeva l'ora che arrivasse quel giorno, ma fino a quel momento era suo dovere vivere come meglio poteva. Il Signore non aveva grande comprensione per i traditori, e lui non voleva rischiare di perdere il proprio posto in paradiso, al fianco di Linnea e Mona.

Un paio di colpi alla porta interruppero i suoi pensieri malinconici. Si tirò su faticosamente dalla poltrona e, appoggiandosi al bastone, raggiunse l'ingresso passando attraverso il verde rigoglioso. Fuori c'era un giovanotto dall'aria seria, con la mano sollevata e pronta a bussare di nuovo.

«Albert Thernblad?»

«Sì, sono io. Ma, se ha intenzione di vendermi qualcosa, non compro niente.»

L'uomo sorrise. «No, non vendo niente. Mi chiamo Patrik Hedström e sono della polizia. Posso entrare un momento?»

Albert non disse niente, ma si scostò per lasciarlo entrare. Poi fece strada fino alla veranda e gli indicò un posto sul divano. Non aveva chiesto al poliziotto il motivo della visita. Non era necessario. Erano più di vent'anni che aspettava.

«Che piante fantastiche. Ha proprio il pollice verde, vedo.» Patrik fece una risatina nervosa.

Albert non disse nulla ma lo guardò con occhi miti. Capiva che per il poliziotto non era facile portare quella notizia, ma non doveva preoccuparsi. Dopo tanti anni, era solo un sollievo conoscere finalmente la verità. Il lutto era già stato consumato.

«Ecco, vede, abbiamo trovato sua figlia.» Patrik si schiarì la voce e ricominciò da capo. «Abbiamo trovato sua figlia e possiamo confermarle che è stata assassinata.»

Albert si limitò a un cenno di assenso. Provava un senso di pace. Finalmente avrebbe potuto lasciarla riposare, avere una tomba da visitare. L'avrebbe sepolta insieme a Linnea.

«Dove l'avete trovata?»

«A Kungsklyftan.»

«Kungsklyftan?» Albert aggrottò la fronte. «Ma se era lì com'è possibile che non sia stata trovata prima? Ci passa una gran quantità di gente.»

Patrik gli raccontò della turista tedesca uccisa e del fatto che era stato rinvenuto anche un altro scheletro, probabilmente quello di Siv Lantin. Disse che qualcuno aveva spostato lì di notte i resti delle due ragazze, che per tutti quegli anni dovevano essere rimaste sepolte altrove.

Non uscendo più molto spesso, a differenza del resto della popolazione di Fjällbacka Albert non era al corrente dell'omicidio della giovane tedesca. Quando fu informato del suo tragico destino provò una fitta allo stomaco. Da qualche parte, qualcuno avrebbe vissuto lo stesso dolore suo e di Linnea. Da qualche parte c'erano un padre e una madre che non avrebbero mai più rivisto la figlia. Questo offuscò per un attimo la notizia del ritrovamento di Mona. In confronto alla famiglia della ragazza morta, poteva dirsi fortunato. Nel suo caso il dolore era ormai diventato sordo, smussato dal tempo. Loro invece avevano davanti molti anni prima di giungere a quel traguardo, e pensandoci gli si strinse il cuore.

«Si sa chi è stato?»

«Purtroppo no. Ma faremo tutto quanto è in nostro potere per scoprirlo.»

«Sapete se è la stessa persona?»

Il poliziotto chinò il capo. «No, non siamo sicuri neanche di questo, sulla base di quello che abbiamo in mano. Ci sono delle somiglianze, ma al momento non posso dire altro.»

Patrik guardò inquieto l'uomo anziano che aveva davanti. «C'è qualcuno a cui posso telefonare? Qualcuno che possa venire a tenerle compagnia?»

Il sorriso si fece mite e paterno. «No, non c'è nessuno.»

«Vuole che chiami il pastore per chiedergli se può passare lui?»

Di nuovo lo stesso sorriso. «No, grazie, non c'è bisogno del pastore. Non si preoccupi: ho vissuto questo momento una volta dopo l'altra nei miei pensieri, quindi non è uno shock per me. Desidero soltanto restare qui seduto in mezzo alle mie piante a pensare. Non mi serve nulla. Sarò anche vecchio, ma ho una buona resistenza.»

Appoggiò la mano su quella di Patrik, come se toccasse a lui consolarlo. E forse era proprio così.

«Se non ha niente in contrario, vorrei solo mostrarle qualche foto di Mona, e parlarle un po' di lei. In modo che capisca davvero com'era, quando era ancora viva.»

Patrik annuì senza esitare e Albert uscì zoppicando per

andare a prendere il vecchio album. Per un'ora abbondante sfogliò le pagine parlando di sua figlia. Fu per lui il momento migliore da parecchio tempo a quella parte, e si rese conto di aver lasciato passare troppi mesi dall'ultima volta che si era concesso di perdersi tra i ricordi.

Quando si salutarono sulla porta, mise in mano a Patrik una foto. Ritraeva Mona nel giorno del suo quinto compleanno, davanti a una grande torta con cinque candeline, con un sorriso da orecchio a orecchio. Era graziosissima, con i riccioli biondi e gli occhi che brillavano di voglia di vivere. Per lui era importante che i poliziotti avessero quell'immagine sulla retina mentre cercavano l'assassino di sua figlia.

Una volta che Patrik se ne fu andato, tornò nella veranda. Si sedette, chiuse gli occhi e inspirò l'odore dolce delle piante. Poi si addormentò e sognò un lungo tunnel di luce in fondo al quale Mona e Linnea lo aspettavano, come ombre. Gli parve di vederle agitare la mano.

La porta del suo studio si spalancò di colpo. Solveig entrò a precipizio e dietro di lei vide Laine arrivare agitando impotente le mani.

«Stronzo bastardo! Maledetto porco che non sei altro!»

Gabriel non riuscì a trattenere una smorfia di fronte a quel linguaggio sboccato. L'aveva sempre infastidito molto il fatto che le persone esprimessero in sua presenza emozioni forti, e su imprecazioni di quel genere non intendeva soprassedere.

«Cosa succede? Solveig, adesso sarà meglio che ti calmi e la smetta di parlarmi a quel modo.»

Si rese conto troppo tardi che il tono di superiorità che gli veniva così spontaneo non aveva altro effetto che quello di stuzzicarla ancora di più. Sembrava che fosse pronta a saltargli alla gola, e per sicurezza Gabriel si ritirò dietro la scrivania.

«Calmarmi? Dici che devo calmarmi, fottutissimo ipocrita con l'uccello moscio?!»

Si accorse che per lei era un piacere vederlo trasalire a ogni parola scurrile che pronunciava. Laine impallidì ulteriormente.

Solveig abbassò leggermente la voce, in cui si era però insinuata una tonalità perfida. «Cosa c'è, Gabriel? Perché quell'aria afflitta? Una volta ti piaceva quando ti bisbigliavo all'orecchio paroline come queste. Ti eccitavano. Te ne ricordi, Gabriel?» Avvicinandosi alla scrivania, aveva ridotto la voce a un sussurro.

«Non c'è motivo di rivangare il passato. Hai qualcosa da dirmi, oppure sei solo ubriaca e insopportabile come sempre?»

«Se ho qualcosa da dirti? Puoi starne certo. Sono stata giù a Fjällbacka, e la sai una cosa? Hanno trovato Mona e Siv.»

Gabriel trasalì, e sul suo volto si leggeva tutta la sua sorpresa.

«Hanno trovato le ragazze? E dove?»

Solveig si allungò in avanti sulla scrivania appoggiandosi sulle mani, in modo che il suo viso si trovasse a pochi centimetri da quello di Gabriel.

«Nel bel mezzo di Kungsklyftan, insieme a una giovane tedesca appena assassinata. E pensano che l'omicida sia lo stesso. Quindi vergognati, Gabriel Hult. Vergognati di aver denunciato tuo fratello, la carne della tua carne. Lui che, senza la minima prova a suo carico, ha dovuto portare il peso della colpa agli occhi della gente. È stato tutto quello sparlare alle sue spalle, quell'indicarlo a dito, a distruggerlo. Ma forse tu lo sapevi, che sarebbe andata a finire così. Sapevi che era debole. Che era sensibile. Non è riuscito a sopportare la vergogna e si è impiccato, e non mi sorprenderebbe se fosse esattamente su questo che avevi fatto conto, telefonando alla polizia. Non potevi tollerare che Ephraim volesse bene più a lui che a te.»

A ogni colpetto di Solveig Gabriel era indietreggiato un po', ma ora era con la schiena contro il davanzale e non poteva allontanarsi più di così. Era bloccato. Tentò di chiedere con gli occhi a Laine di fare qualcosa per risolvere quella sgradevole situazione, ma come al solito lei rimase lì a fissarlo senza sapere che pesci pigliare.

«Il mio Johannes è sempre stato più amato di te, da tutti quanti, e tu non lo potevi tollerare, vero?» Non aspettandosi delle risposte alle sue affermazioni mascherate da domande, proseguì il monologo. «Perfino dopo averlo diseredato Ephraim ha continuato ad amarlo di più. A te sono andati la tenuta e i soldi, ma l'amore di tuo padre non potevi averlo, sebbene fossi quello che lavorava per lui mentre Johannes se la spassava. E quando poi ti ha soffiato la fidanzata è stata l'ultima goccia, vero? È stato allora che hai cominciato a odiarlo, Gabriel? È stato in quel momento che hai preso a odiare tuo fratello? Certo, forse era stata un'ingiustizia, ma non per questo avevi il diritto di fare quello che hai fatto. Hai distrutto la vita di Johannes, e anche la mia e quella dei miei figli. Pensi che non sappia quello che combinano i ragazzi, eh? Ed è colpa tua, Gabriel Hult. Finalmente la gente saprà che Johannes non ha mai fatto quello di cui è andata sussurrando per tutti questi anni. Finalmente io e i ragazzi potremo girare di nuovo a testa alta.»

La rabbia parve finalmente sciogliersi, e al suo posto arrivarono le lacrime. Gabriel non sapeva cosa fosse peggio. Per un attimo in quella furia aveva intravisto uno sprazzo dell'antica Solveig, la splendida reginetta di bellezza che era stato orgoglioso di avere per fidanzata, prima che suo fratello arrivasse a portargliela via, esattamente come faceva con tutto il resto che voleva avere. Mentre le lacrime prendevano il posto della rabbia Solveig si sgonfiava come un palloncino, e Gabriel si ritrovò davanti agli occhi il relitto obeso e trasandato che dedicava le sue giornate all'autocommiserazione.

«Che tu possa bruciare all'inferno, Gabriel Hult, insieme a tuo padre.»

Sussurrate quelle parole, Solveig sparì con la stessa velocità con cui era arrivata, lasciandolo solo con Laine e con la sensazione di essere stato colpito da una granata. Si sedette pesantemente sulla sedia dietro la scrivania e scambiò muto un'occhiata con la moglie. Sapevano entrambi cos'avrebbe comportato il fatto che quelle vecchie ossa fossero letteralmente venute a galla.

Coscienzioso e fiducioso come sempre, Martin affrontò il compito di conoscere meglio Tanja Schmidt. Su loro richiesta, Liese aveva consegnato tutti gli effetti personali dell'amica, e lui aveva passato attentamente in rassegna il contenuto dello zaino. Sul fondo aveva trovato il passaporto.

I timbri erano pochi. La fototessera era di buona qualità e a prima vista la ragazza aveva un aspetto piacevole, ma abbastanza ordinario. Occhi marroni e capelli castani, poco più giù delle spalle. Altezza uno e sessantacinque. Corporatura normale, qualsiasi cosa volesse dire.

Per il resto, lo zaino non aveva rivelato nulla di interessante. Qualche cambio di vestiti, libri tascabili piuttosto rovinati, articoli da toilette e carte di caramelle. Niente di personale, cosa che gli parve un po' strana. Non si dovrebbe avere sempre con sé la foto di qualche familiare o del fidanzato, o una rubrica telefonica? D'altra parte, vicino al corpo era stata trovata una borsetta. Liese aveva confermato che Tanja ne possedeva una, rossa. Era probabile che tenesse lì gli oggetti più personali. Adesso, comunque, non c'erano più. Che si trattasse di una rapina? Oppure l'assassino aveva preso le sue cose come souvenir? Dai programmi sui serial killer di Discovery Channel aveva imparato che era piuttosto comune che gli assassini conservassero qualcosa delle proprie vittime, come in un rituale.

Martin si riscosse. Non c'era nulla che facesse pensare a un serial killer, per il momento. Meglio non fissarsi troppo su quel binario mentale.

Buttò giù qualche appunto su come portare avanti le ricerche. Prima di tutto, doveva contattare le autorità di polizia tedesche, come stava per fare quando era stato interrotto dalla telefonata di Tord Pedersen. Poi avrebbe parlato in modo più approfondito con Liese. Per finire pensava di chiedere a Gösta di andare al campeggio a fare qualche domanda in giro, per vedere se magari Tanja aveva parlato con qualcuno lì. Forse però era meglio dire a Patrik di affidare personalmente l'incarico a Gösta. In quell'indagine era il collega che aveva l'autorità per dare ordini, non lui. E le cose tendevano a risolversi molto più facilmente se si seguiva il regolamento alla lettera.

Ricompose il numero della polizia tedesca e questa volta prese la linea. Dire che la conversazione fosse filata senza intoppi sarebbe stata un'esagerazione, ma quando riattaccò si sentiva relativamente sicuro di essere riuscito a trasmettere in maniera corretta i dati essenziali. Si erano impegnati ad aggiornarsi reciprocamente non appena avessero avuto maggiori informazioni, o almeno gli sembrava che la persona all'altro capo del filo avesse detto questo. Se la collaborazione con i colleghi tedeschi avesse dovuto intensificarsi, sarebbero stati costretti a ricorrere a un interprete.

Considerati i tempi necessari per ottenere dati dall'estero, sarebbe davvero stato utile avere a disposizione una connessione internet come quella che aveva a casa, ma a causa del pericolo rappresentato dagli hacker la stazione di polizia non aveva neanche un modem degno di tal nome. Prese mentalmente nota di cercare Tanja Schmidt negli elenchi telefonici tedeschi, se erano disponibili in rete, anche se Schmidt era uno dei cognomi più comuni in Germania e le possibilità di ricavarne qualcosa erano minime.

Dato che non poteva fare molto altro che aspettare informazioni dalla Germania, tanto valeva passare al compito successivo. Recuperò il numero di telefono di Liese, e la chiamò per accertarsi che fosse ancora in zona. In realtà non era tenuta a rimanerci, ma aveva promesso di non partire per un paio di giorni in modo che avessero il tempo di riparlare con lei.

D'altra parte il viaggio doveva aver perso gran parte del suo fascino. A giudicare dalla testimonianza che aveva reso a Patrik, nel giro di poco tempo le due ragazze si erano molto affezionate a vicenda. Ora lei se ne stava da sola in una tenda al campeggio di Sälvik a Fjällbacka, e la sua compagna di viaggio era stata assassinata. Forse anche lei si trovava in pericolo? Era uno scenario a cui Martin non aveva pensato fino a quel momento. Meglio parlarne con Patrik non appena fosse tornato. Magari l'assassino aveva visto le ragazze al campeggio ed era stato attratto da entrambe. Ma in questo caso, cosa c'entravano Mona e Siv? Anzi, Mona ed *eventualmente* Siv, si corresse subito. Non si doveva mai considerare sicuro qualcosa che era solo quasi sicuro, aveva detto una volta uno degli insegnanti all'accademia di polizia, ed era una regola che Martin cercava di seguire nel suo lavoro.

Pensandoci bene, non era probabile che Liese fosse in pericolo. Tutto stava a indicare che si fosse semplicemente trovata invischiata in quella storia a causa di un'infelice scelta della propria compagna di viaggio.

Nonostante i timori di poco prima, decise di coinvolgere Gösta un po' più concretamente. Imboccò il corridoio e raggiunse il suo ufficio.

«Gösta, posso interromperti?»

Ancora impegnato a decantare la propria prodezza, Gösta era al telefono. Quando Martin fece capolino riattaccò con aria colpevole.

«Sì?»

«Patrik ci ha chiesto di andare al campeggio di Sälvik. Io devo parlare con la compagna di viaggio della vittima e credo volesse che tu sentissi gli altri campeggiatori.»

Gösta grugnì con discrezione, ma non mise in dubbio quanto riferito da Martin a proposito della suddivisione dei compiti. Prese la giacca e lo seguì fino alla macchina. La pioggia torrenziale si era ridotta a una leggera acquerugiola, ma l'aria era limpida e frizzante. La sensazione era che settimane di calura e polvere fossero già state spazzate via, e tutto pareva più pulito del solito.

«C'è da sperare che questa pioggia sia solo passeggera, altrimenti il mio golf va a farsi friggere.»

Una volta in auto, Gösta brontolava imbronciato. Martin si rese conto che probabilmente era l'unico che in quel momento non trovasse piacevole la breve interruzione della calura estiva.

«Mah, io veramente trovo che non sia niente male. Quel caldo insopportabile mi stava uccidendo. E poi pensa alla ragazza di Patrik. Dev'essere una fatica disumana ritrovarsi con il pancione in piena estate. Io di certo non ce l'avrei fatta.»

Martin continuò a chiacchierare, pur sapendo che, quando si parlava di qualcosa che non fosse il golf, Gösta tendeva a essere una compagnia piuttosto silenziosa. Dato che le sue conoscenze in merito erano limitate al fatto che la pallina era bianca e rotonda e che normalmente i giocatori venivano identificati grazie a dei pantaloni a quadretti da clown, si era preparato a portare avanti la conversazione da solo. Per questo rischiò di non sentire la frase pronunciata a bassa voce dal collega.

«Nostro figlio è nato all'inizio di agosto, in un'estate calda come questa.»

«Hai un figlio, Gösta? Non lo sapevo.»

Martin frugò nella memoria cercando di farsi venire in mente qualche scambio di battute sulla famiglia di Gösta. Sapeva che sua moglie era mancata un paio di anni prima, ma non ricordava di aver sentito parlare di figli. Rivolse sorpreso lo sguardo verso il posto del passeggero. Il collega non lo sostenne e abbassò gli occhi sulle mani, che teneva in grembo. Senza aver l'aria di esserne consapevole, si mise a girare intorno al dito la fede, che portava ancora. Sembrava che non avesse sentito la domanda di Martin. Continuò invece con voce atona: «Majbritt era aumentata di trenta chili, era diventata enorme. Non riusciva neanche a muoversi, con il caldo che faceva. Verso la fine, se ne stava sempre seduta all'ombra, ad ansimare. Io andavo a prenderle una brocca d'acqua dopo l'altra, ma era come abbeverare un cammello, la sete non si placava mai.»

Gli scappò una risatina, una buffa risatina sognante e affettuosa, e Martin si rese conto che il collega era talmente immerso nei suoi ricordi che non stava più parlando con lui. Gösta continuò: «Appena nato, il bambino era perfetto, grasso e bellissimo. Mi somigliava come una goccia d'acqua, dicevano. Poi, invece, è successo tutto così in fretta.» Gösta girava l'anello sempre più velocemente. «Ero in visita nella loro stanza quando improvvisamente ha smesso di respirare. C'è stata una grande agitazione. È arrivata gente da tutte le parti e ce l'hanno portato via. Non l'abbiamo più visto, se non nella bara. È stato un bel funerale. E dopo... dopo non abbiamo più voluto provarci. Se fosse andata male di nuovo? Non l'avremmo sopportato, Majbritt e io. E così abbiamo dovuto accontentarci l'uno dell'altra.»

Gösta trasalì come se si fosse svegliato da uno stato di trance. Rivolse a Martin uno sguardo di rimprovero, come se le parole gli fossero scappate di bocca per colpa sua.

«Non ne parliamo più, chiaro? E non sono neanche argomenti da pausa caffè. Ormai sono passati quarant'anni, e non è necessario che altri vengano a saperlo.»

Martin annuì. Poi, non riuscendo a trattenersi, diede una pacchetta sulla spalla a Gösta. L'anziano collega grugnì, ma Martin sentì lo stesso che in quel momento si era creato tra loro un legame, per quanto sottile, al posto di quella che fino a quel momento era stata solo una reciproca mancanza di rispetto. Gösta non era magari il miglior esempio di poliziotto che il corpo fosse in grado di esibire, ma questo non significava che non avesse esperienze e conoscenze dalle quali anche lui poteva imparare qualcosa.

Arrivare al campeggio fu un sollievo per entrambi. A volte il silenzio che segue a confidenze importanti può risultare pesante, e negli ultimi cinque minuti nessuno dei due aveva aperto bocca.

Gösta si avviò per conto suo, con le mani nelle tasche e un'espressione cupa, per parlare con gli ospiti del campeggio. Martin raggiunse la tenda di Liese dopo aver chiesto in giro. Era una canadesina poco più grande di un fazzoletto incuneata tra altre due tende decisamente più grandi, e al confronto sembrava ancora più piccola. In quella a destra una famiglia con bambini era impegnata in giochi alquanto chiassosi, e a sinistra era seduto un tizio corpulento sui venticinque anni, intento a bere birra al riparo della tettoia di tela. Quando Martin si avvicinò alla tenda di Liese, lo guardarono tutti con molta curiosità.

Non potendo bussare, la chiamò a bassa voce, da fuori. Al rumore della cerniera che veniva tirata su seguì la comparsa della testa bionda nell'apertura.

Due ore più tardi Martin e Gösta ripartirono senza essere venuti a capo di niente. Liese non aveva fornito informazioni in più rispetto a quanto aveva già raccontato a Patrik alla stazione, e nessuno degli altri campeggiatori aveva notato qualcosa che fosse degno di nota riguardo alle due tedesche.

Eppure Martin aveva la sensazione di aver visto qualcosa: aveva come un tarlo che lo tormentava appena al di fuori della coscienza. Frugò febbrilmente tra le impressioni suscitate dalla visita al campeggio, senza risultato. C'era qualcosa che aveva notato e che avrebbe dovuto registrare. Irritato tamburellò con le dita sul volante, ma alla fine fu costretto a scacciare dalla testa quell'impressione sfuggente.

Il ritorno fu avvolto dal silenzio più assoluto.

Patrik sperava di poter diventare, da vecchio, come Albert Thernblad. Non altrettanto solo, ovviamente, ma con la stessa classe. Dopo la morte della moglie, Albert non si era lasciato andare come invece accadeva a tanti uomini. Si vestiva di tutto punto, in camicia e panciotto, e i capelli bianchi e la barba erano molto curati. Nonostante la difficoltà a muoversi camminava in maniera dignitosa, con la testa alta, e quel poco che Patrik aveva avuto modo di vedere della casa dimostrava che era tenuta in ordine. Anche il suo modo di affrontare la notizia del ritrovamento della figlia l'aveva colpito. Si vedeva che si era riconciliato con il proprio destino e che cercava di vivere al meglio, considerate le circostanze.

Le foto di Mona che Albert gli aveva mostrato lo avevano toccato profondamente. Come tante altre volte si era reso conto che era davvero troppo facile trasformare le vittime dei reati in dati statistici, oppure etichettarle come "parte lesa". Finiva per essere la stessa cosa, che si fosse trattato di una rapina oppure, come in questo caso, di un omicidio. Albert aveva fatto benissimo a mostrargli le foto: gli aveva dato modo di seguire Mona da quando era una neonata a quando era una bimba rotondetta, e poi una liceale, e poi una maturanda, per arrivare alla ragazza sana e allegra di poco prima della scomparsa.

Ma c'era un'altra ragazza di cui doveva scoprire qualcosa in più. Inoltre conosceva a sufficienza l'ambiente di provincia per sapere che le voci avevano già messo le ali e stavano volando alla velocità del lampo in tutta la comunità. Meglio, a questo punto, prevenirle e andare a parlare con la madre di Siv Lantin, sebbene l'identità del secondo scheletro non fosse ancora stata confermata. Prima di lasciare la stazione di polizia aveva cercato l'indirizzo. Non era stato facile trovarlo, dato che Gun non si chiamava più Lantin: doveva essersi risposata, o sposata per la prima volta, comunque fosse. Dopo qualche ricerca aveva scoperto che il suo cognome attuale era Struwer e che in Norra Hamngatan, a Fjällbacka, c'era una seconda casa intestata a Gun e Lars Struwer. Il nome non gli suonava nuovo, ma non riusciva ad associarlo a un volto.

Ebbe fortuna: riuscì a parcheggiare a Planarna, sotto il Badrestauranten, e gli restarono solo gli ultimi cento metri da fare a piedi. In estate Norra Hamngatan era una strada a senso unico, ma in quel breve tratto incrociò ben tre idioti che evidentemente non sapevano leggere i cartelli stradali e lo costrinsero di conseguenza ad appiattirsi contro i muri di mattoni per consentire loro di passare senza scontrarsi con le auto che procedevano nella direzione consentita. Evidentemente dove abitavano il terreno dissestato li costringeva, oltretutto, a dotarsi di grosse jeep, un tipo di veicolo molto diffuso tra i villeggianti estivi. Nel caso specifico era la zona di Stoccolma a essere considerata impervia.

Patrik aveva una gran voglia di sfoderare il distintivo e spiegare loro qualcosina sul codice della strada, ma lasciò perdere. Se i poliziotti avessero dovuto dedicare il loro tempo a insegnare il buon senso ai villeggianti, in estate non gliene sarebbe rimasto per fare altro.

Quando arrivò alla casa, una villa bianca con gli spigoli azzurri proprio di fronte alla fila di capanni da pesca rossi che conferivano a Fjällbacka il suo caratteristico aspetto, un uomo stava scaricando delle enormi valigie da una Volvo V70 color oro. O meglio: un vecchio signore in giacca a doppio petto scaricava sbuffando le valigie mentre una donna bassa, pesantemente truccata, gesticolava di fianco a lui senza muovere un dito. Erano entrambi abbronzati, anzi, abbrustoliti, e se quell'estate svedese non fosse stata così soleggiata Patrik avrebbe pensato a una vacanza all'estero. Viste le circostanze, però, potevano anche aver preso la tintarella sugli scogli di Fjällbacka.

Si fece avanti e, dopo un attimo d'esitazione, si schiarì la voce per attirare l'attenzione. I due si bloccarono contemporaneamente e si girarono verso di lui.

«Sì?» la voce di Gun Struwer era piuttosto stridula, e Patrik notò l'espressione insofferente.

«Mi chiamo Patrik Hedström e sono della polizia. Potrei scambiare qualche parola con voi?»

«Finalmente!» Le mani con le unghie laccate di rosso tracciarono una piroetta in aria, mentre la donna alzava gli occhi al cielo. «Possibile che ci voglia tanto? Non capisco dove vadano a finire le tasse che paghiamo! È dall'inizio dell'estate che ci lamentiamo perché la gente parcheggia nel nostro posto riservato, e non vi siete neanche fatti vivi! Vi decidete, adesso, a occuparvene? Abbiamo speso un sacco di soldi per questa casa e pensiamo di avere il diritto di utilizzare il nostro posto auto. Ma forse pretendiamo troppo!»

Le mani sui fianchi, trapanò Patrik con gli occhi. Alle sue spalle, il marito sembrava voler sprofondare sottoterra. Evidentemente non trovava così esasperante la faccenda.

«A dire il vero non sono qui per questo. Prima di tutto devo chiederle una cosa: lei da ragazza si chiamava Gun Lantin, e aveva una figlia di nome Siv?»

Gun tacque immediatamente, portandosi una mano alla bocca. Patrik non ebbe bisogno di altre risposte. Il marito si riscosse per primo e accompagnò Patrik verso la porta, già spalancata. Lasciare fuori le valigie sarebbe stato rischioso, così Patrik ne prese due per dare una mano a Lars Struwer mentre Gun si affrettava a precederli in casa.

Si sedettero in salotto, i due coniugi sul divano, Patrik sulla poltrona. Gun si teneva aggrappata a Lars, ma le sue carezze consolatorie sembravano puramente meccaniche, come se si trattasse di un gesto reso necessario dalla situazione.

«Cos'è successo? Cos'avete saputo? Sono passati più di

vent'anni, com'è possibile che sia saltato fuori qualcosa a distanza di tanto tempo?» La donna non riusciva a smettere di blaterare nervosamente.

«Voglio sottolineare che ancora non ne abbiamo la certezza assoluta, ma tutto lascia pensare che Siv sia stata ritrovata.»

Gun portò la mano al collo, e per un momento restò senza parole.

Patrik continuò: «Stiamo ancora aspettando l'identificazione definitiva da parte del medico legale, ma è probabile che si tratti di lei.»

«Ma come... dove...?» balbettò lei. La stessa domanda che gli aveva fatto il padre di Mona.

«Una giovane donna è stata trovata morta a Kungsklyftan. Nella stessa occasione sono stati rinvenuti anche i resti di Mona Thernblad, e probabilmente di Siv.»

Spiegò, come aveva fatto con Albert Thernblad, che le ragazze erano state trasportate lì e che al momento la polizia stava cercando di scoprire chi potesse aver commesso gli omicidi.

Gun appoggiò il viso al petto del marito, ma Patrik notò che piangeva a occhi asciutti. Si domandò se il suo sfoggio di dolore fosse almeno in parte una messinscena, ma era solo una sensazione piuttosto vaga.

Una volta che si fu ricomposta, Gun tirò fuori dalla borsetta uno specchietto e controllò il trucco. Poi chiese a Patrik: «E adesso cosa succederà? Potremo riavere i resti della mia povera Siv?» Senza aspettare la risposta si girò verso il marito. «Dobbiamo organizzare un vero funerale per la mia adorata bambina, Lars. Dopo potremmo offrire un piccolo rinfresco nel salone delle feste dello Stora Hotellet. O magari addirittura una cena. Secondo te potremmo invitare...» e fece il nome di uno dei più illustri rappresentanti locali del mondo degli affari, che Patrik sapeva essere il proprietario di una delle ville lungo la stessa strada.

Gun continuò: «Mi sono imbattuta in sua moglie, da Eva's, all'inizio dell'estate, e mi ha detto che dovevamo assolutamente vederci, prima o poi. Sono sicura che apprezzerebbero l'invito.»

Nella sua voce si era insinuato un tono eccitato e tra le sopracciglia del marito si formò una ruga di disapprovazione. D'un tratto Patrik ricordò dove aveva già sentito il cognome di Gun. Lars Struwer aveva avviato una delle catene di vendita al dettaglio di alimentari più importanti in Svezia ma, se non si sbagliava, lui era in pensione ormai da anni e la catena era stata ceduta a degli stranieri. Non c'era da meravigliarsi che potessero permettersi una casa in quella posizione. Quell'uomo valeva un sacco di milioni. Gun aveva fatto una bella scalata, rispetto all'epoca in cui abitava in una casetta di legno con la figlia e la nipotina.

«Cara, forse possiamo rimandare a più tardi le decisioni sui dettagli. Credo che tu abbia bisogno di un po' di tempo per digerire la notizia.»

Le rivolse un'occhiata di rimprovero, e Gun abbassò gli occhi ricordando il proprio ruolo di madre in lutto.

Patrik si guardò in giro e, nonostante il triste motivo per cui era lì, sentì che gli veniva da ridere. Quella in cui si trovava era la tipica casa di villeggiatura di cui Erica diceva sempre peste e corna. La stanza era arredata come la cabina di una nave, tutta sulle tonalità dell'azzurro, con carte nautiche alle pareti, portacandele a forma di faro, tende a conchiglie e addirittura un vecchio timone come tavolino. Un esempio lampante del fatto che i soldi e il gusto non necessariamente vanno di pari passo.

«Mi chiedevo se poteva raccontarmi qualcosa di Siv. Sono appena stato a trovare Albert Thernblad, il padre di Mona, e ho avuto modo di vedere anche delle fotografie di quando era piccola. Potrebbe mostrarmene qualcuna anche di sua figlia?»

A differenza di Albert, che parlando della luce dei suoi occhi si era illuminato, Gun si agitò sul divano, a disagio.

«Mah, veramente non so a cosa potrebbe servire. Quando Siv è scomparsa mi hanno fatto un sacco di domande su di lei, e immagino che sia tutto negli incartamenti...»

«Certo, ma io ero interessato a qualcosa di più personale. Com'era, cosa le piaceva, cosa avrebbe voluto fare e così via...»

«Cosa voleva fare... be', non è che avesse grandi prospettive. Si era fatta mettere incinta da quel tedesco quando aveva diciassette anni, e a quel punto ho fatto in modo che non sprecasse altro tempo a studiare. Tanto era troppo tardi, e io non avevo certo intenzione di occuparmi di sua figlia da sola.»

Il tono era sprezzante, e vedendo gli sguardi rivolti da Lars alla moglie Patrik pensò tra sé e sé che, qualsiasi immagine avesse di lei quando si erano sposati, di quell'illusione doveva essere rimasto ben poco. Sul volto segnato dalle delusioni si leggevano stanchezza e rassegnazione. Era evidente che il matrimonio era arrivato a un punto tale che Gun non si curava più di mascherare la sua vera personalità. Forse all'inizio da parte di Lars c'era stato amore autentico, ma Patrik avrebbe scommesso che la vera attrattiva, per Gun, era rappresentata dai numerosi milioni depositati in banca sul conto di Lars Struwer.

«A proposito, dove si trova adesso sua nipote?» Patrik si allungò in avanti, curioso di sentire la risposta.

Ancora una volta lacrime di coccodrillo. «Dopo la

scomparsa di Siv non potevo occuparmene da sola. Be', naturalmente l'avrei fatto volentieri, ma all'epoca non me la passavo troppo bene e non sarei stata in grado di prendermi cura di una bambina. E così ho fatto quello che ho potuto: l'ho mandata giù in Germania, da suo padre. Non è che lui fosse troppo contento di ritrovarsi con una figlia, ma non poteva farci molto, visto che nonostante tutto era suo padre: io avevo le carte che lo dimostravano.»

«Quindi ora è in Germania?» Un'idea prese forma nella mente di Patrik. Possibile che... no, non poteva essere.

«No, è morta.»

L'idea di Patrik svanì con la stessa velocità con cui si era formata. «Morta?»

«Sì, in un incidente d'auto, quando aveva cinque anni. Neanche una telefonata ha fatto la fatica di fare, il tedesco. Mi ha mandato una lettera. E non sono nemmeno stata invitata al funerale, se lo immagina? La mia nipotina era morta, e io non ho potuto essere presente al funerale.» La voce tremava d'indignazione.

«E non ha mai risposto alle lettere che gli mandavo quando la piccola era viva. Non trova anche lei che sarebbe stato più che giusto dare una mano alla nonna della sua povera orfanella? Dopotutto ero stata io a fare in modo che sua figlia avesse di che mangiare e di che vestirsi per anni. Non avrei dovuto ricevere un qualche compenso per questo?»

Parlando, Gun si era sempre più accalorata ed era ormai furibonda per la serie di ingiustizie che riteneva di aver subito. Si calmò solo quando Lars le appoggiò una mano sulla spalla stringendogliela dolcemente ma con decisione, come per invitarla a tornare in sé.

Patrik evitò di dare una risposta, sapendo che Gun Struwer non l'avrebbe apprezzata. Perché mai il padre della bambina avrebbe dovuto mandare dei soldi a lei? Possibile che non vedesse l'assurdità delle sue pretese? Evidentemente no, pensò osservando il rossore comparso sulle guance abbronzate come cuoio, nonostante la nipotina fosse morta da più di vent'anni.

Fece un ultimo tentativo per sapere qualcos'altro su Siv. «Ha qualche fotografia?»

«Mah, non è che gliene abbia fatte tante, ma qualcuna dovrei riuscire a trovarla.»

Uscì dalla stanza, lasciando Patrik solo con Lars. Rimasero in silenzio qualche istante, poi il marito di Gun prese la parola, a bassa voce, in modo che lei non li sentisse.

«Non è fredda come può apparire. Ha delle grandi qualità, la mia Gun.»

Ah, sicuro, pensò Patrik. L'arringa di un folle, l'avrebbe definita lui. Ma evidentemente Lars faceva quel che poteva per giustificare la decisione di sposarla. Doveva avere una ventina d'anni più di lei, e tutto stava a indicare che la scelta era stata fatta non usando la testa ma lasciandosi guidare da tutt'altro organo. D'altra parte, Patrik dovette riconoscere che forse il lavoro che faceva l'aveva reso cinico. Poteva benissimo essere amore vero, per quel che ne sapeva lui.

Gun rientrò in salotto, non con un album grosso come quello di Albert Thernblad ma con una sola fotografia in bianco e nero, che tese a Patrik con un gesto brusco. Raffigurava Siv adolescente con la figlioletta neonata in braccio, ma sul suo volto non si leggeva alcuna gioia.

«Be', adesso dobbiamo mettere un pochino in ordine. Siamo appena rientrati dalla Provenza, dove abita la figlia di Lars.» Dal modo in cui aveva pronunciato la parola "figlia", Patrik capì che tra le due donne non correvano rapporti troppo affettuosi.

Capì anche che la sua presenza non era più gradita e si alzò per congedarsi.

«Grazie della foto. Gliela restituirò nelle stesse condizioni.»

Gun lo liquidò con un gesto della mano. Poi si ricordò del proprio ruolo e contrasse il viso in una smorfia.

«Fatemelo sapere non appena ne avrete la certezza, per favore. Desidero davvero poter finalmente seppellire la mia piccola Siv.»

«Non si preoccupi, mi farò vivo appena saprò qualcosa.»

Il tono di voce era eccessivamente asciutto, ma quella messinscena lo aveva messo molto a disagio.

Quando si ritrovò di nuovo in Norra Hamngatan il cielo gli si rovesciò sulla testa. Rimase immobile per qualche secondo, lasciando che la pioggia scrosciante sciacquasse via la sensazione appiccicosa rimastagli addosso dopo la visita alla famiglia Struwer. Voleva solo tornare a casa, abbracciare Erica e appoggiarle una mano sulla pancia per sentire la vita che pulsava lì dentro. Aveva bisogno di sapere che il mondo non era un posto crudele e malvagio come appariva a volte. Non poteva esserlo, ecco.

Estate 1979

Le sembrava quasi che fossero passati mesi, ma sapeva che non poteva essere così. Eppure ogni ora trascorsa laggiù al buio era come una vita intera.

Troppo tempo per pensare. Troppo tempo per sentire il dolore che tormentava ogni nervo. Troppo tempo per riflettere su tutto ciò che aveva perso. O che avrebbe perso.

Ora sapeva che non sarebbe mai uscita di lì. Nessuno poteva sfuggire a un dolore così grande. Eppure non aveva mai sentito un tocco più morbido. Nessuno l'aveva mai accarezzata con tanto amore, e questo aumentava in lei il desiderio di quel tocco. Non quello orribile e doloroso, ma quello delicato che veniva dopo. Se avesse avuto modo di provarlo prima, sarebbe stato tutto diverso, ora lo sapeva. La sensazione che provava quando lui passava le mani sul suo corpo era così pura, così innocente, da penetrare fin nel nocciolo duro dentro di lei, quello che nessuno aveva mai sfiorato.

Nel buio, lui era diventato tutto per lei. Non erano state pronunciate parole, ma lei fantasticava immaginando il suono della sua voce. Paterna, calda. Quando però arrivava il dolore, lo odiava. In quei momenti avrebbe potuto ucciderlo. Se solo ne avesse avuto la forza.

Robert lo trovò nel capanno. Lo conosceva troppo bene per non sapere che era quello il posto in cui suo fratello si rifugiava quando doveva rimuginare su qualcosa. Vedendo che la casa era vuota, era andato direttamente lì e aveva trovato Johan seduto sul pavimento con le braccia allacciate intorno alle gambe.

Erano talmente diversi che a Robert riusciva difficile credere che fossero davvero fratelli. Lui era fiero di non aver mai dedicato un minuto della sua vita a riflettere su qualcosa o anche solo a cercare di prevederne le conseguenze. Agiva, e poi che andasse come doveva andare. Chi vivrà vedrà, era il suo motto: non vedeva il motivo di stare a rimuginare su ciò che comunque non era governabile. Tanto, in un modo o nell'altro la vita ti frega sempre, perché è quello l'ordine delle cose.

Johan, invece, era decisamente troppo profondo. In qualche raro istante di lucidità, Robert provava una fitta di dispiacere per il fatto che il fratello minore avesse deciso di seguire le sue orme lungo una via che non si poteva definire proprio retta. D'altra parte forse era meglio così. Diversamente, Johan sarebbe soltanto rimasto deluso. Erano figli di Johannes Hult, ed era come se su quel ramo della famiglia incombesse una maledizione. Non c'era la minima possibilità che qualcuno di loro riuscisse in ciò che si prefiggeva, e allora perché tentare?

Non lo avrebbe ammesso neanche sotto tortura, ma amava il fratello più di ogni altra cosa al mondo, e vedendo la sagoma di Johan seduto nella penombra del capanno provò una fitta al cuore. Sembrava che fosse a chilometri di distanza con la mente, ed era circondato dall'aura di malinconia che a intervalli regolari sembrava impossessarsi di lui. Era come se una nube di tristezza lo avvolgesse, costringendolo in un angolino buio e spaventoso per settimane. Era da prima dell'estate che non tornava, ma ora la percepì fisicamente non appena varcò la soglia.

«Johan?»

Nessuna risposta. Robert proseguì a passo leggero immergendosi nella penombra. Si accovacciò accanto al fratello e gli appoggiò una mano sulla spalla.

«Johan, sei di nuovo qui?»

Il fratello minore si limitò ad assentire con la testa, ma quando sollevò il viso Robert si accorse con sorpresa che era gonfio di pianto. Non era mai successo, nemmeno durante i periodi più neri. Lo afferrò per le spalle.

«Cosa c'è, Johan? Cos'è successo?»

«Papà...»

Il resto della frase annegò nei singhiozzi. Robert si sforzò di capire cosa stava dicendo.

«Cosa? Di cosa stai parlando?»

Johan inspirò profondamente un paio di volte per calmarsi e poi disse: «Adesso capiranno tutti che papà non c'entrava niente con la scomparsa di quelle due ragazze. Capisci? La gente saprà che era innocente!»

«Ma cosa fai, straparli?» Diede uno scossone a Johan, e sentì il cuore saltare un battito.

«Mamma è andata in paese e ha sentito dire che hanno

trovato una turista assassinata, e che insieme al suo corpo c'erano anche le due ragazze scomparse. Capisci? Una donna è stata uccisa *adesso*. Certo nessuno potrà dire che è stato papà, no?»

Johan scoppiò in una risata che rasentava l'isterico. Robert non riusciva ancora a capacitarsi di quello che aveva appena sentito. Fin dal giorno in cui aveva trovato suo padre nel fienile con un cappio al collo, aveva sognato di sentire le parole che Johan stava dicendo in quel momento.

«Non mi stai prendendo in giro, vero? Altrimenti te la faccio pagare.»

Chiuse la mano a pugno, ma Johan continuò nella sua risata isterica mentre le lacrime, che ora Robert aveva finalmente capito essere di gioia, continuavano a scorrergli sulle guance. Johan si girò verso di lui e lo strinse a sé talmente forte da togliergli il fiato, e quando finalmente Robert capì che il fratello diceva la verità gli restituì l'abbraccio di slancio.

Finalmente il padre avrebbe ottenuto la riabilitazione che gli spettava. Finalmente sia loro che la madre avrebbero potuto girare in paese a testa alta, senza sussurri alle spalle e indici puntati addosso da parte della gente, convinta che non se ne accorgessero. Se ne sarebbero pentiti, eccome, maledette linguacce. Da ventiquattro anni gettavano fango sulla loro famiglia, e adesso sarebbero rimasti solo con la loro vergogna.

«Dov'è ma'?»

Robert si sciolse dall'abbraccio e guardò con aria interrogativa Johan, che si mise a ridacchiare in maniera incontrollata. Tra un accesso e l'altro biascicò qualcosa di incomprensibile.

«Cosa stai dicendo? Datti una calmata e parla come si deve. Dov'è mamma, ti ho chiesto?»

«Da zio Gabriel.»

Robert si rabbuiò. «Cosa è andata a fare da quello stronzo?»

«Credo sia andata a sbattergli sul muso la verità. Non l'ho mai vista tanto in bestia come quando è rientrata e mi ha riferito quello che aveva sentito in paese. Ha detto che sarebbe andata su alla tenuta a dire a Gabriel quello che si meritava. Quindi penso proprio che abbia fatto una bella sfuriata. Dovevi vederla. Aveva i capelli tutti per aria e il fumo che praticamente le usciva dalle orecchie, te lo dico io.»

L'immagine della madre con i capelli ritti in testa e nuvolette di fumo che uscivano dalle orecchie fece ridere anche Robert. Era ridotta da tanto di quel tempo a un'ombra che si trascinava per la casa brontolando, che era difficile immaginarsela come una furia.

«Avrei proprio voluto vedere la faccia di Gabriel quando ha fatto irruzione. E immaginati Laine, poi!»

Johan fece un'imitazione perfetta della zia, con la faccia ansiosa e le mani che si torcevano sul petto. Con voce stridula disse: «Ma Solveig, ti prego! Solveig cara, non usare parole del genere!»

I due fratelli crollarono a terra, rotolandosi per le risate.

«Senti, ma tu ci pensi a papà, ogni tanto?»

La domanda di Johan li fece tornare seri di colpo, e Robert rimase in silenzio qualche istante prima di rispondere.

«Certo che ci penso. Però è difficile non pensare anche a come l'ho trovato quel giorno. Fortunato te, che non l'hai visto. E tu ci pensi?»

«Sì, spesso. Però ho come la sensazione di vedere un film, non so se capisci cosa intendo. Mi ricordo che era sempre allegro, e poi il modo in cui scherzava e ballava e mi lanciava in aria. Ma è come se lo vedessi dall'esterno. Proprio come in un film.»

«Capisco cosa intendi.»

Stesi uno accanto all'altro, rimasero a fissare il soffitto mentre la pioggia tamburellava insistente sulla lamiera.

Johan chiese a bassa voce: «È vero che lui ci voleva bene, Robert?»

«Certo che ce ne voleva, Johan. Ce ne voleva eccome.»

Erica sentì Patrik scuotere l'ombrello sulla scala esterna e si sollevò faticosamente dal divano per andargli incontro sulla porta.

«Ciao...?»

Il tono era interrogativo, Patrik si guardava intorno stupito. Calma e tranquillità non erano evidentemente quello che si aspettava. In realtà avrebbe dovuto essere un po' arrabbiata con lui perché non l'aveva chiamata neanche una volta da quando era uscito, ma era troppo contenta di vederlo a casa per fare il muso. E poi sapeva che era sempre raggiungibile sul cellulare, e non dubitava che avesse pensato a lei mille volte nel corso della giornata. Il loro rapporto era caratterizzato dalla serenità che derivava dalla certezza dei sentimenti, ed era bellissimo.

«Dove sono Conny e i briganti?» Patrik stava sussurrando, ancora incredulo che se ne fossero andati veramente.

«Britta si è ritrovata in testa un piatto di maccheroni e salsiccia, così non sono voluti rimanere. Che ingratitudine, eh?»

Erica godette dell'espressione perplessa di Patrik.

«Insomma, ho dato di matto. Ci deve pur essere un limite. Non riceveremo inviti da quel ramo della famiglia per i prossimi cent'anni, ma non è che mi dispiaccia troppo. E a te?»

«No, che Dio me ne scampi.» Patrik alzò gli occhi al cielo. «L'hai fatto davvero? Le hai rovesciato addosso il piatto?»

«Parola d'onore. Tutta la mia buona educazione si è volatilizzata in un colpo solo. E così adesso non andrò in paradiso.»

«Mm, veramente sei tu un pezzo di paradiso, quindi non ti serve...»

La mordicchiò scherzosamente sul collo, esattamente nel punto in cui sapeva che soffriva il solletico, e lei lo spinse via ridendo.

«Preparo una cioccolata calda, così mi racconti tutto della grande-resa-dei-conti.» La prese per mano e la portò in cucina, dove l'aiutò a sedersi.

«Hai l'aria stanca» disse lei. «Come sta andando?»

Patrik sospirò, mettendosi a stemperare il cacao solubile nel latte.

«Insomma, stiamo andando avanti, ma niente di più. Per fortuna i tecnici sono riusciti a passare al setaccio l'intera area prima che cambiasse il tempo. Se le avessimo trovate oggi non avremmo avuto un tubo da cercare. A proposito, grazie del materiale che mi hai procurato. Mi è stato davvero utile.»

In attesa che la cioccolata fosse pronta, le si sedette di fronte.

«E tu? Come state tu e il piccoletto?»

«Bene. Il nostro futuro calciatore non ha smesso un attimo di agitarsi, ma dopo che Conny e Britta se ne sono andati ho avuto una giornata piacevolissima. Forse mi ci voleva proprio una masnada di parenti pazzi per costringermi a rilassarmi e a leggere un po'.»

«Bene, allora non devo preoccuparmi per voi.»

«No, proprio per niente.»

«Vuoi che cerchi di restare a casa, domani? Magari potrei lavorare un po' da qui.»

«Sei gentile, ma me la passo bene, davvero. Penso sia meglio che tu ti dia da fare per trovare l'assassino adesso, prima che la pista si raffreddi. Vedrai che tra non molto pretenderò di averti a una distanza inferiore al metro.» Sorrise e gli fece una carezza sulla mano. Poi continuò: «Inoltre temo che si stia diffondendo una specie di isteria collettiva. Oggi mi sono arrivate diverse telefonate di persone che cercavano di carpirmi informazioni su quanto sapete, ma naturalmente io non direi niente neanche se dovessi averne un'idea, che non ho.» A questo punto dovette fermarsi a riprendere fiato. «Tra l'altro pare che l'azienda di promozione turistica abbia ricevuto un sacco di disdette, e gran parte delle barche da diporto è andata ad attraccare altrove. Quindi, se non avete ancora cominciato a subire pressioni dalle associazioni turistiche locali, è bene che vi prepariate.»

Patrik annuì. Era esattamente ciò che temeva. L'isteria si sarebbe diffusa sempre più, finché non avessero messo qualcuno dietro le sbarre. Per una località come Fjällbacka, che viveva di turismo, era una catastrofe. Ricordava ancora il mese di luglio di qualche anno prima, quando un uomo aveva stuprato quattro donne prima che riuscissero a prenderlo. Gli esercenti del posto erano in ginocchio, a causa della preferenza accordata dai turisti ad altre località nei dintorni, come Grebbestad e Strömstad. Un omicidio poteva provocare conseguenze anche peggiori. Per fortuna spettava al responsabile della stazione di polizia occuparsi di questioni del genere. Patrik era più che contento di lasciare a Mellberg il compito di rispondere a quelle telefonate.

Si massaggiò il naso. Sentiva arrivare un mal di testa potente. Stava per prendere un analgesico quando si rese conto di non aver toccato cibo per tutto il giorno. Non era certo uno che disdegnasse la buona tavola, come testimoniava il giro vita leggermente appesantito, e non ricordava più l'ultima volta che si era dimenticato un pasto o addirittura due di seguito. Però era troppo stanco per preparare qualcosa, così spalmò di burro qualche fetta di pane e ci mise sopra del formaggio e del caviale. Le avrebbe mangiate con la cioccolata calda. Come al solito, Erica lo guardò disgustata da quella che per lei era una combinazione decisamente ripugnante ma per lui era una vera prelibatezza. Tre fette di pane dopo, il mal di testa era solo un vago ricordo e l'energia si era rinnovata.

«Senti, che ne diresti di invitare Dan e la sua ragazza, questo fine settimana? Possiamo fare una grigliata.»

Erica arricciò il naso, con espressione non proprio entusiasta.

«Senti un po', non hai dato a Maria neanche una possibilità. Quante volte l'hai vista, eh? Due?»

«Sì, sì, lo so. È che è così...» cercò la parola adatta «... ventunenne, ecco.»

«Mica sarà colpa sua, scusa. Essere giovane, intendo. Posso essere d'accordo con te sul fatto che ha l'aria un po' stupidina, ma chissà, magari è solo timida. E per il bene di Dan si può anche fare un piccolo sforzo, no? Voglio dire, dopotutto lui l'ha scelta. E dopo il divorzio non è poi così strano che si sia messo con un'altra.»

«Caspita, sei cambiato tutto d'un colpo» osservò Erica, rabbuiata. Tuttavia dovette riconoscere che Patrik non aveva tutti i torti.

«Come mai sei così magnanimo?»

«Sono sempre magnanimo riguardo alle ventunenni. Hanno un sacco di qualità.»

«Ah sì? E quali?» chiese Erica acida, prima di accorgersi che Patrik la stava prendendo in giro.
«Piantala.»
«E va bene, hai ragione. Certo che invitiamo Dan e la sua quattordicenne.»
«Ehi, tu...»
«Okay, okay, Dan e MARIA. Ci divertiremo sicuramente. Posso tirare fuori la casa delle bambole di Emma, così ha qualcosa da fare mentre noi adulti ceniamo.»
«Erica...»
«Smetto, promesso. È solo che mi riesce difficile, ecco. È come una specie di tic.»
«Cattivaccia, vieni qui a farmi una coccola invece di tessere piani malvagi.»
Lei lo prese in parola e si raggomitolarono insieme sul divano. Erano queste le cose che davano a Patrik la forza di affrontare i lati più oscuri dell'umanità nel suo lavoro quotidiano: Erica, e l'idea di poter forse contribuire, seppure in piccola parte, a rendere il mondo più sicuro per l'esserino che in quel momento premeva i piedi contro il suo palmo dall'interno della sua pancia tesa. Fuori dalla finestra il vento si stava placando mentre scendeva il crepuscolo e il colore del cielo passava dal grigio a un rosa screziato.
Domani tornerà a splendere il sole, pensò.

Le previsioni meteorologiche di Patrik si rivelarono corrette. Il giorno dopo sembrava che la pioggia non fosse mai arrivata e verso mezzogiorno l'asfalto fumava di nuovo. Pur indossando bermuda e maglietta Martin sudava, ma ormai cominciava a essere una condizione naturale. L'aria fresca del giorno prima si era già trasformata in una specie di sogno.

Era un po' incerto su come proseguire nel lavoro d'indagine. Patrik era nell'ufficio di Mellberg, quindi non c'era modo di parlare con lui. Uno dei problemi che aveva era quello delle informazioni dalla Germania. Potevano richiamare da un momento all'altro, e lui temeva di perdere qualche dettaglio importante a causa del suo tedesco davvero scarso. La soluzione migliore sarebbe stata cercare qualcuno che potesse fargli da interprete. Ma a chi poteva chiederlo? Gli interpreti che avevano utilizzato in passato lavoravano soprattutto con le lingue baltiche, oltre che con il russo e il polacco, per via delle auto rubate e portate in quei paesi. Per il tedesco non era mai capitato che avessero bisogno di aiuto. Tirò fuori l'elenco telefonico, e sfogliandolo a caso, incerto su cosa cercare, ebbe un'idea brillante: considerando il numero di tedeschi che passavano per Fjällbacka ogni anno, l'azienda di promozione turistica doveva sicuramente avere tra i dipendenti qualcuno che conosceva bene la lingua. Compose di slancio il numero e si ritrovò all'altro capo del filo una voce femminile allegra e argentina.

«Azienda di promozione turistica, buongiorno. Sono Pia.»

«Buongiorno, sono Martin Molin della stazione di polizia di Tanumshede. Volevo sapere se tra voi c'è qualcuno che parla bene in tedesco.»

«Mah, ci sarei io, direi. Di che si tratta?»

La voce risultava più simpatica a ogni secondo che passava, e Martin fu colto da un'ispirazione improvvisa.

«Posso passare da voi a parlarne? Non ci vorrà molto.»

«Certo. Tra mezz'ora ho la pausa pranzo. Può andare? Così magari mangiamo qualcosa al Café Bryggan.»

«Perfetto, direi. Allora ci vediamo lì tra mezz'ora.»

Rianimato, Martin riattaccò. Non era del tutto convinto

di quello che gli era saltato in mente, ma la ragazza aveva una voce troppo simpatica.

Quando, mezz'ora più tardi, ebbe parcheggiato davanti al negozio di ferramenta e si ritrovò a procedere a zigzag tra i turisti per attraversare Ingrid Bergmans Torg, cominciò a sentirsi un po' in ansia. Non è un appuntamento, è un caso che sto seguendo, cercava di dirsi, ma non poteva negare che sarebbe rimasto molto deluso se questa Pia si fosse rivelata un peso massimo con i denti in fuori.

Salì sul pontile e si guardò intorno. Di fianco a uno dei tavoli più lontani, una ragazza in camicia azzurra e sciarpa di seta variopinta con il logo dell'azienda di promozione turistica agitò una mano. Gli sfuggì un sospiro di sollievo, seguito a ruota da un senso di trionfo per avere visto giusto. Pia era davvero carina: grandi occhi scuri, capelli ricci castani, un sorriso di denti bianchissimi, due simpatiche fossette. Il pranzo si prospettava molto più piacevole dell'insalata di pasta in compagnia di Hedström che gli sarebbe toccata alla stazione di polizia. Non che il collega gli fosse antipatico, ma non c'era confronto con una ragazza come quella!

«Martin Molin, piacere.»

«Pia Löfstedt.»

Sbrigate le presentazioni, ordinarono due zuppe di pesce alla cameriera alta e bionda.

«Siamo fortunati. Questa settimana in cucina c'è Aringa.»

Pia si accorse che Martin non aveva capito.

«Christian Hellberg. Cuoco dell'anno nel 2001. È di Fjällbacka. Vedrai quando avrai assaggiato la zuppa di pesce. È divina.»

Mentre parlava gesticolava animatamente e Martin si accorse che la stava fissando affascinato. Pia era completamente diversa dalle ragazze che frequentava di solito e forse proprio per questo era così gradevole stare lì con lei. Fu costretto a ricordare a se stesso che quello non era un pranzo di piacere ma un incontro di lavoro, e che era lì per un motivo ben preciso.

«Devo ammettere che non capita tutti i giorni di ricevere una telefonata dalla polizia. Immagino che si tratti di Kungsklyftan, no?»

La domanda fu fatta come una constatazione, senza ombra di curiosità morbosa, e Martin annuì.

«Esatto. La ragazza era una turista tedesca, come sicuramente già saprete, ed è probabile che ci serva una mano per la lingua. Te la sentiresti di fare da interprete?»

«Ho studiato in Germania per due anni, quindi non dovrebbe essere un problema.»

Arrivò la zuppa e a Martin ne bastò un cucchiaio per trovarsi d'accordo con Pia sulla definizione "divina". Tentò in tutti i modi di non sorbirla rumorosamente, ma presto rinunciò, sperando che Pia avesse visto il film su Emil di Lönneberga, il simpatico personaggio di Astrid Lindgren secondo il quale «senza risucchio neanche sembra zuppa».

«C'è una cosa piuttosto strana...» Pia fece una pausa e si portò alla bocca il cucchiaio. Ogni tanto tra i tavoli arrivava una folata di brezza, portando un po' d'aria fresca. Seguirono entrambi con lo sguardo uno splendido vecchio cutter che arrancava con le vele spiegate. Il vento non era abbastanza forte, quindi la maggior parte delle imbarcazioni utilizzava il motore. Pia continuò: «Quella ragazza tedesca... si chiamava Tanja, vero? Insomma, è venuta da noi, poco più di una settimana fa, perché voleva una mano per tradurre alcuni articoli.»

L'interesse di Martin era stato decisamente risvegliato. «Che genere di articoli?»

«Sulla scomparsa di quelle due ragazze. Erano ritagli che parlavano della loro scomparsa. Vecchi articoli di cui si era procurata delle fotocopie, immagino in biblioteca.»

Per lo stupore Martin lasciò cadere il cucchiaio nel piatto. «Ti ha detto perché le serviva aiuto?»

«No, niente. E io non gliel'ho chiesto. In realtà non dovremmo fare cose come queste in orario di lavoro, ma era mezzogiorno e i turisti erano tutti a fare il bagno tra gli scogli, quindi c'era calma piatta. E poi lei ci teneva molto. Mi ha fatto pena.»

Pia esitò: «Ha qualcosa a che fare con l'omicidio? Forse avrei dovuto dirvelo prima...»

Sembrava preoccupata, e Martin si affrettò a rassicurarla. Per qualche ragione, non sopportava il pensiero che Pia potesse provare emozioni sgradevoli per causa sua.

«Ma no, non potevi saperlo. Però hai fatto bene a dirmelo.»

Proseguirono il pranzo discorrendo di argomenti più piacevoli e l'ora che Pia aveva a disposizione volò in un lampo. Fu costretta a tornare di corsa al piccolo chiosco delle informazioni al centro della piazza, per non scatenare le ire della collega che a sua volta doveva andare a pranzo. Prima che Martin se ne rendesse conto se n'era già andata, dopo un congedo decisamente troppo frettoloso. Aveva sulla punta della lingua una proposta per una serata insieme ma non era riuscito a decidersi in tempo. Brontolando e imprecando si avviò verso l'auto, ma mentre tornava a Tanumshede il pensiero gli corse suo malgrado a quanto gli aveva riferito Pia. Perché a Tanja interessavano quegli articoli? Chi era? Qual era il legame tra lei, Siv e Mona, che loro non riuscivano a ricostruire?

Che bella, la vita. Anzi, bellissima. Non ricordava più da quanto tempo l'aria non era così pulita, i profumi così intensi, i colori così nitidi. Davvero bella, la vita.

Mellberg osservò Hedström, seduto davanti a lui. Un ragazzo in gamba, e anche un bravo poliziotto. Già, forse non aveva mai espresso il suo apprezzamento in quei termini, ma adesso avrebbe colto l'occasione per farlo. Era importante che i sottoposti si sentissero valorizzati. Un bravo leader impartisce critiche e lodi con la stessa mano ferma, aveva letto da qualche parte. Forse fino a quel momento aveva largheggiato un po' troppo con le critiche, dovette ammettere grazie alla ritrovata lucidità, ma non era un problema a cui non ci fosse rimedio.

«Come procedono le indagini?»

Hedström illustrò a grandi linee quanto fatto fino a quel momento.

«Ottimo, ottimo.» Mellberg annuì gioviale. «Nel corso della giornata ho ricevuto una serie di telefonate abbastanza spiacevoli. Da più parti si preme per una rapida soluzione del caso, in modo che non ci siano conseguenze negative protratte per le attività turistiche, come qualcuno ha finemente detto. Ma non devi preoccuparti. Ho assicurato io stesso che uno degli uomini migliori del corpo sta lavorando giorno e notte per mettere dietro le sbarre l'autore del delitto. Quindi tu continua a portare avanti l'indagine con la consueta inappuntabilità e io mi occuperò dei pezzi grossi del comune.»

Hedström gli rivolse un'occhiata strana. Mellberg sfoderò un largo sorriso. Eh già, se solo avesse saputo...

Fare rapporto a Mellberg aveva richiesto un'ora abbondante. Mentre tornava verso il suo ufficio Patrik cercò Martin. Non vedendolo in giro, ne approfittò per andare a prendersi da Hedemyrs un panino incellofanato, che buttò giù insieme a una tazza di caffè nella saletta del personale. Aveva appena finito quando sentì i passi del collega in corridoio e gli fece cenno con la mano di seguirlo in ufficio.

«Hai notato qualcosa di strano in Mellberg, ultimamente?» chiese.

«A parte il fatto che non si lamenta, non critica, sorride tutto il tempo, è dimagrito e porta abiti che hanno l'aria di non risalire a prima degli anni novanta... niente.» Martin sorrise per fargli capire che era una battuta.

«Dev'esserci sotto qualcosa. Non che mi dispiaccia. Non s'immischia nelle indagini e oggi si è lanciato in lodi sperticate, al punto che sono arrossito. Però c'è qualcosa che...»

Patrik scosse la testa, ma poi lasciarono perdere quelle riflessioni sull'inedito Bertil Mellberg, consapevoli del fatto che c'erano questioni più urgenti da affrontare. Certe cose vanno solo colte per quello che hanno di positivo, senza metterle in discussione.

Martin gli parlò dell'infruttuosa visita al campeggio e del fatto che Liese non aveva fornito altre notizie utili. Quando riferì quello che gli aveva detto Pia su Tanja, l'interesse di Patrik si risvegliò.

«Lo sapevo che c'era un nesso! Ma quale potrebbe essere?» Si grattò la testa.

«E i genitori delle ragazze cos'hanno detto, ieri?»

Le due foto che gli avevano dato Albert e Gun erano sulla scrivania. Patrik le prese e le porse a Martin. Descrisse i colloqui avuti con il padre di Mona e la madre di Siv, senza riuscire a nascondere l'antipatia nei confronti di quest'ultima.

«Dev'essere comunque un sollievo per loro sapere che i

corpi sono stati ritrovati. Pensa che inferno, aspettare un anno dopo l'altro senza avere idea di cosa sia successo. L'incertezza è la cosa peggiore, o almeno così dicono quelli che ne hanno avuto esperienza.»

«Sì, però adesso dobbiamo sperare che Pedersen confermi che il secondo scheletro è quello di Siv Lantin, altrimenti siamo nei guai.»

«Vero, ma penso che lo si possa dare praticamente per acquisito. Sull'analisi della terra rilevata sugli scheletri non ci sono ancora novità?»

«Purtroppo no. E la domanda è: cosa potrà dirci? Potrebbero essere stati sepolti ovunque, e anche se sapessimo di che genere di terra si tratta sarebbe come cercare un ago in un pagliaio.»

«Il dna è ciò in cui ripongo più speranze. Se solo trovassimo la persona giusta, potremmo farle il test.»

«Già, peccato però che la persona giusta sia ancora da trovare.»

Rimuginarono in silenzio per qualche istante. Poi Martin ruppe quell'atmosfera cupa e si alzò.

«No, così non si combina proprio niente. Meglio rimettersi al lavoro.»

Patrik rimase seduto alla scrivania, immerso nei suoi pensieri.

A cena l'atmosfera era piuttosto tesa. Niente di strano, a dire il vero, da quando era andata a stare con loro, ma in quel momento si poteva tagliare l'aria col coltello. Suo fratello aveva riferito molto brevemente della visita di Solveig a casa del padre, ma non sembrava intenzionato ad approfondire l'argomento. Linda però non si lasciò scoraggiare.

«Quindi non è stato zio Johannes a uccidere quelle due

ragazze. Certo che papà deve sentirsi davvero una merda per aver messo alla gogna suo fratello, visto che adesso salta fuori che era innocente.»

«Taci. Non azzardarti a parlare di cose di cui non sai niente.»

Tutti trasalirono. Era raro, se non rarissimo, che Jacob alzasse la voce. Perfino Linda si spaventò, per un attimo, ma dopo aver deglutito continuò imperterrita: «Chissà perché papà pensava che fosse stato zio Johannes... Nessuno che mi racconti mai le cose, in questa famiglia.»

Jacob esitò per qualche attimo, ma si rese conto che non sarebbe stato possibile farla smettere, così decise di andarle incontro, almeno in parte.

«Papà vide una delle ragazze sull'auto di Johannes, la notte in cui lei sparì.»

«E perché papà era in giro in macchina così tardi?»

«Era venuto in ospedale da me, ma poi aveva deciso di tornare a casa invece di fermarsi lì a dormire.»

«E perché denunciò Johannes? Voglio dire, potevano esserci molte altre spiegazioni. Magari zio Johannes aveva soltanto dato un passaggio per un tratto di strada alla ragazza, no?»

«Può darsi. Solo che Johannes negò di aver visto la ragazza, quella sera, e dichiarò che a quell'ora era a casa sua, a letto.»

«Ma il nonno cosa disse? Non andò in bestia quando Gabriel chiamò la polizia?»

Linda era affascinata. Era nata dopo la scomparsa delle due ragazze e di quella vicenda le erano stati raccontati solo frammenti sparsi. Nessuno aveva mai voluto dirle cos'era successo davvero e quanto le stava dicendo Jacob era quasi tutto nuovo per lei.

Jacob sbuffò. «Se il nonno andò in bestia? Sì, direi proprio di sì. Oltretutto in quel momento era ricoverato, impegnato com'era a salvare la vita a me, quindi s'infuriò moltissimo con papà per quello che aveva fatto.»

I bambini erano stati fatti alzare da tavola. Diversamente, i loro occhi avrebbero preso a scintillare, sentendo parlare di quando il bisnonno aveva salvato la vita a papà. Avevano ascoltato quella storia molte volte, ma non se ne stancavano mai.

Jacob proseguì: «Pare che fosse talmente furioso da voler riscrivere ancora una volta il testamento nominando Johannes erede universale, ma non fece in tempo, perché lui morì prima. Se non fosse andata così, forse saremmo noi oggi ad abitare nella casetta della guardia forestale, al posto di Solveig e dei ragazzi.»

«Ma perché papà odiava tanto Johannes?»

«Mah, non lo so esattamente. Non è mai stato molto loquace sull'argomento, ma il nonno mi ha raccontato tante cose che potrebbero spiegare quell'astio. La nonna morì alla nascita di Johannes e dopo, quando il nonno andava su e giù lungo la costa occidentale per predicare e presiedere alle assemblee, tutta la famiglia dovette spostarsi parecchio. Il nonno aveva capito molto presto che sia Johannes che Gabriel avevano il dono di risanare gli infermi, così ogni funzione religiosa si concludeva con alcune persone del pubblico che venivano guarite da handicap e malattie.»

«Ma papà lo faceva davvero? Guariva sul serio le persone, voglio dire? E lo può fare ancora?»

Linda era rimasta a bocca aperta per la sorpresa. Le si era improvvisamente spalancata davanti la porta di una stanza completamente nuova del passato familiare, e a malapena osava respirare per la paura che Jacob si richiudesse a riccio e si rifiutasse di condividere con lei quello che sapeva. Aveva sentito dire che il nonno aveva un legame particolare con suo fratello, soprattutto dopo che il midollo del vecchio era risultato compatibile con quello di Jacob, all'epoca malato di leucemia, ma non sapeva che gli avesse anche raccontato tutti quei dettagli. Certo, aveva sentito dire che il nonno veniva chiamato dalla gente il Predicatore e che si mormorava che si fosse accaparrato indebitamente la fortuna di cui godeva, ma non aveva mai considerato le dicerie su nonno Ephraim come qualcosa più di chiacchiere esagerate. Inoltre era morto prima che lei nascesse, quindi per lei era solo un uomo anziano e austero nelle foto di famiglia.

«No, direi proprio di no.» Jacob fece un sorrisino pensando al suo severo padre nelle vesti di guaritore di malati e storpi. «Per quanto riguarda papà, credo che non sia mai successo. E il nonno diceva che non è inconsueto che si perda il dono durante l'adolescenza. Lo si può recuperare, certo, ma non è facile. E io sono convinto che né Gabriel né Johannes l'avessero ancora, una volta cresciuti. Probabilmente papà detestava Johannes perché erano così diversi. Johannes era un tipo affascinante, capace di ammaliare chiunque, ma era anche terribilmente irresponsabile nella gestione della propria vita. Sia lui che Gabriel avevano ricevuto una grossa somma di denaro quando il nonno era ancora vivo, ma Johannes impiegò meno di un paio d'anni per sperperare la sua parte. Il nonno s'infuriò e nominò Gabriel erede principale nel testamento, annullando la precedente suddivisione in parti uguali. Se Johannes fosse vissuto ancora un po', il nonno avrebbe fatto in tempo a cambiare di nuovo idea.»

«Ma dev'esserci stato qualcos'altro! È impossibile che papà odiasse Johannes così tanto solo perché era più bello e affascinante di lui, no? Non è mica un buon motivo per denunciare il proprio fratello alla polizia, mi pare.»

«No, se dovessi tirare a indovinare direi che la classica goccia è stata il fatto che Johannes abbia fregato la fidanzata a papà.»

«Cosa? Papà stava insieme a Solveig? Quella grassona?»

«Non hai visto le foto di Solveig? Era una ragazza bellissima, te lo dico io, e lei e papà erano fidanzati. Ma un bel giorno gli ha detto che si era innamorata di zio Johannes e che avrebbe sposato lui. Credo sia stato quello a distruggerlo. Sai quanto odia gli imprevisti.»

«Già, deve averlo fatto uscire completamente di testa.»

Jacob si alzò da tavola, come a dire che la conversazione era conclusa. «Be', adesso basta con i segreti di famiglia. Comunque ora sai perché tra papà e Solveig non corre buon sangue.»

Linda fece una risatina. «Avrei dato chissà cosa per essere una mosca su un muro quando è andata da papà. M'immagino i fuochi d'artificio.»

Anche Jacob stiracchiò la bocca in un sorriso. «Già, credo che fuochi d'artificio sia l'espressione giusta. Però cerca di comportarti in modo un po' più serio in presenza di papà, per favore. Temo che non sia in grado di vedere il lato umoristico della situazione.»

«Sì, sì, farò la brava bambina.»

Linda mise il piatto nella lavastoviglie, ringraziò Marita e salì in camera. Era la prima volta dopo un sacco di tempo che lei e Jacob ridevano insieme di qualcosa. Se si sforza un po' riesce a essere davvero simpatico, pensò Linda, ignorando abilmente il fatto che negli ultimi anni neanche lei era stata un prodigio di amabilità.

Sollevò la cornetta e chiamò Johan. Sorpresa, si rese conto che le premeva sapere come stava.

Laine aveva paura del buio. Una paura terribile. Nonostante tutte le notti passate alla tenuta senza Gabriel, non si era mai abituata. Prima, se non altro, aveva con sé Linda, e prima ancora Jacob, ma adesso era completamente sola. Sapeva che Gabriel doveva viaggiare per lavoro, ma non poteva fare a meno di sentirsi amareggiata. Non era quella la vita che sognava quando si era sposata e aveva acquisito beni e ricchezze. Non che i soldi in sé fossero poi così importanti: era stato il senso di sicurezza ad attirarla. La sicurezza derivante dalla prevedibilità di Gabriel e quella rappresentata dal conto in banca. Voleva una vita completamente diversa da quella di sua madre.

Da bambina aveva vissuto nel terrore della furia che si scatenava in suo padre quando era ubriaco. Aveva tiranneggiato tutta la famiglia trasformando i figli in persone insicure, assetate di affetto e di amore. Adesso era rimasta solo lei. Sia il fratello che la sorella avevano finito per soccombere alle tenebre che avevano dentro, il primo rivolgendole contro di sé, la seconda contro l'esterno. Quanto a lei, era la figlia di mezzo, né carne né pesce. Solo debole. Non forte abbastanza da riuscire a esprimere la propria insicurezza: l'aveva semplicemente lasciata covare per tutti quegli anni.

Ed eccola risvegliarsi, più palpabile che mai, quando vagava da sola, la sera, per le stanze silenziose. Era allora che tornavano a farsi nitidi i ricordi dell'alito pesante, dei colpi e delle carezze che la tormentavano la notte.

Quando si era sposata con Gabriel pensava davvero di aver trovato la chiave per aprire lo scrigno buio che aveva nel petto. Ma non era una stupida: sapeva benissimo di essere un premio di consolazione. Una che lui aveva preso in mancanza di quella che avrebbe voluto veramente. Ma non importava. In un certo senso era più facile così. Niente emozioni che potessero increspare quella superficie liscia. Solo noiosa prevedibilità in una catena infinita di giorni che si susseguivano uno dopo l'altro. Era l'unica cosa che pensava di desiderare.

Trentacinque anni dopo, sapeva quanto si era sbagliata. Non c'era nulla di peggio della solitudine nella vita a due, e pronunciando il suo sì nella chiesa di Fjällbacka era proprio questo che aveva conquistato. Avevano vissuto due vite parallele, occupandosi della tenuta, educando i figli e parlando del tempo in mancanza di altri argomenti di conversazione.

Solo lei sapeva che dentro Gabriel si celava un uomo diverso da quello che mostrava quotidianamente al mondo circostante. Nel corso degli anni l'aveva osservato e studiato di nascosto, imparando un po' alla volta a conoscere l'uomo che sarebbe potuto essere. Si era sorpresa rendendosi conto della forza del desiderio che quella scoperta aveva risvegliato in lei. Quell'uomo era sepolto talmente in profondità che era convinta che neanche lui lo conoscesse, eppure sotto quella superficie noiosa e controllata si nascondeva la passione. Laine vedeva un'immensa rabbia accumulata, ma sapeva che c'era anche altrettanto amore. Se solo fosse riuscita a farglielo esprimere.

Neanche durante la malattia di Jacob si erano avvicinati. Uno di fianco all'altra, erano rimasti a vegliarlo accanto a quello che pensavano sarebbe stato il suo letto di morte, ma senza riuscire a consolarsi a vicenda. E spesso aveva avuto la sensazione che lui non la volesse nemmeno vicina.

Gran parte del carattere introverso di Gabriel era da imputare a suo padre. Ephraim Hult era un uomo dotato di una forte personalità, che faceva sì che tutti coloro che venivano a contatto con lui si dividessero in due fazioni:

amici e nemici. Nessuno restava indifferente al Predicatore, e Laine capiva che doveva essere stato difficile crescere all'ombra di un uomo del genere. I suoi figli non sarebbero potuti essere più diversi. Johannes era stato un bambinone per tutta la sua breve vita, un gaudente che prendeva quello che voleva e non si fermava mai a considerare le tracce del caos che lasciava dietro di sé. Gabriel aveva scelto di voltarsi dalla parte opposta. Lei sapeva quanto si vergognava del padre e di Johannes, dei loro gesti enfatici, della loro capacità di attirarsi addosso tutti gli sguardi in ogni situazione. Quanto a lui, desiderava sparire in un anonimato che chiarisse una volta per tutte che non aveva nulla in comune con suo padre. Gabriel aspirava alla rispettabilità, all'ordine e alla giustizia più che a ogni altra cosa. Dell'infanzia e degli anni passati a viaggiare insieme a Ephraim e Johannes non parlava mai. Ma lei sapeva parecchio, e capiva quanto fosse importante per il marito nascondere quella parte del suo passato, che strideva in modo così acuto con l'immagine di sé che voleva mostrare all'esterno. Il fatto che fosse stato Ephraim a salvare Jacob e a restituirlo alla vita aveva scatenato in lui emozioni contrastanti. La gioia di aver trovato un modo per sconfiggere la malattia era stata intorbidita dalla consapevolezza che il cavaliere accorso in aiuto a Jacob con l'armatura scintillante era il padre e non lui. Avrebbe dato qualsiasi cosa pur di essere un eroe per suo figlio.

Laine fu interrotta nel suo rimuginare da un rumore proveniente dall'esterno. Con la coda dell'occhio vide prima un'ombra e poi un'altra attraversare rapidamente il giardino. La paura l'attanagliò. Cercò il telefono portatile e prima di trovarlo, al suo posto, in carica, si era già fatta prendere dal panico. Con dita tremanti compose il numero del cellulare di Gabriel. Qualcosa batté sulla finestra e lei cacciò un urlo. Il vetro era stato mandato in frantumi da un sasso, che ora si trovava sul pavimento in mezzo alle schegge. Un secondo sasso spaccò il vetro di fianco. Laine corse singhiozzando fuori dalla stanza e su per la scala e si chiuse in bagno, aspettando, tesissima, di sentir rispondere Gabriel. Ma quella che udì era una monotona voce registrata. Mentre gli lasciava un messaggio sconclusionato si accorse da sola del panico che trapelava dalla sua voce.

Poi si sedette tremando sul pavimento con le braccia strette intorno alle gambe e le orecchie tese ad ascoltare i rumori oltre la porta. Non sentiva più niente, ma non osò muoversi di lì.

Quando arrivò la mattina, era ancora seduta in bagno.

Erica fu svegliata dallo squillo del telefono. Guardò l'orologio. Le dieci e mezza. Doveva essersi riaddormentata dopo aver passato metà notte a girarsi e rigirarsi nel letto, sudata e incapace di trovare una posizione comoda.

«Pronto?» La voce era intrisa di sonno.

«Ciao Erica, scusami, ti ho svegliata?»

«Sì, ma non c'è problema, Anna. Tanto non dovrei dormire a quest'ora.»

«Ma sì, invece, approfittane finché puoi. Dopo non ne avrai più la possibilità. Come stai, a proposito?»

Erica prese l'occasione al volo per lamentarsi un po' con sua sorella di tutte le fatiche della gravidanza. Lei sapeva benissimo di cosa stava parlando, visto che aveva messo al mondo due figli.

«Poverina... L'unica consolazione è che si sa che prima o poi finisce. E come si sta con Patrik a casa? Non vi date sui nervi a vicenda? Mi ricordo che nelle ultime settimane preferivo starmene da sola, quando potevo.»

«Sì, devo riconoscere che stavo per cominciare ad arrampicarmi sui muri. Quando gli è capitato un omicidio non ho protestato troppo.»

«Un omicidio? Cos'è successo?»

Erica le riferì della giovane tedesca uccisa e delle due ragazze scomparse e ritrovate.

«Mamma mia, che orrore!» Si sentì crepitare la linea. «Dove siete? Si sta bene in barca?»

«Sì, benissimo. Emma e Adrian si sono appassionati, e se Gustav continua così tra poco saranno due velisti provetti.»

«Gustav, già. Come va con lui? È pronto per essere presentato alla famiglia?»

«A dire il vero è per questo che ti chiamo. Siamo a Strömstad, al momento, e pensavamo di puntare verso sud. Se non te la senti dimmelo, ma avevamo intenzione di fermarci a Fjällbacka, domani, e di venire a trovarvi. Tanto dormiamo sulla barca, quindi non dovremmo darti troppo disturbo. E devi promettere di dirlo, se ti senti troppo affaticata. Sarebbe stupendo poter vedere il pancione.»

«Ma certo che potete passare! Tanto domani viene qui Dan con la sua ragazza per una grigliata, per cui non sarà un gran disturbo mettere sul barbecue qualche hamburger in più.»

«Oh, che bello, così potrò finalmente conoscere la ninfetta...»

«Guarda che Patrik mi ha già rimproverata abbastanza, perché devo essere più gentile, quindi non cominciare anche tu...»

«Già, ma la situazione richiede qualche preparativo in più. Dobbiamo verificare quale musica va tra i ragazzini e come ci si veste e se il lucidalabbra alla frutta piace ancora.

Facciamo così: tu controlli su Mtv e io compro una rivista, magari *Vecko-Revyn*, oppure *Starlet*, se si trova ancora, e studio un po' la faccenda.»

Erica si teneva la pancia dalle risate. «Piantala, sto morendo. Per favore... E poi se fossi in te eviterei di criticare troppo. Gustav non lo conosciamo ancora, e per quanto ne sappiamo potrebbe anche essere uno scherzo della natura.»

«Mah, scherzo della natura non è la prima parola che mi viene in mente pensando a Gustav.»

Erica si accorse che la sua battuta scherzosa aveva rabbuiato Anna. Possibile che fosse così permalosa?

«Veramente penso che sia una bella fortuna anche solo che si degni di guardarmi, considerando che sono una madre single e tutto il resto. Potrebbe avere anche tutte le ragazze dell'aristocrazia eppure ha scelto me, e credo che questo riveli parecchio di lui. Sono la prima donna con cui sta che non sia nel registro della nobiltà svedese, quindi penso proprio di essere stata fortunata.»

Anche secondo Erica la cosa rivelava parecchio di lui, ma purtroppo non nel senso inteso da sua sorella. Anna non aveva mai avuto una grande capacità di giudizio, quanto a uomini, e il modo in cui parlava di Gustav era piuttosto preoccupante. Ma Erica non voleva avere pregiudizi nei suoi confronti. Sperava che i suoi timori si rivelassero infondati.

Con voce allegra disse: «Quando arrivate?»

«Intorno alle quattro, se vi va bene.»

«Va benissimo.»

«Allora ci vediamo. Un abbraccio.»

Dopo aver riattaccato, Erica si sentì vagamente preoccupata. C'era qualcosa, nel tono forzato di Anna, che la induceva a chiedersi quanto le facesse bene quella relazione con il fantastico Gustav af Klint.

Era stata così contenta quando la sorella si era separata da Lucas Maxwell, il padre dei suoi figli. Anna aveva perfino cominciato a realizzare il suo sogno di studiare arte e antichità e aveva avuto la grande fortuna di trovare un lavoro part-time in una casa d'aste di Stoccolma. Era lì che aveva conosciuto Gustav. Era il discendente di una delle stirpi dal sangue più blu del paese e passava il tempo nello Hälsingland ad amministrare il patrimonio di famiglia, donato un tempo al capostipite da Gustaf Wasa in persona. Suo padre frequentava la famiglia reale, e quando non poteva farlo lui era Gustav ad andare a caccia con il re. Anna lo aveva raccontato rapita a Erica, che però conosceva un po' troppo bene i rampolli dell'alta società che abitavano dalle parti di Stureplan per non provare una certa ansia. Tuttavia Gustav poteva anche essere completamente diverso dai ricchi ereditieri che, nascosti dietro la loro facciata di soldi e titoli, si prendevano la libertà di comportarsi da maiali in locali come Riche e lo Spy Bar. In ogni caso, il giorno dopo ne avrebbe saputo di più. Incrociò le dita sperando di sbagliarsi. Augurava di tutto cuore ad Anna un po' di felicità e serenità.

Accese il ventilatore e pensò a come trascorrere la giornata. L'ostetrica le aveva detto che un ormone chiamato ossitocina, che viene secreto in quantità sempre maggiori a mano a mano che ci si avvicina al parto, sollecita l'istinto di "costruzione del nido". Questo spiegava come mai nelle ultime settimane Erica si fosse dedicata in maniera quasi maniacale a catalogare tutto quello che c'era in casa, come se fosse questione di vita o di morte. Aveva l'idea fissa che al momento della nascita del piccolo dovesse essere tutto a posto e in ordine e ormai non restava quasi più nulla da sistemare. Gli armadi erano rassettati, i cassetti ripuliti, la cameretta era pronta. Restava soltanto la cantina con tutte le cianfrusaglie che c'erano. Detto fatto. Si alzò sbuffando e si mise risolutamente sotto il braccio il ventilatore da tavolo. Era meglio che si muovesse, prima che la beccasse Patrik.

Quando Gösta fece capolino da una finestra aperta e lo chiamò, stava facendo cinque minuti di pausa.

«Patrik, è arrivata una telefonata che penso sia meglio che prenda tu.»

Finì rapidamente il suo Magnum ed entrò. Prese il ricevitore sulla scrivania di Gösta e sentendo chi chiamava rimase piuttosto meravigliato. Dopo una breve conversazione, durante la quale prese qualche appunto veloce, riattaccò e, rivolto a Gösta che era rimasto a osservarlo dalla sua sedia, disse: «Qualcuno ha rotto i vetri delle finestre della casa di Gabriel Hult. Vieni con me a dare un'occhiata?»

Gösta parve leggermente sorpreso che Patrik chiedesse a lui di accompagnarlo, invece che a Martin, ma si limitò ad annuire.

Quando, poco dopo, si ritrovarono a percorrere il viale alberato, non poterono trattenere un sospiro invidioso. La tenuta di Gabriel Hult era davvero magnifica. Riluceva come una perla bianca in mezzo a tutto quel verde, e gli olmi che fiancheggiavano la strada che saliva alla casa padronale sembravano chinarsi rispettosamente sotto la spinta del vento. Patrik pensò che Ephraim Hult doveva essere stato un asso, come predicatore, se era riuscito a farsi regalare una proprietà del genere.

Perfino lo scricchiolio della ghiaia sotto i loro passi, mentre si avvicinavano alla scalinata, suonava più raffinato del solito, e Patrik era curiosissimo di vedere la casa all'interno.

Fu Gabriel Hult stesso ad aprire la porta. Prima di entrare nell'ingresso entrambi i poliziotti si pulirono bene le scarpe sullo zerbino.

«Grazie di essere venuti così rapidamente. Mia moglie è molto turbata. Io ero via per lavoro, stanotte, e ieri sera, quando è successo, lei era sola.»

Parlando, li precedette fino a un salone con delle alte finestre da cui entrava a fiotti la luce del sole. Su un divano bianco era seduta una donna con un'espressione angosciata, che vedendoli entrare si alzò.

«Laine Hult. Grazie di essere venuti subito.»

Si risedette, e Gabriel li invitò con un gesto a prendere posto sul divano di fronte. Si sentivano entrambi leggermente a disagio. Nessuno dei due si era vestito con particolare cura per andare al lavoro, così erano entrambi in bermuda. Patrik almeno aveva una bella maglietta, mentre quella di Gösta era un'antiquata camicia a maniche corte di un qualche materiale sintetico con una fantasia sul verde menta. L'elegante tailleur in lino chiaro di Laine e l'abito completo di Gabriel rendevano ancora più evidente il contrasto. Chissà che sudate, pensò Patrik, augurandosi che il signor Hult non dovesse girare sempre vestito così con quelle temperature. Anche se gli risultava difficile immaginarselo in una tenuta più casual. Nel suo abito blu scuro non sembrava neanche sudare, mentre lui si sarebbe sentito bagnato sotto le ascelle soltanto al pensiero di dover indossare qualcosa del genere in quella stagione.

«Al telefono suo marito mi ha riferito brevemente quello che è successo. Potrebbe spiegarmelo più in dettaglio?»

Patrik sorrise a Laine nel tentativo di tranquillizzarla, e contemporaneamente tirò fuori il taccuino e la penna. Poi aspettò.

«Ieri ero a casa da sola. Gabriel è spesso via per lavoro, quindi mi capita di trovarmi da sola, di notte.»

Patrik notò la tristezza nella voce e si chiese se la sentisse anche Gabriel Hult. La donna continuò: «Sì, lo so che è ridicolo, ma ho molta paura del buio, e per questo quando sono sola in genere sto in due stanze soltanto, la mia camera da letto e la saletta adiacente, quella della televisione.»

Patrik prese mentalmente nota del fatto che aveva parlato della "sua" camera da letto e non poté fare a meno di pensare a quanto doveva essere triste che due persone sposate non dormissero insieme. A lui ed Erica non sarebbe mai successo.

«Stavo per telefonare a Gabriel quando ho sentito un movimento qui fuori e ho intravisto due ombre attraversare il giardino. Un attimo dopo qualcosa è volato dentro attraverso una delle finestre sul lato più corto della casa, alla mia sinistra. Ho fatto in tempo a vedere che era un sasso, poi ne è volato dentro un altro dalla finestra accanto.»

Patrik annotava qualche parola, a sostegno della memoria. Gösta non aveva aperto bocca da quando erano entrati, tranne che per presentarsi a Gabriel e Laine. Patrik gli rivolse un'occhiata interrogativa per capire se c'era qualcosa che voleva farsi chiarire riguardo alla dinamica dell'incidente, ma lui rimase in silenzio, intento a studiarsi le unghie. Tanto valeva portarsi dietro un fermaporta, pensò Patrik.

«Avete idea di cosa possa esserci dietro?»

La risposta di Gabriel arrivò immediata, dando quasi l'impressione che volesse prevenire Laine, che aveva già aperto la bocca per parlare.

«Nient'altro che la solita vecchia invidia. Alla gente ha

sempre dato fastidio che sia la nostra famiglia ad abitare qui alla tenuta, e nel corso degli anni è successo qualche volta che degli ubriachi abbiano avuto qualche alzata d'ingegno del genere. Innocenti dispetti da ragazzini, che sarebbero rimasti tali se mia moglie non avesse insistito per informare la polizia.»

Rivolse un'occhiata risentita a Laine che, per la prima volta dall'inizio della conversazione, mostrò un minimo di grinta fissandolo a sua volta con aria combattiva. Sembrava che in lei si fosse accesa una scintilla che covava da tempo, perché, senza degnare il marito di uno sguardo, disse in tono calmo a Patrik: «Credo che fareste bene ad andare a chiedere a Robert e Johan Hult, i nipoti di mio marito, dov'erano ieri.»

«Laine, è del tutto inopportuno!»

«Tu non eri qui, quindi non sai quanto sia sconvolgente veder volare sassi dalle finestre. Avrebbero potuto colpirmi. E sai bene quanto me che sono stati quei due idioti!»

«Laine, eravamo d'accordo di...» Gabriel parlava a denti stretti, con i muscoli delle mascelle contratti.

«*Tu* eri d'accordo!» Lo ignorò e si rivolse a Patrik, caricata dal suo stesso inusuale sfoggio di coraggio.

«Non li ho visti, ma potrei giurare che erano loro. La madre, Solveig, era stata qui e si era comportata in modo molto sgradevole, e quei due sono delle vere mele marce, quindi... Be', lo sapete anche voi. Avete già avuto a che fare con loro.»

Fece un gesto in direzione di Patrik e Gösta, che non poterono far altro che annuire. Effettivamente, da quando i tristemente famosi fratelli Hult erano poco più che ragazzini brufolosi, avevano dovuto occuparsene con una notevole regolarità.

Laine guardò Gabriel come per verificare se aveva il coraggio di contraddirla, ma lui si limitò ad alzare le spalle rassegnato, come a dire che se ne lavava le mani.

«Qual è stato il motivo della lite con la madre?» chiese Patrik.

«Quella donna non ha bisogno di pretesti. Ci ha sempre odiati, ma questa volta le ha fatto perdere la testa la notizia del ritrovamento delle ragazze. Con la sua alquanto limitata intelligenza, si è convinta che dimostri che Johannes, suo marito, era stato accusato ingiustamente, e si è sfogata con Gabriel.»

La voce di Laine si era impennata per l'indignazione, e a quel punto, tendendo la mano con il palmo verso l'alto, indicò il marito, che sembrava essersi autoescluso dalla conversazione, almeno mentalmente.

«Sì, ho letto le carte di quando le ragazze sparirono e ho visto che lei aveva denunciato suo fratello alla polizia. Può dirmi qualcosa in proposito?»

Il viso di Gabriel si contrasse in maniera impercettibile, un vago accenno che rivelava il fastidio suscitato in lui dalla richiesta, ma quando rispose la voce era ferma.

«È successo moltissimi anni fa. Ma se lei mi domanda se posso ancora confermare che quello che ho visto con Siv Lantin era mio fratello le dico di sì. Ero stato in ospedale a Uddevalla, da mio figlio, che all'epoca era malato di leucemia, ed ero diretto a casa. Lungo la strada per Bräcke incrociai l'auto di mio fratello. Mi parve un po' strano che fosse in giro in macchina in piena notte e guardai meglio, accorgendomi della ragazza, che era sul sedile del passeggero e aveva la testa appoggiata sulla sua spalla. Sembrava che dormisse.»

«Come sapeva che era Siv Lantin?»

«Non lo sapevo, ma la riconobbi appena vidi la foto sul giornale. Voglio però sottolineare che non ho mai detto che mio fratello le aveva uccise, e nemmeno che era un assassino, come capita di sentir dire in paese. L'unica cosa che feci fu riferire di averlo visto con la ragazza, perché ritenevo che fosse un mio preciso dovere. Tutto questo non ha niente a che vedere con eventuali contrasti o vendette, come hanno sostenuto alcuni. Raccontai quello che avevo visto, e lasciai che fosse la polizia a stabilire cosa significava. Non fu mai trovato nessun indizio contro Johannes. Quindi, ritengo che questa discussione sia del tutto inutile.»

«Ma lei cosa pensava?» Patrik guardò Gabriel, curioso. Faceva fatica a capire come si potesse essere così coscienziosi da denunciare il proprio fratello.

«Io non penso niente. Mi attengo ai fatti.»

«Ma lo conosceva bene, no? Crede che sarebbe stato capace di uccidere?»

«Mio fratello e io non avevamo molto in comune. A volte mi domandavo come potessimo avere gli stessi geni, diversi com'eravamo. E lei mi viene a chiedere se penso che fosse capace di togliere la vita a qualcuno?» Gabriel spalancò le braccia. «Non lo so. Non conoscevo mio fratello abbastanza bene da poter rispondere a questa domanda. Tanto più che adesso pare inutile, visti gli sviluppi della situazione, no?»

Con questo ritenne che il colloquio fosse terminato e si alzò. Patrik e Gösta captarono il segnale, neanche troppo velato. Ringraziarono i padroni di casa e li lasciarono soli.

«Che ne dici, andiamo a fare una chiacchierata con i ragazzi per sapere cosa stavano combinando ieri sera?»

La domanda era retorica: Patrik si era già mosso, senza aspettare la risposta del collega. La sua passività nel corso del colloquio l'aveva infastidito. Cosa ci voleva per scuotere un po' quel vecchio stoccafisso? Effettivamente non mancava molto al suo pensionamento, ma era pur sempre in servizio, per la miseria, quindi il minimo che ci si potesse aspettare era che facesse il suo lavoro.

«Allora, che ne pensi di questa storia?» L'irritazione trapelava chiaramente dalla sua voce.

«Che non so quale alternativa sia la peggiore: un colpevole di cui non sappiamo nulla, che ha ucciso almeno tre ragazze in ventiquattro anni, oppure Johannes Hult, che ha torturato e ucciso Siv e Mona, e qualcun altro, che adesso lo sta imitando. Se propendiamo per la prima alternativa, forse dovremmo controllare il registro dei detenuti. C'è qualcuno che è rimasto in prigione nel periodo intercorso tra la scomparsa di Siv e Mona e l'omicidio della ragazza tedesca? Si potrebbe spiegare così la pausa?» Il tono di Gösta era pensoso. Patrik lo guardò, sorpreso. Evidentemente non era perso nella nebbia come sembrava.

«Dovrebbe essere facile controllare. In Svezia non sono molti quelli che restano dietro le sbarre per vent'anni. Verifichi tu, quando rientriamo?»

Gösta annuì, poi si mise a guardare fuori dal finestrino in silenzio.

La strada diventava a mano a mano più impervia, ma in linea d'aria la distanza tra la vecchia casetta della guardia forestale, dove abitavano Solveig e i ragazzi, e la tenuta di Gabriel e Laine era molto breve. Quanto al resto, invece, c'era un abisso in mezzo. Il cortile sembrava una discarica. Tre auto in disfacimento occupavano gran parte dello spazio, buttate lì insieme a una gran quantità di altre indefinibili cianfrusaglie. Era senza dubbio una famiglia con il gene del rigattiere, e Patrik immaginava che, se avessero frugato in giro, avrebbero trovato un bel po' di oggetti catalogati dalla polizia in occasione di furti avvenuti in zona. Ma non era per quello che si trovavano lì. Le priorità andavano rispettate.

Robert uscì da una rimessa in cui era impegnato a smanettare su un motore e andò loro incontro. Indossava una tuta blu, stinta e sporca. Aveva le mani macchiate d'olio ed evidentemente si era anche strofinato la faccia. Mentre si avvicinava, si pulì le mani su uno straccio.

«Cosa cavolo volete? Se avete intenzione di cercare qualcosa, voglio vedere il mandato, altrimenti non toccate un bel niente.» Il tono era confidenziale, il che era comprensibile, visto che negli anni si erano incontrati spesso.

Patrik alzò le braccia. «Calma. Non stiamo cercando niente, vogliamo solo fare una chiacchierata.»

Robert li guardò sospettoso, ma poi annuì.

«E vogliamo parlare anche con tuo fratello. È in casa?»

Robert annuì di malavoglia e, girandosi verso la casa, chiamò: «Johan, ci sono gli sbirri! Vogliono parlare con noi!»

«Non potremmo entrare e sederci?»

Senza aspettare risposta, Patrik si avviò verso la porta, con Gösta al seguito. Robert non aveva altra scelta che imitarli. Non si prese la briga di togliersi la tuta né di lavarsi, ma dopo le tante incursioni all'alba in quella casa Patrik sapeva che non l'avrebbe fatto. Lo sporco era ormai incrostato su tutto ciò che si trovava all'interno. Sicuramente molti anni prima la casetta, per quanto piccola, era stata accogliente, ma l'incuria prolungata aveva fatto sì che ora fosse proprio malandata. Le tappezzerie erano di un marrone cupo, con lembi penzolanti e parecchie macchie, e si aveva l'impressione che tutto fosse ricoperto da una sottile pellicola oleosa.

I due poliziotti salutarono con un cenno Solveig, seduta al tavolo sbilenco della cucina, tutta presa dai suoi album.

I capelli scuri pendevano a ciocche intorno al viso, e quando si scostò nervosamente la frangia dagli occhi le dita luccicarono di unto. Patrik si pulì inconsapevolmente le mani sui bermuda, poi si sedette sul bordo di una delle sedie di legno. Johan uscì da una delle stanzette adiacenti e si accomodò con aria scontrosa sul divano, di fianco al fratello. Patrik notò la somiglianza tra loro. L'antica bellezza di Solveig si rifletteva come un'eco sui volti dei figli. Stando a quello che aveva sentito raccontare, Johannes era un uomo elegante. Se i ragazzi avessero tenuto la schiena dritta non sarebbero stati affatto male. Il loro atteggiamento sfuggente, invece, finiva per dare un'impressione sgradevole. Disonestà era la parola giusta. Se si poteva avere anche solo un'apparenza disonesta, quella descrizione almeno per Robert calzava perfettamente. Per Johan, Patrik nutriva ancora qualche speranza. Nelle occasioni in cui si era imbattuto in lui per motivi di lavoro, gli aveva dato l'impressione di essere meno recidivo del fratello. A volte gli era sembrato di percepire in lui una certa perplessità nei confronti della strada che stava seguendo sulla scia di Robert. Era un peccato che il maggiore esercitasse su di lui un'influenza così negativa. In caso contrario Johan avrebbe potuto avere una vita completamente diversa. Ma le cose stavano come stavano.

«Cosa cavolo c'è adesso?» Johan fece la stessa domanda scortese di suo fratello.

«Vorremmo sapere cos'avete fatto ieri. Per caso siete andati dalle parti dei vostri zii a tirare qualche sasso?»

Tra i due fratelli corse un'occhiata complice, ma subito dopo indossarono entrambi una maschera di assoluta innocenza.

«No, perché avremmo dovuto? Ieri siamo stati in casa tutta la sera. Vero, mamma?»

Entrambi si girarono verso Solveig, che si limitò ad assentire. Aveva momentaneamente chiuso gli album e ascoltava con attenzione il colloquio tra i poliziotti e i figli.

«Sì, erano qui tutti e due, ieri. Abbiamo guardato la tele insieme. Una bella seratina in famiglia.»

Non si prese neanche la briga di nascondere il tono ironico.

«E Johan e Robert non sono usciti, neanche per qualche minuto? Intorno alle dieci, diciamo?»

«No, neanche per un attimo. Non sono neppure andati al cesso.»

Ancora lo stesso tono ironico. I suoi figli non riuscirono a trattenere un sogghigno.

«Quindi qualcuno gli ha rotto qualche finestra, eh? Si saranno cagati sotto.»

Il sogghigno si tramutò a questo punto in una vera risata, e Patrik trovò che i due somigliassero a Beavis & Butt-Head.

«Mah, veramente c'era solo vostra zia. Gabriel era via, ieri sera, quindi lei era sola in casa.»

La delusione si leggeva in faccia a entrambi. Evidentemente avevano sperato di spaventare tutti e due, ma non avevano messo in conto che Gabriel potesse non essere in casa.

«Ho saputo che anche tu, Solveig, ieri hai fatto una visitina alla tenuta. E che è venuta fuori qualche minaccia. Hai qualcosa da dire in proposito?»

Era stato Gösta a prendere la parola, dandole del tu, e sia Patrik che i due fratelli lo guardarono sorpresi.

Lei sbottò in una risata sprezzante. «Ah sì, dicono che li ho minacciati? Be', non ho detto niente che non si meritassero. È stato Gabriel a far passare per assassino mio marito. È stato lui a togliergli la vita, esattamente come se gli avesse passato il cappio intorno al collo.»

Sentendo parlare del modo in cui era morto il padre, un muscolo del viso di Robert ebbe un guizzo, e Patrik ricordò di aver letto che era stato lui a trovarlo impiccato.

Solveig continuò il suo sproloquio. «Gabriel ha sempre odiato suo fratello. Era invidioso di lui fin da quando erano piccoli. Johannes era tutto quello che lui non era e questo lo tormentava. Ephraim lo preferiva, e non posso dargli torto. È sbagliato fare differenze tra i figli» disse accennando con la testa ai ragazzi sul divano, «ma Gabriel era freddo come un ghiacciolo, mentre Johannes pulsava di vita. Sono stata fidanzata prima con uno e poi con l'altro, quindi lo so per certo. Era impossibile far infiammare Gabriel, in tutti i sensi. Era sempre tremendamente controllato, e voleva aspettare che fossimo sposati, lui. Mi dava sui nervi. Poi è arrivato suo fratello e ha cominciato a corteggiarmi, ed era tutt'altra cosa. Quelle mani sapevano essere dappertutto contemporaneamente e solo a guardarlo ci si sentiva bruciare dentro.» Ridacchiò, lo sguardo perso nel nulla, come se stesse rivivendo le notti focose della sua giovinezza.

«Maledizione, ma', chiudi quella bocca.»

Il disgusto era palese sui volti dei figli. Evidentemente preferivano risparmiarsi i particolari del passato amoroso della madre. Sulla retina di Patrik prese forma l'immagine di una Solveig nuda che contorceva voluttuosamente il corpo unto. Batté le palpebre per scacciarla.

«E così quando ho saputo della ragazza uccisa e del ritrovamento di Siv e Mona sono andata da lui. Per invidia e cattiveria ha distrutto la vita di Johannes, la mia e quella dei ragazzi, ma ora, finalmente, la verità sarà chiara a tutti, e si vergogneranno di aver dato ascolto al fratello sbagliato. Quanto a Gabriel, spero che bruci all'inferno per i suoi peccati!»

Si stava lasciando trascinare dalla stessa furia del giorno prima. Johan le appoggiò una mano sul braccio, per calmarla e insieme ammonirla.

«Be', qualunque sia il motivo, non si può andare in giro a minacciare la gente. E neanche a tirare sassi alle finestre!»

Patrik indicò con un gesto eloquente Robert e Johan, mostrando di non aver creduto neanche per un istante alla testimonianza della madre sulla seratina davanti alla tele, in modo che loro sapessero che lui sapeva e che li avrebbe tenuti d'occhio. I due risposero borbottando qualcosa. Solveig, ancora con le guance infiammate di rabbia, parve invece ignorare l'implicita ammonizione.

«E non dovrebbe essere solo Gabriel a vergognarsi! Quando ci arriveranno delle scuse dalla polizia, eh? Avete scorrazzato su e giù per tutto Västergården e rigirato fino all'ultima pietra, e siete venuti a prelevare Johannes con la volante per l'interrogatorio, quindi avete fatto anche voi la vostra parte. Non è il momento di chiedere scusa?»

Per la seconda volta fu Gösta a prendere la parola: «Finché non avremo indagato a fondo su cosa è successo alle tre ragazze non chiederemo scusa proprio a nessuno. E finché non avremo visto la fine di questa vicenda voglio che ti comporti come si deve, Solveig.»

Sembrava aver attinto un'improvvisa e insospettata autorevolezza.

Una volta in macchina, Patrik gli chiese sorpreso: «Ma tu e Solveig vi conoscete?»

Gösta grugnì. «Conoscersi è una parola grossa. È dello stesso anno di mio fratello minore e quando eravamo piccoli veniva spesso a casa mia. Poi, quando è diventata adolescente, la conoscevano tutti. Era la ragazza più bella di tutta la zona, anche se vedendola adesso è difficile crederlo. Già, è un vero peccato che la vita abbia preso una piega così brutta per lei e i ragazzi.» Scosse la testa, dispiaciuto. «E sulla presunta innocenza di Johannes non abbiamo conferme, né noi, né lei. Non sappiamo niente, cavolo!»

Si batté un pugno sulla coscia, frustrato. A Patrik sembrava di vedere un orso che usciva da un lungo letargo.

«Allora controlli tu il registro dei detenuti quando torniamo?»

«Ma sì, te l'ho già detto, no? Non sono mica così andato da dimenticarmi gli ordini. Di un ragazzino con il latte in bocca, poi...» Gösta fissò lo sguardo amareggiato oltre il parabrezza.

C'è ancora un bel po' di strada da fare, pensò Patrik stancamente.

Arrivati al sabato, Erica era davvero contenta di riavere Patrik a casa. Le aveva promesso che si sarebbe tenuto libero per il fine settimana, e ora stavano procedendo a bassa velocità verso un gruppo di scogli a bordo della loro barchetta di legno. Avevano avuto la fortuna di trovarne una quasi identica a quella di Tore, il padre di Erica, l'unico genere di imbarcazione che lei volesse avere. Non era mai stata particolarmente amante della vela, nonostante avesse frequentato un paio di corsi, e anche se le barche di plastica andavano più veloci cosa importava? Lei non aveva certo fretta.

Lo scoppiettio del motore della barchetta era per lei un rumore dell'infanzia. Da piccola le capitava spesso di stendersi sul pagliolo caldo e addormentarsi seguendo quel borbottio soporifero. In genere preferiva arrampicarsi davanti e sistemarsi sulla prua rialzata, ma nel suo stato contingente, che la rendeva decisamente meno agile, non osò farlo e si piazzò su uno dei banchi dietro il vetro protettivo. Patrik era al timone, con il vento tra i capelli scuri e un gran sorriso disegnato sulle labbra. Erano partiti presto per precedere l'ondata di turisti, e l'aria era limpida e frizzante. Piccoli schizzi salati spruzzavano la barca a intervalli regolari, ed Erica sentiva il sapore del sale nell'aria che inspirava. Era difficile immaginare che dentro di sé portava un piccolo essere umano che nel giro di un paio d'anni sarebbe sicuramente stato sistemato a poppa vicino a Patrik, infagottato in un giubbotto di salvataggio arancione con un enorme colletto, come aveva fatto con lei suo padre le tante volte che lo aveva accompagnato in barca.

Al pensiero che suo padre non avrebbe mai conosciuto il nipotino sentì bruciare gli occhi. Valeva anche per sua madre, a dire il vero, ma dato che le era sempre importato abbastanza poco delle figlie Erica era convinta che neanche un nipote avrebbe suscitato in lei grandi emozioni, anche considerando che quando era con i figli di Anna restava molto sulle sue e li abbracciava maldestramente solo quando la situazione e l'ambiente sembravano richiederlo. Si sentì riempire ancora una volta dall'amarezza, ma riuscì a ricacciarla indietro deglutendo. Nei momenti più bui aveva paura che la maternità si rivelasse anche per lei opprimente come lo era stata per Elsy. Non voleva trasformarsi di colpo nella propria madre fredda e irraggiungibile. La logica le diceva che era un pensiero ridicolo, ma la paura non era logica e c'era lo stesso. In compenso Anna era per Emma e Adrian una madre affettuosa e amorevole, quindi non c'era motivo di temere che lei non lo sarebbe stata. Se non altro ho scelto il padre giusto per mio figlio, si disse guardando Patrik. La calma e la sicurezza che lo caratterizzavano compensavano la sua irrequietezza, come non le era mai successo con nessun altro. Sarebbe stato un padre fantastico.

Attraccarono in una piccola insenatura nascosta e stesero gli asciugamani sulle rocce scivolose. Quando abitava a Stoccolma queste cose le mancavano tantissimo. L'arcipelago della capitale era completamente diverso, con tutti i boschi e la ricca vegetazione, in qualche modo le dava una sensazione di caos e invadenza. Gli abitanti della costa occidentale lo definivano, in tono sprezzante, un giardino allagato. Le isole al largo di Göteborg, invece, erano essenziali nella loro semplicità. Il granito rosa e grigio rifletteva i colori cristallini dell'acqua e si stagliava con una bellezza straziante sullo sfondo del cielo sgombro. L'unica vegetazione era rappresentata dai fiorellini che crescevano nelle crepe e in quell'ambiente arido la loro bellezza risaltava più che mai. Chiudendo gli occhi, Erica si sentì scivolare in un sonno piacevole accompagnato dallo sciabordio dell'acqua e dall'urto leggero della barca contro l'ormeggio.

Quando Patrik la svegliò dolcemente, per un attimo non capì dove si trovava. La luce intensa del sole l'aveva accecata per qualche secondo trasformandolo in un'ombra scura che la sovrastava. Una volta recuperato l'orientamento si rese conto di aver dormito quasi due ore, e di avere davvero voglia di fare merenda.

Versarono il caffè dal termos in due tazzone, e tirarono fuori le ciambelline alla cannella. Non c'era un posto al mondo in cui la merenda avesse un sapore più speciale che su un'isola in mezzo al mare, e se la godettero tutta. Poi Erica non riuscì a trattenersi dall'affrontare l'argomento proibito.

«Come vanno le cose?»

«Così così. Un passo avanti e due indietro.»

La risposta di Patrik era stata laconica. Era evidente che non voleva permettere al suo lavoro di invadere quel silenzio inondato di sole. Ma la curiosità era troppa ed Erica non poté fare a meno di cercare di scoprire qualcosa in più.

«Vi sono serviti gli articoli che ho trovato? Pensate che la famiglia Hult c'entri in qualche modo, oppure Johannes ha avuto solo la sfortuna di essere stato coinvolto senza motivo?»

Patrik, seduto con la tazza tra le mani, sospirò.

«Se solo lo sapessi. Quella famiglia mi sembra un vespaio, e se solo potessi farei volentieri a meno di metterci il naso. Ma c'è qualcosa che non quadra, solo che non so se abbia a che fare con gli omicidi o meno. Forse è la paura che la polizia possa aver contribuito al suicidio di un innocente che mi fa sperare che non fossero solo congetture infondate. Dopotutto, quando sparirono le ragazze la testimonianza di Gabriel fu l'unico elemento concreto su cui lavorare. Però non possiamo concentrarci unicamente su di loro, le nostre ricerche devono avere un raggio più ampio.» Tacque, ma dopo una pausa di qualche secondo aggiunse: «Preferisco non parlarne. In questo momento sento di dover tenere lontano tutto ciò che ha a che fare con l'omicidio e pensare ad altro.»

Lei annuì. «Non chiederò più niente, promesso. Un'altra ciambellina?»

Patrik non la rifiutò. Dopo un paio d'ore trascorse a leggere sotto il sole, guardando l'orologio si resero conto che sarebbe stato meglio tornare a casa e prepararsi all'arrivo degli ospiti. All'ultimo momento avevano deciso di invitare anche il padre di Patrik e sua moglie, quindi, senza contare i bambini, gli adulti da sfamare erano otto.

Gabriel era sempre irrequieto quando arrivava il fine settimana e ci si aspettava che si rilassasse ed evitasse di lavorare. Il problema era che non sapeva cosa fare. Il lavoro era la sua vita. Non aveva hobby, non gli interessava passare del tempo con la moglie, e i ragazzi erano ormai fuori casa, anche se la situazione di Linda poteva essere considerata incerta. Di conseguenza, si chiudeva nel suo studio con il naso sui registri. I numeri erano quello che gli riusciva meglio, nella vita. A differenza degli esseri umani, con la loro emotività e la loro irrazionalità, così irritanti, i numeri seguivano regole certe. Di loro Gabriel si poteva fidare, con loro si sentiva al sicuro. Non ci voleva un genio per capire da dove venisse quel desiderio di ordine: Gabriel l'aveva da tempo ricondotto alla propria caotica infanzia, ma non era qualcosa che gli sembrasse di dover affrontare. Gli era servito per andare avanti, il resto non era poi così importante.

Quello trascorso con il Predicatore lungo le strade della costa occidentale era un periodo a cui cercava di non pensare, ma quando ricordava la propria infanzia nella sua mente prendeva sempre forma l'immagine di suo padre. Una figura senza volto, terrificante, che riempiva le loro giornate di persone isteriche che urlavano e farneticavano. Uomini e donne che cercavano di toccare lui e Johannes, di afferrarli con mani simili a grinfie per indurli a lenire il dolore fisico o psichico che li tormentava. Che credevano che lui e suo fratello fossero la risposta alle loro preghiere. Un canale diretto con Dio.

Johannes aveva adorato quegli anni. A lui piaceva essere al centro dell'attenzione e si metteva volentieri sotto la luce dei riflettori. A volte la sera, quando andavano a letto, Gabriel lo vedeva osservarsi affascinato le mani, quasi cercasse di capire da dove venissero quei miracoli.

Mentre per lui scoprire che il dono non aveva più alcun effetto era stato un enorme sollievo, Johannes si era disperato. Non riusciva ad accettare di essere diventato un normale ragazzino senza nessuna predisposizione particolare, uguale a tutti gli altri. Piangendo aveva implorato il Predicatore di aiutarlo a ritrovare il dono, ma il padre si era limitato a spiegargli che quella vita era conclusa e ne sarebbe cominciata una nuova: le vie del Signore erano imperscrutabili.

Quando si erano trasferiti nella tenuta alle porte di Fjällbacka, per Gabriel il Predicatore era diventato non papà, ma almeno Ephraim, e quella vita gli era piaciuta dal primo istante. Non perché si fosse in qualche modo riavvicinato al padre, dato che Johannes era sempre stato il favorito e tale sarebbe rimasto, ma perché aveva finalmente trovato una casa, un luogo in cui fermarsi e in base al quale regolare la propria vita. Orari da seguire e scadenze da rispettare. Una scuola da frequentare. Adorava la tenuta in sé, e sognava, un giorno, di poterla amministrare a modo suo. Sapeva di essere più abile sia di Ephraim che di Johannes, in questo, e tutte le sere pregava che suo padre non commettesse l'imperdonabile errore di affidare la proprietà al figlio prediletto. Non gl'importava che Johannes avesse tutto l'affetto e tutta l'attenzione, ma la tenuta doveva essere per lui.

Ed era andata così, ma non proprio come si aspettava. Nel suo immaginario Johannes ci sarebbe comunque sempre stato. Solo dopo la sua morte Gabriel si era reso conto di quanto lui stesso avesse bisogno di quello spensierato fratello, di qualcuno per cui preoccuparsi e irritarsi. D'altra parte, non aveva potuto agire diversamente.

Eppure aveva pregato Laine di tacere sul sospetto che fossero stati Johan e Robert a tirare i sassi. Era rimasto sorpreso lui stesso dalla propria richiesta. Aveva cominciato a perdere il senso della giustizia e dell'ordine, o inconsapevolmente si sentiva in colpa per il destino di quella famiglia? Non capiva, ma a posteriori era riconoscente a Laine per aver deciso di contraddirlo e raccontare tutto alla polizia. Anche questo, però, l'aveva sorpreso. Ai suoi occhi la moglie era una lagnosa bambola priva di nerbo sempre pronta a dire di sì più che un essere umano dotato di una volontà propria, così era rimasto sbigottito dalla virulenza del suo tono di voce e dalla sfida che gli aveva lanciato con lo sguardo. Lo preoccupava. Con tutto quello che era successo nell'ultima settimana, aveva l'impressione che l'intero ordine cosmico stesse vacillando. Per un uomo che detestava i cambiamenti, era una prospettiva spaventosa. Si seppellì ancora più in profondità nel mondo dei numeri.

I primi ospiti arrivarono puntuali. Il padre di Patrik, Lars, e la moglie, Bittan, si presentarono alle quattro spaccate, con un mazzo di fiori e una bottiglia di vino per i padroni di casa. Lars era un uomo alto e robusto dotato di una notevole pancia. Quella che da vent'anni era sua moglie era invece piccola e rotonda come una pallina, ma di aspetto gradevole, e le rughe intorno agli occhi rivelavano che sorrideva spesso e volentieri. Erica sapeva che per molti versi Patrik trovava più facile comunicare con Bittan che con la madre, Kristina, una donna molto più severa e spigolosa. Il divorzio era stato penoso, ma con il tempo, se non proprio un'amicizia, tra Lars e Kristina si era stabilito un clima pacifico, e in qualche occasione capitava addirittura che fossero presenti entrambi. Tuttavia era più semplice invitarli separatamente, e dato che al momento Kristina era a Göteborg, dalla sorella minore di Patrik, per la grigliata di quella sera avevano invitato solo Lars e Bittan.

Un quarto d'ora dopo arrivarono Dan e Maria. Si erano appena seduti in giardino, dopo aver salutato educatamente Lars e Bittan, quando Erica sentì i richiami di Emma dalla salita che portava alla casa. Le andò incontro e dopo aver abbracciato i bambini fu presentata al nuovo uomo di Anna.

«Ciao, che piacere conoscerti, finalmente!»

Erica tese la mano a Gustav af Klint. Come se avesse avuto bisogno di una conferma dei propri pregiudizi fin dal primo sguardo, notò che aveva esattamente lo stesso aspetto dei ragazzi di Östermalm che bazzicavano intorno a Stureplan. Capelli scuri pettinati all'indietro, camicia e pantaloni finto casual che però non ingannavano Erica che ben sapeva quanto potevano essere costati, e l'immancabile pullover legato sulle spalle. Dovette imporsi di non giudicare a priori. Ancora non aveva aperto bocca, e lei già gli riversava addosso, per quanto solo mentalmente, una vagonata di disprezzo. Si chiese per un attimo, inquieta, se fosse per pura invidia che tirava fuori le unghie appena incontrava qualcuno nato con il culo nella bambagia. Sperava che non fosse così.

«E come sta il piccolino della zia, eh? Fai il bravo con la mamma?»

La sorella le appoggiò un orecchio sulla pancia come per ascoltare la risposta alla sua domanda, poi rise e abbracciò stretta Erica. Dopo aver salutato Patrik con lo stesso slancio affettuoso, lei e Gustav furono accompagnati dagli altri ospiti per le presentazioni. Poi i bambini poterono sgranchirsi le gambe correndo in giardino mentre gli adulti sorseggiavano il loro vino, Coca-Cola nel caso di Erica, e la carne veniva messa a cuocere. Come al solito, gli uomini si raccolsero intorno al barbecue dandosi arie virili mentre le donne parlavano in disparte. Erica non aveva mai capito il rapporto tra i maschi e la griglia. Ce n'erano alcuni che in circostanze normali avrebbero affermato di non avere idea di come si cuoce un pezzo di carne in una padella ma che si ritenevano imbattibili se si trattava di grigliarne uno all'aperto. Le donne potevano al massimo preparare i contorni, ma funzionavano benissimo per andare a prendere le birre.

«Diiio, come siete sistemati bene quassù!» Maria era già al secondo bicchiere di vino mentre gli altri avevano appena cominciato il primo.

«Grazie. Sì, in effetti ci troviamo bene.»

Erica non riusciva ad andare oltre un atteggiamento educato con la ragazza di Dan. Proprio non capiva cosa ci trovasse, soprattutto pensando all'ex moglie, Pernilla, ma sospettava che anche quello fosse uno dei tanti misteri degli uomini che le donne non potevano capire. L'unica cosa che riusciva a dedurre era che non l'aveva scelta per la sua originalità nell'arte della conversazione. Evidentemente però la ragazzina aveva risvegliato l'istinto materno di Bittan, che le riservò una certa attenzione, permettendo così ad Anna ed Erica di chiacchierare un po' per conto loro.

«Vero che è uno schianto?» Anna stava guardando Gustav, ammirata. «Mi sembra impossibile che un uomo così s'interessi a me!»

Erica guardò la sua splendida sorella minore e si chiese come poteva succedere che una persona come lei perdesse tutta la propria autostima in quel modo. Un tempo Anna era uno spirito libero, forte e indipendente, ma gli anni con Lucas e i maltrattamenti subiti l'avevano trasformata. Erica dovette trattenere l'impulso di scuoterla. Guardò Emma e Adrian che si rincorrevano scatenati intorno a loro e si domandò come facesse sua sorella a non essere orgogliosa degli splendidi bambini che aveva. Nonostante tutto quello che avevano dovuto subire nella loro breve vita, erano allegri e forti, e amavano le persone che avevano intorno. Il che era merito esclusivo di Anna.

«Non ho ancora avuto modo di parlare granché con lui, ma sembra simpatico. Ti farò sapere il voto quando avrò approfondito la conoscenza. Comunque mi pare che abbiate resistito bene su una barchetta a vela con due bambini, quindi direi che lo possiamo considerare di buon augurio, no?» Il sorriso che seguì era rigido e un po' forzato.

«Mah, barchetta...» Anna rise. «Veramente ha preso in prestito da un amico un Najad 400 su cui potrebbe salire un mezzo esercito.»

Furono interrotte dall'annuncio che la carne era pronta. La parte maschile della compagnia prese posto accanto a loro, soddisfatta di aver portato a termine la variante moderna della macellazione di una tigre dai denti a sciabola.

«E voi, ragazze, di cosa state chiacchierando?»

Dan circondò con un braccio le spalle di Maria, che gli si strinse addosso tubando. La coccola si trasformò in un bacio profondo in piena regola e, sebbene fossero passati molti anni da quando lei e Dan stavano insieme, Erica trovò che la vista delle loro lingue mulinanti non era delle più piacevoli. Anche Gustav pareva infastidito, ma a Erica non sfuggì che aveva colto l'occasione per dare un'occhiata nella generosa scollatura di Maria.

«Lars, non dovresti condire tanto la carne. Lo sai che devi stare attento al peso, per il cuore.»

«Ma cosa dici? Sono forte come un toro! Questi sono tutti muscoli» ribatté il padre di Patrik, battendo la pancia a barilotto. «E poi Erica ha detto che è olio d'oliva, quindi fa solo bene. È scritto da tutte le parti!»

Erica si trattenne dall'osservare che mezzo bicchiere d'olio, anche se d'oliva, non poteva essere considerato salutare: era una discussione già sentita e Lars era un esperto nell'accogliere solo i consigli dietetici che gli interessavano. Per lui la buona tavola era la gioia della vita e considerava tutti gli interventi per limitare le sue abbuffate come un vero e proprio sabotaggio nei confronti della sua persona. Bittan si era rassegnata da tempo, ma di tanto in tanto cercava ugualmente di lanciargli qualche segnale su quello che pensava delle sue abitudini alimentari. Quanto ai tentativi di metterlo a dieta, si erano tutti arenati nelle scorpacciate a cui si dedicava di nascosto appena lei girava le spalle, il che non gli impediva di sbarrare gli occhi per lo stupore vedendo che non dimagriva nonostante, a sentire lui, mangiasse come un coniglio.

«Ma tu conosci E-Type?» Maria aveva temporaneamente sospeso l'esplorazione del cavo orale di Dan e ora stava guardando affascinata Gustav. «Pare che frequenti la principessa Victoria e il suo giro, e Dan mi ha detto che tu conosci la famiglia reale, così ho pensato che magari conosci anche lui. È fighissimo!»

Gustav, perplesso per il fatto che per qualcuno fosse più importante conoscere un cantante che il re, si riprese dallo stupore e rispose alla domanda di Maria con estrema pacatezza: «Io ho qualche anno in più della principessa, ma mio fratello minore conosce sia lei che Martin Eriksson.»

Maria parve confusa: «Chi è Martin Eriksson?»

Gustav fece un profondo sospiro, e dopo una breve pausa rispose: «E-Type.»

«Ah... Forte!» Maria rise, evidentemente colpita.

Dio santo, possibile che avesse davvero ventun anni, come sosteneva Dan? A sentirla, Erica gliene dava diciassette. Anche se doveva riconoscere che era davvero carina. Abbassò tristemente lo sguardo sui propri seni pesanti e constatò che i giorni in cui i suoi capezzoli puntavano al cielo come quelli di Maria erano ormai irrimediabilmente passati.

La cena non fu tra le più riuscite. Erica e Patrik facevano del proprio meglio per tenere in vita la conversazione, ma Dan e Gustav sembravano provenire da due pianeti diversi e Maria aveva bevuto troppo vino in un arco di tempo troppo breve finendo in bagno a vomitare. L'unico che stava da papa era Lars, che con metodo e concentrazione aveva spazzolato anche tutti i resti, ignorando beatamente le occhiate assassine di Bittan.

Alle otto se n'erano già andati tutti. Patrik ed Erica si ritrovarono da soli con i piatti da lavare.

Decisero di farli aspettare un po' e si sedettero con un bicchiere ciascuno.

«Oh, che voglia di vino!» esclamò Erica guardando sconsolata la sua Coca-Cola.

«In effetti dopo una cena così posso capire che tu senta il bisogno di un goccetto. Santo cielo, come siamo riusciti a mettere insieme un'accozzaglia del genere? E come abbiamo fatto a non pensarci prima?»

Rise e scosse la testa. «Tu lo conosci E-Type?»

Patrik atteggiò la voce per imitare Maria ed Erica si lasciò scappare una risata.

«Ah... Forte!» continuò lui con la stessa vocina, e la risata di Erica si trasformò in un attacco di ridarella in piena regola.

«Mamma dice che non fa niente se si è un po' stupide, se si è cariiiine!»

Questa volta aveva anche inclinato la testa di lato, ed Erica ansimò, tenendosi la pancia: «Piantala, non ce la faccio più! Non eri tu quello che diceva a *me* di essere gentile con lei?»

«Sì, lo so. È solo che è difficile trattenersi.» Patrik si fece serio. «Senti, e di quel Gustav che ne pensi? Non mi ha dato l'impressione di essere la persona più affettuosa su questa terra. Credi che vada bene per Anna?»

La risata di Erica si spense di colpo e sulla fronte le si formò un solco di preoccupazione.

«No, sono abbastanza in pensiero. Si potrebbe obiettare che qualsiasi alternativa è meglio di uno che picchia la moglie, e in effetti è così, però...» esitò cercando le parole «... però secondo me Anna merita di più, ecco. Hai notato l'aria scocciata che aveva quando Emma e Adrian facevano casino e correvano in giro? Scommetto che è uno di quelli che ritengono che i bambini debbano essere composti e silenziosi, ma Anna non sarà mai d'accordo su una cosa del genere. Avrebbe bisogno di una persona buona, affettuosa, capace di amare. Qualcuno che sapesse farla sentire bene. Qualsiasi cosa dica lei, io lo vedo che non sta bene. Solo che crede di non meritare di più.»

Guardarono il disco rosso fuoco del sole immergersi nel mare, ma quella sera la bellezza del tramonto era sprecata. La preoccupazione per la sorella opprimeva Erica. A volte la responsabilità nei suoi confronti le sembrava talmente grande che le riusciva difficile respirare. E se avvertiva così tanto quel peso, avrebbe avuto la forza di affrontare la responsabilità di una nuova vita?

Appoggiò la testa sulla spalla di Patrik e lasciò che le tenebre calassero su di loro.

Il lunedì cominciò con una buona notizia: Annika era tornata dalle vacanze. Quando Patrik entrò svogliatamente alla stazione di polizia se la trovò davanti raggiante, tutta abbronzata, ritemprata e rilassata dalle notti d'amore e dal buon vino. In genere odiava il lunedì mattina, ma quella vista gli fece subito sembrare molto più sopportabile la giornata. In un certo modo lei era il perno attorno al quale ruotava tutta la stazione. Organizzava, discuteva, distribuiva sgridate e lodi a seconda del bisogno. Qualsiasi problema uno avesse, poteva sempre contare su un consiglio saggio o su una parola di consolazione da parte sua. Perfino Mellberg aveva cominciato a mostrare un certo rispetto nei suoi confronti, astenendosi dai pizzicotti e dagli sguardi languidi decisamente troppo frequenti nei suoi primi mesi alla stazione.

Non era ancora trascorsa un'ora da quando Patrik era arrivato che Annika bussò alla sua porta con espressione seria.

«Patrik, ho qui una coppia che vuole denunciare la scomparsa della figlia.»

Si guardarono, leggendosi nel pensiero a vicenda.

Annika fece passare le due persone, evidentemente in ansia, che presero posto a testa china sulle due sedie davanti alla scrivania di Patrik, presentandosi come Bo e Kerstin Möller.

«Nostra figlia Jenny ieri non è rientrata a casa.»

Era stato il padre a prendere la parola. Era un ometto basso e tarchiato, sui quarant'anni. Mentre parlava, si tormentava nervosamente i bermuda dai colori sgargianti, lo sguardo fisso sulla scrivania. La consapevolezza di trovarsi in una stazione di polizia per denunciare la scomparsa della figlia pareva avesse scatenato il panico in entrambi. La voce dell'uomo s'incrinò e fu sua moglie, anche lei bassa e rotondetta, a proseguire: «Siamo al campeggio di Grebbestad. Verso le sette Jenny doveva andare a Fjällbacka con alcuni ragazzi che ha conosciuto. Aveva promesso di rientrare per l'una. Per il ritorno si erano già organizzati, si sarebbero fatti dare un passaggio da qualcuno, mi pare, e all'andata avrebbero preso l'autobus.»

Anche la sua voce si fece strozzata, e dovette fare una pausa. «Vedendo che non tornava, ci siamo preoccupati. Siamo andati alla tenda di una delle altre ragazze che doveva essere con Jenny, e abbiamo svegliato i suoi genitori, e anche lei. Ci ha detto che Jenny non era arrivata alla fermata dell'autobus, e che loro avevano pensato che avesse semplicemente deciso di non andare. A quel punto ci siamo resi conto che era sicuramente successo qualcosa di grave. Jenny non si comporterebbe mai così con noi. È la nostra unica figlia ed è sempre attentissima a informarci in caso di ritardo o altri contrattempi. Cosa può esserle successo? Abbiamo sentito parlare della ragazza tedesca che avete trovato, e così... Pensate che possa...»

A questo punto la voce non le resse più, e scoppiò a piangere. Il marito l'abbracciò cercando di consolarla, ma aveva anche lui gli occhi pieni di lacrime.

Patrik era preoccupato. Molto preoccupato, ma cercò di non darlo a vedere.

«Al momento non ritengo ci sia motivo di formulare ipotesi di questo genere.»

Che frase formale, pensò poi. Non sapeva mai come gestire quel genere di situazioni. L'ansia delle persone gli provocava un groppo in gola, ma non poteva permettere che si notasse, così un meccanismo di difesa faceva scattare in lui quell'atteggiamento formale, quasi burocratico.

«Cominciamo con qualche informazione su vostra figlia. Avete detto che si chiama Jenny. Quanti anni ha?»

«Diciassette, quasi diciotto.»

Kerstin piangeva ancora, con il viso nascosto nella camicia del marito, così fu Bo a rispondere a Patrik. Alla richiesta di eventuali fotografie recenti di Jenny, la madre si asciugò le lacrime con un fazzolettino e tirò fuori dalla borsa una foto a colori della figlia.

Patrik la prese delicatamente e la studiò. La ragazza era una tipica diciassettenne, un po' troppo truccata e con un che di ribelle nello sguardo. Sorrise ai genitori e cercò di assumere un'espressione fiduciosa.

«Carina. Immagino che siate orgogliosi di lei.»

Entrambi annuirono convinti, e sulle labbra di Kerstin comparve perfino l'ombra di un sorriso.

«È una brava ragazza, anche se gli adolescenti vanno presi per il loro verso. Quest'anno non ne voleva sapere di venire in vacanza in roulotte con noi, anche se lo facciamo tutte le estati, da quando era piccola, ma abbiamo insistito dicendo che probabilmente era l'ultima estate in cui potevamo fare qualcosa insieme, e allora ha ceduto.»

Rendendosi conto da sola di aver parlato di "ultima" estate, Kerstin scoppiò di nuovo in lacrime e Bo le accarezzò la testa cercando di calmarla.

«Prenderete sul serio questa cosa, vero? Sappiamo che devono trascorrere ventiquattr'ore prima che possiate cominciare a cercare, ma se vi diciamo che dev'essere successo qualcosa dovete crederci. Altrimenti si sarebbe fatta viva. Non è il tipo di ragazza che se ne frega di tutto e lascia i genitori ad angustiarsi.»

Di nuovo Patrik cercò di dare l'impressione di essere calmo, ma dentro di lui i pensieri correvano già in tutte le direzioni. L'immagine del corpo nudo di Tanja gli si presentò sulla retina, ma la scacciò battendo le palpebre.

«Non aspettiamo ventiquattr'ore, quello succede solo nei film americani. Ma prima di tutto dovete cercare di non preoccuparvi. Pur credendovi sulla parola quando dite che Jenny è una ragazzina responsabile, devo dirvi che ho visto succedere spesso cose come questa. Incontrano qualcuno, dimenticano tempo e spazio, non pensano che mamma e papà sono in ansia. Non è infrequente. Comunque, cominceremo subito a fare le nostre ricerche. Lasciate ad Annika un numero di telefono, vi contatterò io appena sapremo qualcosa. E voi fatecelo sapere subito, se avete sue notizie o se si fa viva in qualche modo, per favore. Vedrete che andrà tutto per il meglio.»

Quando se ne furono andati, Patrik si chiese se avesse promesso troppo. Aveva una brutta sensazione nello stomaco, che non lasciava presagire nulla di buono. Guardò la foto di Jenny che avevano lasciato lì. Speriamo che sia solo stato un colpo di testa, pensò.

Si alzò e andò nell'ufficio di Martin. Meglio mettersi al lavoro subito. Se si fosse trattato del peggio non avevano un minuto da perdere. Secondo il rapporto del medico legale, prima di essere uccisa Tanja era stata tenuta prigioniera una settimana. Il cronometro aveva cominciato a ticchettare.

Estate 1979

Il dolore e il buio facevano scorrere via il tempo in una foschia senza sogni. Giorno o notte, vita o morte, non importava nulla. Neanche i passi sopra di lei, la certezza del male che si avvicinava, potevano indurre la realtà a penetrare in quel nido scuro. Lo schianto delle ossa che si frantumavano si mescolava alle grida di dolore di qualcuno. Forse erano sue. Non ne era sicura.

La solitudine era la cosa più difficile da sopportare. L'assenza totale di rumori, di movimenti, di una carezza. Mai avrebbe potuto immaginare quanto era straziante l'assenza di ogni contatto umano. Superava ogni dolore. Penetrava nell'anima come un coltello e provocava brividi freddi che la facevano tremare tutta.

L'odore dello sconosciuto le era ormai familiare. Strano che non fosse spaventoso. Non era quello che avrebbe immaginato associato al male. Era sano e pieno di promesse d'estate e di calore. Lo si percepiva ancora di più nel contrasto con il tanfo buio e umido che respirava costantemente, che l'avvolgeva come una coperta bagnata e un pezzo alla volta fagocitava i resti di quella che era stata prima di finire lì. Per questo quando lo sconosciuto le si avvicinava inspira-

va avidamente quell'odore di caldo. Valeva la pena affrontare il male pur di avvertire anche solo per pochi attimi l'odore della vita che, da qualche parte lassù, andava avanti come al solito e risvegliava in lei, per quanto attutita, la voglia di vivere. Non era più quella di un tempo e sentiva la mancanza di quella che non sarebbe mai più tornata a essere. Era stato un congedo sofferto, ma per sopravvivere aveva dovuto dire addio a se stessa.

Ciò che più l'angustiava, là sotto, era il pensiero della bambina. Per tutta la sua breve vita le aveva attribuito la colpa di essere nata, ma adesso che era troppo tardi capiva che quella figlia era stata un dono. Il ricordo dei braccini morbidi intorno al collo o degli occhioni che la guardavano smaniosi in cerca di qualcosa che lei non era stata capace di darle la tormentava nel sonno. Riusciva a vedere davanti a sé ogni particolare del suo corpicino. Ogni lentiggine, ogni capello, la rosa sulla nuca esattamente nel punto in cui l'aveva anche lei. La promessa che aveva fatto a se stessa e a Dio era che se fosse sfuggita a quella prigione avrebbe compensato la piccola per ogni secondo di amore negato. Se...

«Non azzardarti a uscire conciata così!»

«Io esco come mi pare, non sono affari tuoi.»

Melanie rivolse un'occhiata di fuoco a suo padre, che rispose con uno sguardo torvo. L'oggetto del contendere era sempre lo stesso: i vestiti, o meglio l'assenza di vestiti.

Effettivamente in termini di quantità di stoffa l'abbigliamento che aveva scelto era un po' scarso, doveva riconoscerlo, ma a lei piaceva e le sue amiche si vestivano esattamente allo stesso modo. E poi aveva diciassette anni, non era più una bambina. Quindi, quello che si metteva erano affari suoi. Osservò sprezzante il padre, che per la collera era arrossito dal collo in su. Dio santo, che schifo diventare vecchi e trasandati. Le sue scarpe Adidas lucide erano fuori moda già quindici anni prima e la camicia sgargiante a maniche corte stava malissimo con i bermuda. La pancia che gli era venuta a forza di mangiare patatine davanti alla tele minacciava di fargli saltare qualche bottone e le orrende ciabatte di plastica che aveva ai piedi erano veramente troppo. Si vergognava di farsi vedere in giro con lui e non sopportava di doversene stare a marcire tutta l'estate in quell'orrendo campeggio.

Da piccola adorava le vacanze in roulotte. C'erano sempre un sacco di bambini con cui giocare e si poteva andare a fare il bagno e scorrazzare liberamente per il campeggio. Ma adesso aveva gli amici a Jönköping, e la cosa peggiore era stata dover lasciare là Tobbe. Ora che lei non era lì a vegliare su di lui, avrebbe benissimo potuto combinare qualcosa con quella stronza di Madde che gli stava appiccicata addosso come un cerotto, e se fosse successo avrebbe odiato i suoi genitori per tutta la vita, garantito.

Starsene confinati in un campeggio di Grebbestad era una palla, e come se ciò non bastasse la trattavano come se avesse cinque anni. Neanche i vestiti poteva scegliere. Sollevò di scatto il mento e raddrizzò il top, non molto più grande del pezzo di sopra di un bikini. Gli shorts di jeans ridotti ai minimi termini s'infilavano in effetti tra i glutei, ma il fastidio era pienamente compensato dagli sguardi dei ragazzi. E la ciliegina sulla torta erano gli zatteroni altissimi che aggiungevano dieci centimetri abbondanti al suo metro e sessanta di statura.

«Finché saremo noi a mantenerti, siamo noi a decidere, quindi per piacere adesso vai a...»

Suo padre fu interrotto da un forte colpo alla porta della roulotte, e Melanie si affrettò ad aprire, grata della tregua imprevista. Fuori c'era un trentacinquenne con i capelli scuri, e lei raddrizzò automaticamente le spalle spingendo in fuori il petto. Era un po' troppo vecchio per i suoi gusti, in effetti, ma aveva l'aria simpatica, e poi l'importante era irritare suo padre.

«Mi chiamo Patrik Hedström, sono della polizia. Posso entrare un attimo? Si tratta di Jenny.»

Melanie si spostò per farlo entrare, ma non troppo, in modo che fosse costretto a sfiorarle il corpo semivestito.

Dopo le presentazioni, si sedettero allo stretto tavolino da pranzo.

«Vuole che vada a chiamare anche mia moglie? È giù in spiaggia.»

«No, grazie, non è necessario. È con Melanie che vorrei scambiare qualche parola. Come forse già saprete, Bo e Kerstin Möller hanno denunciato la scomparsa della figlia, Jenny. Mi hanno detto che avevate deciso di andare a Fjällbacka, ieri. È così?»

Senza farsi notare, Melanie diede una tiratina al top per evidenziare i seni e, prima di rispondere, s'inumidì le labbra. I poliziotti erano molto sexy.

«Sì, dovevamo vederci alle sette alla fermata per prendere l'autobus delle sette e dieci. Alla fermata della spiaggia di Tanum dovevano salire dei ragazzi che avevamo conosciuto, pensavamo di andare in paese a vedere se succedeva qualcosa. Non avevamo un programma preciso.»

«E invece Jenny non si è presentata?»

«Esatto, e mi è sembrato molto strano. Non che la conosca benissimo, ma non sembra una che tira bidoni, così sono rimasta sorpresa. Non proprio delusa, anche perché è lei che sta appiccicata a me, e non mi dispiaceva rimanere da sola con Micke e Fredde. I ragazzi di Tanum.»

«Ma Melanie!»

Il padre le rivolse un'occhiata scocciata, a cui lei rispose guardandolo nello stesso modo.

«Ma scusa, cosa ci posso fare se la trovo un po' pallosa? Mica sarà colpa mia se è scomparsa, no? Sarà andata a Karlstad, a casa sua. Mi ha parlato di un ragazzo che aveva conosciuto là e, se ha un minimo di sale in zucca, immagino che abbia deciso di fregarsene di questa palla di vacanza in roulotte e di tornarsene da lui.»

«Prova soltanto a metterti in testa una cosa del genere... Te lo faccio vedere io, quel Tobbe...»

Patrik si vide costretto a interrompere il litigio tra padre e figlia facendo un gesto con la mano per attirare l'attenzione. Per fortuna tacquero entrambi.

«Quindi non hai idea del motivo per cui non è venuta alla fermata?»

«Nix.»

«Sai se frequentava qualcuno, qui al camping, con cui potrebbe essersi confidata?»

Melanie sfiorò incidentalmente la gamba del poliziotto con il ginocchio nudo e gongolò nel vederlo trasalire. Gli uomini erano davvero semplici. A qualsiasi età avevano in testa solo una cosa, e per portarli dove si voleva bastava esserne consapevoli. Gli sfiorò di nuovo la gamba e vide che il labbro superiore gli s'imperlava di sudore. In effetti, però, nella roulotte faceva parecchio caldo.

Gli fece aspettare la risposta per un po'.

«Mah, c'era un ragazzo, un tipo che dev'essere sempre venuto al campeggio da quando era piccolo. Uno sfigato cosmico, ma dato che neanche lei era particolarmente *cool* si vede che andavano d'accordo.»

«Sai come si chiama, o magari dove posso trovarlo?»

«I suoi hanno la roulotte due file più indietro. È quella con la veranda a strisce marroni e bianche e degli orrendi gerani in vaso davanti.»

Patrik ringraziò e ripassò davanti a Melanie, con le guance rosse.

Mentre salutava il poliziotto con la mano dalla porta, la ragazza cercò di assumere una posa seducente. Suo padre aveva ricominciato a rompere, ma lei aveva imparato a non dargli retta. Tanto, non diceva mai niente che valesse la pena ascoltare.

Sudato per qualche motivo in più oltre al caldo opprimente, Patrik si affrettò ad allontanarsi. Fu un vero sollievo lasciarsi alle spalle la minuscola roulotte. Quando quella ragazzina gli aveva sbattuto in faccia le sue tettine si era sentito un pedofilo, per non parlare dei tentativi di premere il ginocchio contro il suo. Era stato talmente sgradevole che avrebbe voluto sprofondare sottoterra. E vestita com'era, oltretutto. La stoffa strettamente necessaria per confezionare un fazzoletto distribuita sulle varie parti del corpo, più o meno. In un lampo di preveggenza si rese conto che nel giro di diciassette anni avrebbe potuto essere sua figlia a vestirsi così e a provarci con gli uomini più vecchi di lei. Si riscosse e sperò intensamente che quello che Erica aveva nel pancione fosse un maschio. Se non altro, gli adolescenti del suo stesso sesso sapeva come ragionavano. Quella ragazzina gli era sembrata di un altro pianeta, con i quintali di trucco che aveva in faccia e la montagna di bigiotteria che le pendeva da ogni parte. Non aveva potuto fare a meno di notare il piercing all'ombelico. Forse stava cominciando a invecchiare, però quell'anellino gli era sembrato tutt'altro che sexy. Più che altro gli faceva pensare al rischio d'infezione o alla possibilità che restasse la cicatrice. Ma era questione d'età, appunto. Nella sua mente era ancora fresco il ricordo della sfuriata di sua madre quando si era presentato con l'orecchino, e aveva diciannove anni. Gliel'aveva fatto togliere di corsa, e più in là di così non si era mai spinto.

Per qualche minuto perse l'orientamento tra le roulotte, talmente vicine da sembrare accatastate. Proprio non capiva come si potesse scegliere volontariamente di passare le vacanze a quel modo, stretti come sardine, ma sapeva che per molti quello era diventato uno stile di vita attraente per l'affiatamento che si stabiliva con gli altri campeggiatori che tornavano ogni anno nello stesso posto. Alcune roulotte non si potevano quasi più definire tali, considerando le verande e le tettoie aggiunte in ogni direzione: somigliavano piuttosto a casette, e restavano dov'erano un anno dopo l'altro.

Grazie alle indicazioni che aveva chiesto, finalmente trovò quella che gli aveva descritto Melanie e vide un ragazzo alto, dinoccolato e terribilmente brufoloso seduto davanti alla veranda. Vedendo quegli sfoghi rossi e bianchicci e notando che non era riuscito a trattenersi dalla tentazione di schiacciarne parecchi, nonostante il rischio delle cicatrici, Patrik provò compassione per lui.

Si fermò a poca distanza dal ragazzo, ma aveva il sole negli occhi e dovette proteggerli con la mano. Aveva dimenticato gli occhiali scuri alla stazione.

«Ciao, sono della polizia. Ho parlato con Melanie, laggiù, e lei mi ha detto che conosci Jenny Möller. È così?»

Il ragazzo si limitò ad assentire, muto. Patrik si sedette sull'erba accanto a lui e si accorse che, a differenza della Lolita di prima, aveva l'aria sinceramente preoccupata.

«Io mi chiamo Patrik. E tu?»

«Per.»

Patrik sollevò un sopracciglio per segnalargli che si aspettava qualcosa in più.

«Per Thorsson» completò il ragazzo, e si mise a strappare ciuffi d'erba da terra, gli occhi ostinatamente abbassati sulle mani. Senza guardare Patrik disse: «È colpa mia se le è successo qualcosa.»

Patrik trasalì. «Cosa vuoi dire?»

«È stato a causa mia che ha perso l'autobus. Ci vediamo qui tutti gli anni da quando siamo piccoli, e ci siamo sempre divertiti un sacco, insieme. Ma da quando ha conosciuto quella cretina di Melanie è diventata una stronza. Non faceva altro che parlare di lei: Melanie qui e Melanie là e fanculo a tutto. Prima con Jenny si poteva parlare di cose serie, cose importanti, adesso invece non c'era altro che trucchi e vestiti e cazzate del genere. E non osava neanche dire a Melanie che si vedeva con me, perché pare che lei mi consideri uno sfigato.»

Strappava l'erba sempre più freneticamente, tanto che accanto a lui si era formata una chiazza spelacchiata che a mano a mano si allargava. Nell'aria aleggiava pesante l'odore della carne alla griglia, che s'insinuava nelle narici facendo brontolare la pancia a Patrik.

«Le ragazze sono così. Poi passa, garantito. Tornano normali.» Patrik sorrise, ma si fece subito serio. «Ma cosa intendi dicendo che è stata colpa tua? Sai dov'è? Perché è bene che tu sappia che i suoi sono preoccupatissimi...»

Per agitò una mano per interromperlo.

«Non ho idea di dove sia, ma so per certo che dev'esserle capitato qualcosa di brutto. Non sarebbe mai andata via e basta, così. E dato che doveva fare l'autostop...»

«L'autostop? Per andare dove? Quando l'ha fatto?»

«Per questo è colpa mia.» Per aveva scandito le parole, come rivolgendosi a un bambino piccolo. Continuò: «Mi sono messo a litigare con lei proprio mentre andava alla fermata per trovarsi con Melanie. Mi ero rotto le palle di essere quello con cui stava solo quando quella Melanie non lo sapeva, così l'ho fermata mentre passava qui davanti e le ho detto quello che pensavo. Lei ci è rimasta male, ma non ha detto niente, è solo stata lì a sentirmi. Poi ha detto che aveva perso l'autobus e che avrebbe dovuto fare l'autostop fino a Fjällbacka. E se n'è andata.»

Per alzò gli occhi dalla chiazza spelacchiata e lo guardò. Gli tremavano leggermente le labbra e Patrik si accorse che stava lottando per evitare l'umiliazione di un pianto dirotto lì in mezzo ai campeggiatori.

«Per questo dico che è colpa mia. Se non me la fossi

presa con lei per una cosa che a pensarci adesso è una cazzata, sarebbe riuscita a prendere quell'autobus e tutto questo non sarebbe successo. Dev'essere salita sulla macchina di uno psicopatico, ed è colpa mia.»

La voce salì di un'ottava andando in falsetto, come succede agli adolescenti. Patrik scosse la testa convinto.

«Non è colpa tua. E neanche sappiamo se è successo davvero qualcosa. Ma dobbiamo cercare di scoprirlo. Chissà, magari si presenterà qui quando meno ce lo aspettiamo e verrà fuori che è stato un colpo di testa, e basta.»

Patrik si accorse da solo che il tono volutamente calmo con cui aveva parlato suonava proprio falso. Sapeva che l'angoscia che leggeva negli occhi di quel ragazzo traspariva anche dai suoi. A qualche centinaio di metri di distanza i signori Möller aspettavano la figlia. All'altezza del diaframma Patrik provava la raggelante sensazione che Per avesse ragione e che la loro attesa fosse vana. Qualcuno aveva dato un passaggio a Jenny. Qualcuno che non aveva buone intenzioni.

Mentre Jacob e Marita erano al lavoro e i bambini dalla baby-sitter, Linda aspettava Johan. Era la prima volta che si vedevano nella casa padronale di Västergården e non nel fienile, e Linda trovava la cosa emozionante. Sapere che il loro incontro clandestino si sarebbe svolto sotto il tetto di suo fratello aggiungeva un pizzico di eccitazione alla tresca. Ma vedendo l'espressione di Johan nel momento in cui varcava la soglia capì che entrare in quella casa risvegliava in lui emozioni completamente diverse.

Non ci metteva piede dal giorno in cui avevano dovuto lasciare Västergården, subito dopo la morte di Johannes. Fece un giro, a passi esitanti, prima nel soggiorno, poi in cucina e perfino in bagno. Era come se volesse assorbire fino all'ultimo dettaglio. Molte cose erano cambiate. Jacob aveva tinteggiato e fatto alcuni lavori di falegnameria, e la casa non era più come la ricordava lui. Linda lo seguì.

«È passato un bel po' dall'ultima volta che sei stato qui.»

Johan annuì e passò una mano sul bordo della cappa del camino in soggiorno.

«Ventiquattro anni. Ne avevo solo tre, quando ce ne siamo andati. Jacob si è dato parecchio da fare.»

«Eh già. Dev'essere tutto impeccabile. È sempre lì a darsi da fare per sistemare qualcosa, attrezzi alla mano. Aspira alla perfezione.»

Johan non rispose. Era come se si trovasse in un altro mondo. Linda si pentì di averlo invitato. Nei suoi piani c'era solo qualche ora spensierata a letto, non un viaggio nei tristi ricordi d'infanzia del cugino. Preferiva non pensare a quel lato di lui, a quella parte fatta di emozioni ed esperienze da cui lei era esclusa. Fino a quel momento era stato come ammaliato da lei, quasi adorante, ed era quel genere di conferma che Linda voleva. L'adulto pensieroso e meditabondo che in quel momento si aggirava per la casa non era quello che lei conosceva.

Gli diede uno strattone, e Johan trasalì come se l'avesse risvegliato da uno stato di trance.

«Non andiamo di sopra? La mia camera è in mansarda.»

Johan la seguì senza entusiasmo lungo la scala ripida. Quando Linda oltrepassò il primo pianerottolo per proseguire verso la seconda rampa, lui rallentò. Lì un tempo c'erano la sua camera e quella di Robert, e anche quella dei genitori.

«Aspetta, vengo subito. Devo solo controllare una cosa.»

Senza curarsi delle proteste di Linda, aprì con la mano tremante la prima porta, quella della sua cameretta. Era ancora di un bambino, ma quelli che adesso erano sparsi dappertutto erano i giocattoli e i vestiti di William. Si sedette sul lettino e con il suo occhio interiore rivide la stanza com'era quando era sua. Dopo un po' si alzò e passò in quella di Robert, di fianco. Era cambiata ancora di più. Lì si riconosceva chiaramente un'impronta femminile: i dettagli in rosa, il tulle, i lustrini. Ne uscì quasi subito, irrimediabilmente attirato come una calamita dalla camera in fondo al corridoio. Quante volte, di notte, aveva percorso a piedi nudi il tappeto fino alla porta bianca, aprendola piano per poi infilarsi nel letto dei genitori dove riusciva a dormire tranquillo, libero dagli incubi. Gli piaceva soprattutto premersi contro il padre e stargli vicinissimo. Notò che Jacob e Marita avevano tenuto l'imponente vecchio letto. Era la stanza rimasta più simile a com'era un tempo.

Sentì bruciare le lacrime negli occhi e batté le palpebre per ricacciarle indietro prima di tornare a voltarsi verso Linda. Non voleva mostrarle la propria debolezza.

«Hai finito di ficcare il naso? Guarda che qui non c'è niente da rubare.»

La sua voce aveva una sfumatura cattiva che non aveva mai sentito. La collera gli si scatenò dentro come una scintilla, alimentata dal rimpianto di ciò che sarebbe potuto essere e non era stato. L'afferrò con forza per il braccio.

«Che cazzo stai dicendo? Pensi che stia curiosando in cerca di qualcosa da rubare? Sei fuori? Guarda che io abitavo qui ben prima che ci venisse a stare tuo fratello, e se non fosse stato per quello stronzo di tuo padre Västergården sarebbe ancora nostro. Quindi tieni la bocca chiusa.»

Per un attimo Linda restò senza parole davanti alla

metamorfosi di Johan, fino a quel momento così mite, ma poi liberò il braccio con uno strattone e sibilò: «Guarda che mio padre non c'entra niente con il fatto che il tuo ha scialacquato tutti i suoi soldi giocando d'azzardo. E qualsiasi cosa abbia fatto papà, se il tuo vecchio era tanto vigliacco da suicidarsi non è colpa sua. È stato lui a decidere di lasciarvi soli, quindi non tirare in ballo mio padre.»

Johan sentì montare una rabbia tale che chiazze bianche gli appannarono la vista. Chiuse le mani a pugno. Linda aveva un'aria così fragile che si chiese se sarebbe stato in grado di spezzarla in due. Si costrinse a fare alcuni respiri profondi per calmarsi. Con una strana voce strozzata disse: «Ci sono un sacco di cose per cui posso e voglio tirare in ballo Gabriel. Ha distrutto le nostre vite per pura invidia. Mia madre ci ha raccontato come sono andate le cose. Tutti adoravano mio padre e trovavano che il tuo fosse solo un insopportabile scorbutico, e la cosa a lui non andava giù. Ieri mamma è salita alla tenuta e gli ha detto chiaro e tondo quello che pensa. Peccato che non gli abbia dato anche una bella ripassata, ma si vede che le faceva schifo toccarlo.»

Linda sbottò in una risata sarcastica. «Mah, un tempo non le faceva tanto schifo. Mi disgusta immaginarmelo con la lurida grassona che ti ritrovi per madre, ma così è stato, almeno fino a quando lei ha capito che era più facile spillare soldi a tuo padre che al mio. E così è passata a lui. Lo sai, no, come si chiamano quelle che si comportano così... Puttane!»

Quando Linda, che era alta quasi quanto lui, gli sputò in faccia quella parola, sul viso gli arrivarono minuscole goccioline di saliva.

Per paura di non riuscire a controllarsi, Johan arretrò lentamente verso la scala. In quel momento desiderava soltanto mettere le mani intorno a quel collo sottile e stringere, solo per farla stare zitta, ma si girò e fuggì.

Confusa per la brutta piega presa dalla situazione e irritata dalla scoperta di non avere in pugno il cugino come invece pensava, Linda si piegò oltre il corrimano e gli gridò dietro con voce cattiva: «Scappa, scappa pure, maledetto sfigato. Tanto, mi servivi solo per una cosa. E non eri particolarmente bravo neanche in quella!»

Completò l'opera mostrandogli il dito medio, ma lui stava già infilando la porta e non la vide.

Lei riabbassò lentamente la mano, pentendosi già, con la volubilità tipica degli adolescenti, di quello che aveva detto. Ma Johan l'aveva fatta davvero incazzare.

Quando arrivò il fax dalla Germania, Martin aveva appena finito di parlare al telefono con Patrik. La notizia del probabile passaggio ottenuto da Jenny facendo l'autostop non migliorava certo la situazione. Chiunque poteva essersi fermato per farla salire, e ora non potevano che fare affidamento sull'occhio onniveggente delle persone comuni. La stampa aveva tempestato Mellberg di chiamate, e con la copertura mediatica che sarebbe stata data alla notizia Martin sperava che più di qualcuno si facesse vivo dicendo di aver visto salire Jenny su un'auto dalle parti del campeggio. In quel caso, però, ci sarebbe stato da augurarsi di riuscire a distinguere le segnalazioni attendibili dalla prevedibile gran quantità di chiamate, che non mancavano mai, di psicolabili e di chi non perdeva occasione per rendere la vita difficile a un nemico.

Fu Annika a portargli il conciso messaggio arrivato via fax. Traducendo faticosamente le poche frasi, capì che come parente più prossimo di Tanja era stato rintracciato un ex marito. Scoprire che, pur così giovane, era già divorziata lo sorprese, ma l'informazione era lì, nero su bianco. Dopo un attimo di esitazione e una rapida consultazione con Patrik sul cellulare, compose il numero dell'azienda di promozione turistica di Fjällbacka. Sentendo nel ricevitore la voce di Pia sorrise involontariamente.

«Ciao, sono Martin Molin.» La pausa che seguì durò una frazione di secondo di troppo. «Il poliziotto di Tanumshede.» Che delusione aver dovuto specificare chi era. Lui sarebbe stato in grado di ricordare il numero di scarpe di Pia, se per qualche oscura ragione gli fosse stato chiesto.

«Ah, ciao. Scusami. Con i nomi sono una frana! Meno male che con le facce me la cavo meglio. È una fortuna, con questo lavoro.» Rise. «Cosa posso fare per te, oggi?»

Da dove devo cominciare?, pensò Martin, ma poi ricordò a se stesso il motivo di quella telefonata e si diede un contegno.

«Devo fare una telefonata importante e non mi fido del mio sette in tedesco. Potresti farmi da interprete in audioconferenza?»

«Certo.» La risposta era stata immediata. «Aspetta un momento che chiedo alla collega se può sostituirmi.»

La sentì parlare con qualcuno in sottofondo, poi la sua voce tornò a volume normale.

«Sistemato. Come funziona? Mi chiami tu?»

«Sì, ti collego io, basta che aspetti accanto al telefono. Tra poco lo sentirai squillare.»

Esattamente quattro minuti dopo Martin era in collegamento sia con l'ex marito di Tanja, Peter, che con Pia. Iniziò facendo le condoglianze, con il massimo tatto possibile, ed esprimendo il dispiacere di dover telefonare in circostanze così tragiche. Dato che la polizia tedesca aveva già informato Peter della morte dell'ex moglie, se non altro non aveva dovuto dargli lui la notizia, ma era comunque spiacevole chiamarlo così presto. Era uno degli aspetti più difficili del suo lavoro, ma per fortuna eventualità del genere non si ripetevano troppo spesso nella sua vita di poliziotto.

«Lei cosa sapeva del viaggio di Tanja in Svezia?»

Pia tradusse scorrevolmente sia la domanda che la risposta.

«Niente. Purtroppo non ci siamo separati da amici. In pratica, dal divorzio non ci siamo più parlati. Ma quando eravamo sposati non ha mai accennato al desiderio di andare in Svezia. Le piacevano di più le vacanze al sole, in Spagna o in Grecia. Avrei pensato che il vostro fosse un paese troppo freddo per attirarla.»

Freddo?, pensò Martin ironicamente guardando il vapore che si alzava dall'asfalto fuori dalla finestra. Certo, e poi ci sono gli orsi polari che girano per le strade... Continuò con le domande: «Quindi non ha mai accennato a qualche questione in sospeso che avrebbe potuto portarla in Svezia, o a qualche altro legame con il nostro paese? Niente su un luogo chiamato Fjällbacka?»

La risposta di Peter fu nuovamente negativa e a Martin non venne in mente altro da chiedergli. Continuava a non sapere a cosa si fosse riferita Tanja quando, parlando con la compagna di viaggio, aveva accennato alla propria meta. Un attimo prima di ringraziare e riagganciare gli balenò in testa un'altra domanda: «C'è qualcun altro che potremmo contattare? L'unico parente di cui ci ha parlato la polizia tedesca è lei, ma ci potrebbe essere qualche amica...»

«Potreste sentire suo padre. Abita in Austria. Probabilmente è per questo che la polizia non l'ha trovato nei registri dell'anagrafe. Aspetti, ho il suo numero.»

Martin lo sentì allontanarsi e spostare degli oggetti. Dopo un attimo era di nuovo in linea. Pia riprese a tradurre, scandendo in maniera ancora più chiara il numero.

«Veramente non so se sarà in grado di dirvi qualcosa. Due anni fa, subito prima del divorzio, lui e Tanja hanno interrotto ogni rapporto. Lei non ha mai voluto dirmi perché, ma credo che non si siano più parlati da allora. Però non si sa mai. Me lo saluti.»

La telefonata non aveva dato gran frutti, ma Martin ringraziò comunque Peter e gli disse che se avesse avuto altre domande l'avrebbe ricontattato. Pia rimase in linea e lo prevenne chiedendogli se voleva telefonare subito al padre di Tanja, approfittando del suo aiuto.

Gli squilli si susseguirono a vuoto. Pareva che non ci fosse nessuno in casa. L'accenno dell'ex marito alla rottura tra Tanja e il padre aveva però risvegliato la curiosità di Martin. Che genere di litigio poteva interrompere completamente i rapporti tra un padre e una figlia? Ed era possibile che la cosa fosse in qualche modo ricollegabile al viaggio di Tanja a Fjällbacka e al suo interesse nei confronti della scomparsa delle due ragazze?

Perso com'era nei suoi pensieri, si era quasi scordato di avere ancora in linea Pia. Si affrettò a ringraziarla per l'aiuto, e concordarono che la mattina dopo avrebbero tentato di richiamare.

Martin guardò a lungo, pensoso, le foto del cadavere di Tanja. Cos'era venuta a cercare a Fjällbacka, e cos'aveva trovato?

Erica avanzava cauta sul pontile galleggiante. Era davvero raro vedere dei posti liberi al molo, in quella stagione. In genere i proprietari delle barche dovevano disporle in seconda o addirittura in terza fila, ma l'omicidio di Tanja aveva sfoltito i ranghi e sospinto diversi turisti verso altri porti.

Erica sperava sinceramente che Patrik e i suoi colleghi risolvessero rapidamente il caso, altrimenti per chi si manteneva grazie al turismo estivo l'inverno si sarebbe rivelato molto duro.

Anna e Gustav avevano deciso di andare controcorrente e di fermarsi a Fjällbacka un altro paio di giorni. Vedendo la barca, Erica capì come mai non era riuscita a convincerli a dormire da loro. Era uno splendore. Di un bianco abbagliante, con il ponte in legno, grande a sufficienza per almeno altre due famiglie, dominava su tutte le altre.

Vedendola arrivare, Anna la salutò allegra con la mano, aiutandola poi a salire a bordo. Quando si sedette Erica aveva il fiatone, e la sorella le portò subito un bel bicchierone di Coca-Cola.

«Vero che verso la fine si comincia a essere un po' stufe?»

Erica alzò gli occhi al cielo. «Non dirmelo. Ma sarà un trucco della natura per indurre le donne a cominciare a desiderare il parto, immagino. Se almeno non facesse così caldo!» Si asciugò la fronte con un tovagliolino di carta ma sentì immediatamente altre gocce di sudore affiorare e colare lungo le tempie.

«Poveretta!» Anna le rivolse un sorriso solidale.

Gustav salì sopracoperta e salutò educatamente Erica. Era vestito in maniera impeccabile come la sera prima, e i denti risaltavano bianchissimi sul viso abbronzato. Rivolto ad Anna, disse in tono scocciato: «Giù c'è ancora la tavola apparecchiata dalla colazione. Te l'ho detto, a bordo devi tenere un minimo di ordine, altrimenti non funziona.»

«Oh, scusami. Vado subito a mettere a posto.»

Il sorriso sparì dal viso di Anna, che si affrettò a scendere nelle viscere della barca con lo sguardo basso. Gustav si accomodò accanto a Erica con una birra gelata in mano.

«Non si riesce a vivere su una barca, se non si tiene tutto in ordine. Soprattutto con dei bambini.»

Tra sé e sé Erica si domandò perché non poteva sparecchiare lui, visto che era così importante. Non le sembrava che avesse problemi alle braccia.

L'atmosfera era un po' opprimente ed Erica sentì che tra loro si stava aprendo un baratro fatto di differenze a livello di educazione e di esperienze. Si sentì costretta a rompere il silenzio.

«Stupenda, questa barca.»

«Sì, è una vera bellezza.» Era fiero come un galletto. «Me l'ha prestata un amico, ma mi è venuta voglia di comprarmene una.»

Altro silenzio. Quando Anna tornò su e si sedette accanto a Gustav, Erica tirò un sospiro di sollievo. La sorella appoggiò il bicchiere di fianco a sé, ma la fronte di Gustav si corrugò immediatamente.

«Potresti evitare di metterlo lì, per favore? Non vorrei che il legno si macchiasse.»

«Scusa» disse lei con una vocina colpevole, affrettandosi a prendere di nuovo in mano il bicchiere.

«Emma!» Gustav aveva spostato l'attenzione dalla madre alla figlia. «Ti ho già detto che non puoi giocare con la vela. Allontanati subito da lì.» La bambina, quattro anni, lo ignorò completamente. Stava per alzarsi lui, quando Anna balzò in piedi.

«La faccio spostare io. Si vede che non ti ha sentito.»

La piccola si mise a urlare di rabbia, e quando Anna la portò con sé vicino agli altri adulti assunse un'espressione combattiva.

«Sei cattivo!» Emma fece per dare un calcio in uno stinco a Gustav, ed Erica nascose un sorrisino.

Lui l'afferrò per un braccio per sgridarla, e per la prima

volta Erica vide accendersi un guizzo nello sguardo della sorella. Allontanò la mano di Gustav e attirò a sé la bambina.

«Non toccarla!»

Lui alzò le braccia in segno di resa. «Scusami tanto, ma i tuoi figli sono scatenati. Qualcuno deve pur metterli in riga.»

«I miei figli sono seguiti a dovere, grazie, e sono io che mi occupo della loro educazione. Venite, andiamo da Acke a prendere un gelato.»

Fece un cenno a Erica, più che felice di avere tutta per sé la sorella con i nipotini per un po', senza il signor Puzzasottoilnaso. Misero Adrian sul passeggino ed Emma poté correre avanti tutta contenta.

«Senti, secondo te ho esagerato? Dopotutto l'ha solo presa per il braccio... voglio dire, so bene che a causa di Lucas sono diventata un po' iperprotettiva con i bambini...»

Erica si strinse alla sorella. «Io non ti trovo affatto iperprotettiva. Personalmente ritengo che tua figlia sia una gran conoscitrice dell'animo umano e che avresti dovuto permetterle di mollargli un bel calcione.»

Anna si rabbuiò. «Be', adesso trovo che sia tu a esagerare. Ripensandoci non è stato poi così eccessivo. Se non si è abituati ai bambini, non è strano che diano fastidio.»

Erica sospirò. Per un attimo si era illusa che la sorella stesse dimostrando di avere una spina dorsale e intendesse pretendere per sé e per i figli il trattamento che spettava loro, ma evidentemente Lucas aveva lasciato il segno.

«Come va il contenzioso per l'affido?»

Per un attimo le parve che Anna volesse eludere la domanda, ma poi rispose, a bassa voce: «Non va affatto. Lucas ha deciso di ricorrere a tutti gli sporchi trucchi che conosce, e il fatto che io mi sia messa con Gustav l'ha mandato ancora più in bestia.»

«Ma scusa, non ha niente su cui basarsi, no? Voglio dire... a cosa potrebbe attaccarsi per dimostrare che sei una cattiva madre? Se c'è qualcuno che ha buone ragioni per voler interdire l'altro, sei tu!»

«Già, ma lui pare convinto di riuscire a spuntarla inventandosi una quantità sufficiente di bugie.»

«E la tua denuncia per maltrattamento di minore? Non dovrebbe pesare più di qualsiasi cosa possa inventarsi lui?»

Anna non rispose e nella mente di Erica prese forma un sospetto spaventoso.

«Non l'hai mai denunciato, vero? Mi hai mentito, mi hai detto che l'avevi fatto e invece non era così.»

La sorella non ebbe il coraggio di guardarla negli occhi.

«Insomma, parla! Ho ragione o no?»

Quando rispose, la voce di Anna era strozzata dalla rabbia. «Sì, hai ragione, cara sorella maggiore. Ma non hai il diritto di giudicarmi. Tu non sei mai stata nei miei panni, non sai cosa significa vivere costantemente nel terrore di quello che può saltargli in mente di fare. Se l'avessi denunciato mi avrebbe dato la caccia, e a un certo punto non ce l'avrei più fatta e avrei smesso di fuggire. Pensavo che ci avrebbe lasciati in pace, se non mi fossi rivolta alla polizia. E all'inizio sembrava funzionare, no?»

«Certo, ma adesso non funziona più. Porca miseria, Anna, devi imparare a pensare con un minimo di lungimiranza!»

«Facile dirlo, per te, che te ne stai qui al sicuro, con un uomo che ti venera e non ti farebbe mai del male, e anche con dei soldi in banca, dopo il libro su Alex. Troppo facile! Non sai cosa significa essere sola con due bambini e lottare ogni giorno per dare loro da mangiare e da vestire. A te va tutto a gonfie vele, e non credere che non mi sia accorta di come guardi Gustav dall'alto in basso. Pensi di sapere tutto, e invece non sai niente!»

Senza neanche darle la possibilità di replicare, Anna si diresse quasi di corsa verso la piazza, con Adrian sul passeggino e la manina di Emma saldamente stretta nella sua. Erica rimase sul marciapiede, con il pianto in gola, a chiedersi come fosse potuto andare tutto così storto. Lei non voleva criticarla. Voleva solo che avesse ciò che meritava.

Jacob salutò la madre con un bacio sulla guancia e il padre con una formale stretta di mano. Il loro rapporto era sempre stato così, distante e misurato più che cordiale e affettuoso. Era strano considerare il proprio padre un estraneo, ma era la descrizione che più gli si addiceva. Naturalmente aveva sentito raccontare dei giorni e delle notti di veglia che aveva trascorso in ospedale insieme alla madre, ma il ricordo era vago, come nella nebbia, e comunque non era servito ad avvicinarli. Il vecchio Ephraim era invece riuscito a trasmettergli un senso d'intimità, al punto che lo considerava più come un padre che come un nonno. E nel momento in cui gli aveva salvato la vita donandogli il midollo osseo, agli occhi di Jacob era assurto al rango di eroe.

«Oggi non vai al lavoro?»

Seduta accanto a lui sul divano, sua madre aveva l'aria ansiosa di sempre. Jacob si chiese quali pericoli vedesse in agguato dietro ogni angolo. Era una vita che viveva come in equilibrio sul ciglio di un burrone.

«Pensavo di andarci più tardi e di fermarmi un po' più a lungo stasera. Mi è venuta voglia di passare a vedere come state. Ho sentito delle finestre rotte. Mamma, perché non hai chiamato me invece di papà? Io potevo arrivare in un baleno!»

Laine gli rivolse un sorriso affettuoso. «Non volevo farti stare in pensiero. Non ti fa bene agitarti.»

Lui non rispose, limitandosi a fare un sorrisino mite, introspettivo.

Lei appoggiò una mano sulla sua. «Dai, lasciami fare. Lo sai che cavallo vecchio non cambia andatura.»

«Mica sei vecchia, tu, mamma. Sei ancora una bambina.»

Laine sorrise, gongolante. Lo scambio di battute si ripeteva regolarmente: Jacob sapeva che sua madre adorava sentirsi dire quelle parole e si prestava volentieri al gioco. Gli anni trascorsi con il marito non dovevano essere stati facili, i complimenti non erano certo il suo forte.

Seduto in poltrona, il padre sbuffò impaziente e si alzò.

«Comunque la polizia è andata a parlare con quei due buoni a nulla dei tuoi cugini, quindi spero che per un po' stiano tranquilli.» Si avviò verso il suo studio. «Hai tempo di dare un'occhiata ai conti?»

Jacob baciò la mano alla madre, annuì e seguì il padre. Già da qualche anno Gabriel aveva cominciato a coinvolgere il figlio nell'amministrazione della tenuta, e il processo formativo era ancora in corso. Voleva essere sicuro che, quando fosse venuto il momento, si sentisse perfettamente in grado di subentrare a lui. Per fortuna Jacob aveva una predisposizione naturale per quel genere di attività e se la cavava benissimo sia con i conti che con le incombenze pratiche.

Dopo essere rimasto chino sui libri per un po', con la testa vicina a quella del padre, Jacob si raddrizzò e disse: «Pensavo di andare su dal nonno a dare un'occhiatina in giro. È passato parecchio dall'ultima volta che ci sono stato.»

«Mm, sì, fai pure.» Gabriel era perso nel mondo dei numeri.

Jacob imboccò la scala che portava al piano superiore e si avviò lentamente verso la porta che conduceva all'ala sinistra della casa padronale. Lì nonno Ephraim aveva abitato fino al giorno della sua morte, e Jacob aveva trascorso in quelle stanze molte ore della propria infanzia.

Entrò. Era tutto intatto. Era stato lui a chiedere ai suoi di non spostare o cambiare niente, e loro avevano rispettato il suo desiderio, consci del legame unico tra nonno e nipote.

Quelle stanze esprimevano una grande forza. Gli arredi, mascolini e cupi, si staccavano nettamente da quelli chiari del resto della casa, e Jacob aveva sempre l'impressione di entrare in un altro mondo.

Si sedette su una poltrona in pelle davanti a una finestra e appoggiò i piedi sul pouf. Era lì che trovava Ephraim quando andava a trovarlo. Si acciambellava ai suoi piedi, come un cucciolo, pendendo dalle sue labbra mentre gli parlava dei tempi andati.

Le grandi assemblee religiose, gli incontri del risveglio, stuzzicavano la sua curiosità. Ephraim descriveva con dovizia di particolari l'estasi che si leggeva sul volto delle persone e la devozione con cui si concentravano sul Predicatore e sui suoi figli. Aveva una voce stentorea e Jacob non aveva mai dubitato della sua capacità di ammaliare le persone. Le parti che prediligeva erano quelle in cui gli raccontava i prodigi di Gabriel e Johannes. Ogni giorno portava con sé un nuovo miracolo e per Jacob tutto questo era semplicemente meraviglioso. Proprio non capiva perché suo padre non volesse mai parlare di quella fase della propria vita. Sembrava addirittura che se ne vergognasse. Che cosa fantastica, avere il dono di guarire, di curare i malati e far camminare gli storpi. Che grande dolore dovevano aver provato lui e lo zio, quando avevano perso il dono. A sentire Ephraim, era successo da un giorno all'altro. Gabriel aveva liquidato la cosa con un'alzata di spalle, ma Johannes era disperato. La sera implorava Dio di restituirgli il dono, e appena vedeva un animale ferito accorreva per cercare di capire se era stato esaudito.

Jacob non aveva mai capito perché Ephraim ridesse in quel suo modo buffo quando gli parlava di quel periodo. Per Johannes doveva essere stato un grande dolore e un uomo vicino a Dio come il Predicatore avrebbe dovuto capirlo. Ma Jacob amava il nonno e non metteva in discussione nulla di quanto diceva, né il modo in cui lo diceva. Ai suoi occhi era infallibile. Dopotutto, gli aveva salvato la vita. Non con l'imposizione delle mani, forse, ma donandogli una parte del proprio corpo e infondendo così in lui nuova vita. Per questo lo venerava.

Ma il meglio era la conclusione di tutte le storie di Ephraim. Smetteva bruscamente di parlare, fissava il nipote negli occhi e diceva: «E anche tu, Jacob, hai quel dono nascosto dentro di te. Da qualche parte, nel profondo, aspetta di essere evocato.»

Jacob adorava quelle parole.

Non era mai riuscito a farlo venire a galla, ma gli bastava l'affermazione del nonno. Durante la malattia aveva tentato di chiudere gli occhi ed evocarlo per riuscire a guarire se stesso, ma abbassando le palpebre non aveva visto che buio, lo stesso buio che ora lo teneva nella sua morsa di ferro.

Forse, se il nonno avesse avuto modo di vivere un po' più a lungo, sarebbe riuscito a fargli trovare la strada. Lo aveva insegnato a Gabriel e Johannes, e perché non avrebbe dovuto farlo anche con lui?

I versi striduli di un uccello fuori dalla finestra lo strapparono a quelle riflessioni. Il buio dentro di lui gli afferrò nuovamente il cuore in una stretta convulsa, e Jacob si chiese se potesse essere tanto forte da farlo smettere di battere. Negli ultimi tempi le tenebre l'avevano avvolto più spesso del solito, infittendosi più che mai.

Tirò su le gambe e le circondò con le braccia. Se solo Ephraim fosse stato lì. Lui sì che l'avrebbe aiutato a trovare la luce risanatrice.

«In questa fase partiamo dall'ipotesi che Jenny Möller non si sia resa irreperibile di sua volontà. L'aiuto della gente potrebbe rivelarsi importante. Chiediamo a chiunque l'abbia vista, in particolare a bordo o nelle vicinanze di un'auto, di riferircelo. Secondo le informazioni di cui disponiamo, la ragazza avrebbe fatto l'autostop in direzione di Fjällbacka. Qualsiasi osservazione potrebbe essere di estrema rilevanza.»

Patrik guardò con espressione seria ciascuno dei cronisti riuniti davanti a lui, mentre Annika distribuiva la foto di Jenny Möller, che subito dopo avrebbe fatto recapitare a tutti i giornali perché la pubblicassero. Non sempre era così, ma in quella fase i mezzi d'informazione potevano svolgere un ruolo prezioso.

Con sua grande sorpresa, Mellberg aveva proposto che fosse Patrik a tenere la conferenza stampa organizzata in fretta e furia, per poi sedersi in fondo alla saletta della stazione di polizia e restare lì a osservarlo.

C'erano diverse mani alzate.

«La scomparsa di Jenny è collegata con l'omicidio di Tanja Schmidt? E con il ritrovamento di Mona Thernblad e Siv Lantin?»

Patrik si schiarì la voce. «Per prima cosa l'identificazione di Siv non è ancora confermata, quindi apprezzerei che non la deste per acquisita. A parte questo, non intendo rilasciare dichiarazioni sui risultati a cui siamo pervenuti, per una questione di riservatezza.»

I giornalisti sospirarono per l'ennesimo richiamo alla riservatezza, ma tennero ugualmente le mani alzate.

«I turisti hanno cominciato a lasciare Fjällbacka. Hanno ragione di preoccuparsi per la propria sicurezza?»

«Non c'è motivo di allarmarsi. Stiamo lavorando intensamente per risolvere il caso, ma al momento dobbiamo concentrarci su Jenny Möller. Non ho altro da dire. Grazie.»

Uscì dalla stanza accompagnato dalle proteste dei giornalisti, e vide con la coda dell'occhio che Mellberg si era fermato. C'era solo da sperare che non si lasciasse scappare qualche sciocchezza.

Entrò nell'ufficio di Martin e si sedette sul bordo della scrivania.

«È come infilare volontariamente una mano in un vespaio!»

«Già, però in questo momento potrebbero tornarci utili.»

«Sì, qualcuno deve pur aver visto Jenny salire a bordo di un'auto, sempre ammesso che abbia davvero fatto l'autostop come sostiene il ragazzo. Con tutto il traffico sulla Grebbestadsvägen sarebbe davvero strano che nessuno avesse notato niente.»

«Be', sono successe cose più strane.» Martin sospirò.

«Non sei ancora riuscito a rintracciare il padre di Tanja?»

«Non ho più tentato. Pensavo di riprovare stasera. È probabile che sia al lavoro.»

«Sì, hai ragione. Sai se Gösta ha fatto quel controllo sulle prigioni?»

«Sì, incredibilmente, ma la ricerca non ha dato risultati. Non c'è nessuno che sia rimasto dentro per tutto quell'arco di tempo, ma immagino che non ci contassi nemmeno tu. Voglio dire... uno può anche aver sparato al re, ma dopo qualche anno è già fuori per buona condotta. E un permesso glielo danno dopo neanche un paio di settimane.» Gettò la biro sulla scrivania, irritato.

«Non essere così cinico. Sei troppo giovane. Dopo una decina d'anni di servizio potrai cominciare a sentirti amareggiato, ma fino a quel momento dovrai conservarti ingenuo e confidare nel sistema.»

«Sì, vecchio saggio.» Martin si portò la mano alla fronte in un finto saluto militare, non troppo convinto, e Patrik si alzò ridendo.

«A proposito» disse, «non possiamo dare per scontato che la scomparsa di Jenny abbia a che fare con gli omicidi di Fjällbacka, quindi per sicurezza sarà bene chiedere a Gösta di verificare se abbiamo qualche stupratore o molestatore uscito di recente di prigione. Digli di controllare tutti quelli che sono stati dentro per violenza carnale, reati gravi nei confronti di donne o cose del genere e che bazzicano da queste parti.»

«Buona idea, ma potrebbe anche essere qualcuno che viene da fuori, che è qui come turista.»

«Vero, ma da qualche parte dobbiamo cominciare.»

Annika fece capolino nella stanza. «Scusate, ma c'è la scientifica in linea per te, Patrik. Ti passo la chiamata qui o vai nel tuo ufficio?»

«Da me, grazie, però dammi mezzo minuto.»

Una volta alla sua scrivania, aspettò che squillasse il telefono. Aveva il battito leggermente accelerato. Le chiamate dalla scientifica erano un po' come Babbo Natale. Non si poteva mai sapere quali sorprese nascondessero.

Dieci minuti dopo era di nuovo nell'ufficio di Martin, sulla soglia.

«Abbiamo la conferma che il secondo scheletro è di Siv Lantin, proprio come pensavamo. Ed è stata completata anche l'analisi dei residui di terra. Forse è venuto fuori qualcosa di interessante.»

Martin si allungò in avanti, curioso.

«Sì? Non tenermi sulle spine. Cos'hanno trovato?»

«Innanzitutto è terra dello stesso genere di quella sul corpo di Tanja e sulla coperta in cui era avvolta, e questo dimostra che, almeno per un po', i corpi sono stati nello stesso posto. Inoltre quelli del laboratorio hanno isolato un concime chimico che si usa solo nelle aziende agricole. Hanno addirittura individuato la marca e il nome del produttore. E il meglio è che non si vende in negozio ma si acquista direttamente in fabbrica. Tra l'altro, non è neanche una delle marche più comuni sul mercato. Quindi, se dai un colpo di telefono subito e chiedi l'elenco dei clienti che hanno comprato quel prodotto, magari possiamo cominciare a capirci qualcosa. Ecco, su questo foglietto ti ho scritto il nome del concime e del produttore. Il numero lo trovi sulle Pagine Gialle, immagino.»

Martin gli fece un cenno d'assenso con la mano. «Me ne occupo io. Ti faccio sapere appena ho in mano l'elenco.»

«Ottimo.» Patrik sollevò il pollice e tamburellò con le dita sullo stipite.

«Ah, senti...»

Patrik stava già imboccando il corridoio, ma girò su se stesso. «Sì?»

«Hanno detto qualcosa del dna?»

«Ci stanno ancora lavorando, pare che abbiano liste d'attesa chilometriche per quel genere di test. Molte violenze sessuali, in questa stagione.»

Martin annuì, scoraggiato. Sapeva cosa voleva dire Patrik. Era uno degli aspetti positivi dell'inverno: molti stupratori trovavano che all'aperto facesse troppo freddo per calarsi i pantaloni, ma d'estate quel problema non c'era.

Tornando nel suo ufficio, Patrik si mise a mugolare un motivetto. Finalmente si apriva uno spiraglio. Forse non era granché, ma se non altro avevano qualcosa di concreto da cui partire.

Ernst si concesse un hot dog con il purè al chiosco della piazza. Si sedette su una panchina rivolta verso il mare, tenendo d'occhio con fare sospettoso i gabbiani che gli giravano intorno. Se solo ne avessero avuto l'occasione gli avrebbero fregato lo spuntino, quindi era meglio non perderli di vista. Maledetti uccellacci. Da bambino si divertiva a legare un pesce a un lungo pezzo di spago, tenendone in mano l'altra estremità. Così, quando il gabbiano, ignaro di quello che stava per succedere, ingoiava il pesce, lui si ritrovava con un aquilone vivo che svolazzava a mezz'aria in preda al panico. Un altro dei suoi passatempi preferiti era rubacchiare un po' di acquavite distillata clandestinamente da suo padre, immergerci dei pezzi di pane e poi lanciarli ai gabbiani. Vederli svolazzare avanti e indietro, completamente disorientati, lo divertiva molto. Alla sua età non osava più cimentarsi in quelle ragazzate, ma non gli sarebbe dispiaciuto affatto. Maledetti avvoltoi.

Con la coda dell'occhio vide un volto noto. Gabriel Hult stava accostando la Bmw al marciapiede di fianco al chiosco. Seduto sulla panchina, Ernst si raddrizzò. La stizza dovuta al fatto di esserne stato tagliato fuori l'aveva spinto a tenersi costantemente aggiornato sulle indagini sugli omicidi delle ragazze, quindi sapeva della testimonianza di Gabriel contro suo fratello. Magari... magari si può spremere qualcosa in più da questo stronzo con la puzza sotto il naso, pensò. Gli bastava pensare alla tenuta e ai terreni di proprietà di Gabriel Hult per avere l'acquolina in bocca. Dargli una strizzatina l'avrebbe fatto sentire meglio. Se poi fosse riuscito anche a scoprire qualcosa di nuovo, facendola pagare a quel maledetto Hedström, sarebbe stato ancora più bello.

Gettò nel cestino lì di fianco quel che restava dell'hot dog e del purè e si avviò a passo lento verso l'auto di Gabriel. La Bmw grigio metallizzato scintillava al sole ed Ernst non poté trattenersi dal passare invidioso una mano sul tettuccio. Quella sì che era una macchina. Quando vide uscire Gabriel dal chiosco con un giornale sotto il braccio, ritirò la mano di scatto. Hult guardò sospettoso Ernst, indolentemente appoggiato alla portiera del passeggero.

«Scusi, guardi che quella è la mia auto.»

«Già, già.» Ernst aveva sfoderato il tono più impertinente di cui disponeva. Meglio farsi rispettare da subito. «Ernst Lundgren, polizia di Tanumshede.»

Gabriel sospirò. «E adesso cos'altro c'è? Robert e Johan ne hanno combinata un'altra delle loro?»

Ernst fece un sorrisino storto. «Questo è poco ma sicuro, se li conosco bene, ma non ne sono al corrente in questo momento. No, ho qualche domanda da farle a proposito delle donne che abbiamo trovato a Kungsklyftan.» Accennò con la testa in direzione della tortuosa scaletta di legno che saliva lungo la parete rocciosa fino alla spaccatura.

Gabriel incrociò le braccia tenendo il giornale sotto l'ascella.

«E cosa dovrei saperne io? Non sarà mica di nuovo la vecchia storia di mio fratello, vero? Ho già risposto in proposito alle domande dei suoi colleghi. Inoltre è passato un sacco di tempo, e considerando gli avvenimenti di questi ultimi giorni dovrebbe essere chiaro che Johannes non aveva niente a che vedere con la faccenda, no? Guardi qui!»

Spiegò il giornale e lo mostrò a Ernst. In prima pagina, accanto a una foto sfocata di Tanja Schmidt, ne campeggiava una di Jenny Möller. Il titolo era, come prevedibile, alquanto vistoso.

«Secondo lei mio fratello sarebbe uscito dalla tomba per fare questo?» La voce vibrava di indignazione. «Quanto tempo dovete ancora sprecare a rivangare il passato della mia famiglia mentre il vero assassino gira libero per le strade? L'unica cosa che avete contro di noi è una testimonianza che ho rilasciato più di vent'anni fa, e certo a quell'epoca ne ero sicuro, diavolo! Era ancora quasi buio, avevo passato una notte di veglia al capezzale di mio figlio in fin di vita e può anche darsi che abbia semplicemente preso un abbaglio!»

A passi collerici fece il giro dell'auto fino alla portiera del guidatore e premette il pulsante sul telecomando per azionare l'apertura centralizzata. Prima di salire apostrofò Ernst con un'ultima battuta: «Se continuate così, dovrò contattare i nostri avvocati. Sono stufo di sentirmi addosso gli occhi della gente, e non ho intenzione di lasciarvi soffiare sul fuoco delle voci che girano sulla mia famiglia solo perché non avete niente di meglio da fare.»

Gabriel chiuse di scatto la portiera e partì sgommando, risalendo lungo Galärbacken a una velocità tale che i pedoni dovettero scansarsi.

Ernst ridacchiò tra sé e sé. Gabriel Hult aveva sicuramente i soldi, ma in quanto poliziotto lui aveva il potere di andare a ficcare il naso nel suo piccolo mondo di privilegi. Di colpo la vita gli parve molto più luminosa.

«Ci troviamo di fronte a una crisi che avrà ripercussioni in tutta la zona.» Stig Thulin, l'uomo forte del comune, trapanò con lo sguardo Mellberg, che non parve particolarmente impressionato.

«Be', come ho già detto sia a lei che agli altri che mi hanno telefonato, stiamo lavorando a pieno ritmo.»

«Io ricevo decine di telefonate al giorno da esercenti preoccupati, e capisco la loro preoccupazione. Ma li ha visti i campeggi e i porti? Le conseguenze non pesano solo sull'economia di Fjällbacka, il che sarebbe già abbastanza. A causa della scomparsa di quest'ultima ragazzina i turisti adesso scappano anche dalle località vicine. Grebbestad, Hamburgsund, Kämpersvik... perfino a Strömstad si comincia a notare qualcosa! Voglio sapere cosa state facendo in concreto per risolvere questa situazione!»

Stig Thulin, che in circostanze normali aveva un sorriso perenne stampato sulla faccia, mostrava in questo momento delle rughe d'indignazione sulla nobile fronte. Da oltre un decennio era il rappresentante più in vista del comune, e aveva anche una discreta fama di donnaiolo. Mellberg fu costretto ad ammettere che capiva come mai le donne della zona fossero così sensibili alle sue arti seduttive. Non che lui avesse tendenze di quel genere, si affrettò a far notare a se stesso, ma neanche un uomo poteva fare a meno di accorgersi che Stig Thulin era davvero in forma per avere cinquant'anni, con il fascino delle basette brizzolate combinato a quello degli occhi azzurri da ragazzino.

Gli rivolse un sorriso tranquillizzante. «Sa bene quanto me che non posso addentrarmi nei particolari, ma deve credermi sulla parola se le dico che stiamo utilizzando tutte le risorse che abbiamo a disposizione per cercare di trovare la giovane Möller e l'autore di questi orrendi crimini.»

«Ma siete davvero attrezzati per un'indagine di questo livello? Non dovreste chiamare rinforzi da... che ne so... Göteborg, magari?»

Le tempie grigie di Thulin erano sudate per l'eccitazione. Il consenso di cui godeva si basava in gran parte sulla soddisfazione degli esercenti nei confronti delle politiche del comune, ma l'agitazione degli ultimi giorni non faceva presagire nulla di buono per le prossime elezioni. D'altra parte, lui si trovava benissimo nei corridoi del potere, ed era consapevole del fatto che il suo status politico era fondamentale per avere successo a letto.

A questo punto anche sulla fronte non altrettanto nobile di Mellberg prese forma una ruga.

«Le assicuro che non abbiamo bisogno di alcun aiuto. E la sua domanda denota una scarsa fiducia nella nostra competenza. Finora non ci sono mai state lamentele in merito al nostro modo di lavorare, quindi non vedo motivi per cui in questo frangente si debbano avanzare delle critiche infondate nei nostri confronti.»

Grazie a una buona conoscenza dell'animo umano, che politicamente gli era servita parecchio, Stig Thulin capiva quando era il momento di fare marcia indietro. Inspirò profondamente, ricordando a se stesso che entrare in rotta di collisione con la polizia locale non sarebbe servito al suo scopo.

«Be', ammetto che forse la mia domanda è stata un po' inopportuna. È ovvio, voi godete della nostra massima fiducia. Ma voglio sottolineare ancora una volta la necessità di una pronta soluzione del caso!»

Mellberg assentì, e dopo le solite frasi di circostanza l'uomo forte del comune si congedò e uscì dalla stazione di polizia.

Melanie si scrutò con aria critica nello specchio a figura intera che aveva insistito le mettessero nella roulotte. Mica male, anche se un paio di chili in meno non le sarebbero dispiaciuti. Provò a tirare in dentro la pancia. Ecco, così andava meglio. Non intendeva mettere in mostra neanche un centimetro di ciccia e decise che d'ora in poi a pranzo avrebbe mangiato solo una mela, almeno per qualche settimana. Che sua madre dicesse pure quello che voleva: avrebbe dato qualsiasi cosa pur di non diventare grassa e ripugnante come lei.

Dopo avere sistemato il bikini un'ultima volta, prese la borsa e il telo da spiaggia. Stava per uscire quando sentì bussare alla porta. Era sicuramente qualcuno della compagnia che stava scendendo a fare il bagno e passava a chiamarla. Aprì, e in un attimo fu catapultata contro il tavolino da pranzo. Il dolore all'osso sacro le fece calare un velo nero sugli occhi, ed essendo rimasta senza fiato non riuscì a emettere suono. Un uomo entrò nella roulotte e Melanie frugò nella memoria per farsi venire in mente dove l'aveva già visto. Le era vagamente familiare, ma lo shock e il dolore le impedivano di ragionare lucidamente. Un pensiero prese però forma immediatamente: quello della scomparsa di Jenny. Il panico le sottrasse quel poco di razionalità che le restava, facendola accasciare indifesa.

Quando lui la tirò su per un braccio e la sospinse verso il letto, non oppose resistenza. Ma sentendo, terrorizzata, che le strattonava i lacci del bikini sulla schiena trovò la forza di mollare un calcio all'indietro. Aveva mirato all'inguine, ma lo colpì sulla coscia, e la risposta arrivò subito: l'uomo le assestò un pugno nello stesso punto in cui aveva sbattuto contro il tavolino, lasciandola di nuovo senza fiato. Si accasciò sul letto, arrendendosi. La forza dei colpi dell'uomo la faceva sentire piccola e inerme, e il suo unico pensiero era sopravvivere. Si preparò a morire come era ormai sicura che fosse morta Jenny.

Un rumore indusse l'uomo a voltarsi quando ormai era riuscito ad abbassare il tanga fino alle ginocchia. Prima che potesse reagire, qualcosa lo colpì alla testa. Con un verso gutturale cadde in ginocchio. Alle sue spalle Melanie vide Per, lo sfigato, con una mazza da pallabase in mano. Del tipo arrotondato, non piatto, fece in tempo a notare prima che diventasse tutto nero.

«Avrei dovuto riconoscerlo, porca troia!»

Martin batteva i piedi per la frustrazione, gesticolando verso l'uomo che in quel momento, manette ai polsi, veniva fatto salire a forza sull'auto della polizia.

«Come avresti potuto farlo, scusa? In prigione ha messo su almeno venti chili, e si è pure ossigenato i capelli. Non lo avrebbe riconosciuto neanche sua madre. E poi l'hai visto solo in fotografia.»

Patrik cercava come poteva di consolare Martin, ma aveva l'impressione di parlare a vuoto. Erano al campeggio di Grebbestad, accanto alla roulotte di Melanie e dei suoi genitori, e intorno a loro si era raccolta una folta schiera di curiosi. La ragazza era già stata portata in ambulanza all'ospedale di Uddevalla. I suoi erano a fare compere al centro commerciale di Svinesund quando Patrik li aveva rintracciati sul cellulare, e si erano precipitati, sotto shock, direttamente all'ospedale.

«L'ho guardato dritto in faccia, Patrik. Penso di avergli addirittura rivolto un cenno di saluto. Dev'essersi pisciato addosso dalle risate, quando ce ne siamo andati. E, come se non bastasse, la sua tenda era proprio accanto a quella di Tanja e Liese. Ma si può essere più cretini di così?»

Per sottolineare le parole si diede un pugno sulla fronte, e sentì l'angoscia risalire dal petto. Il gioco del "se soltanto" aveva già cominciato il suo diabolico carosello. Se soltanto avesse riconosciuto Mårten Frisk, forse adesso Jenny sarebbe stata nella roulotte con i suoi genitori. Se, se, se.

Patrik era ben consapevole di quanto stava succedendo nella mente di Martin, ma non sapeva quali parole potessero servire a lenire quel tormento. Probabilmente se fosse stato nei suoi panni avrebbe provato la stessa frustrazione, anche se sapeva benissimo che non aveva alcuna colpa. Sarebbe stato quasi impossibile riconoscere lo stupratore che cinque estati prima era stato arrestato dopo quattro violenze carnali. A quell'epoca Mårten Frisk era un diciassettenne magrolino con i capelli scuri che aveva usato un coltello per costringere le sue vittime a piegarsi alla sua volontà. Ora era una montagna di muscoli che evidentemente riteneva di poter contare sulla propria forza per dettare legge. Patrik sospettava anche che gli steroidi, che in prigione non erano poi tanto difficili da trovare, avessero giocato un ruolo importante nella trasfigurazione di Mårten, contribuendo non certo ad arginare la sua aggressività innata ma al contrario a trasformare delle braci semispente in un inferno furoreggiante.

Martin indicò un ragazzo che, a disagio, si teneva alla larga dal centro degli avvenimenti, rosicchiandosi nervosamente le unghie. La sua mazza da pallabase era stata presa in consegna dalla polizia. L'agitazione gli si leggeva in faccia: probabilmente si chiedeva se il braccio lungo della legge l'avrebbe considerato un eroe o, piuttosto, un criminale. Patrik fece cenno a Martin di seguirlo e andò dal ragazzo, che spostava il peso da un piede all'altro.

«Per Thorsson, vero?»

Cenno affermativo del capo.

Rivolto a Martin, Patrik spiegò: «È l'amico di Jenny Möller che mi ha detto che aveva intenzione di andare a Fjällbacka facendo l'autostop.»

Poi si rivolse a lui. «Ottimo tempismo, davvero. Come facevi a sapere che Melanie stava per essere violentata?»

Per abbassò gli occhi a terra. «Mi piace starmene seduto a osservare la gente che passa. Quello l'ho notato appena ha montato la tenda. C'era qualcosa in quel suo modo di darsi delle arie per farsi guardare dalle ragazzine. Pensava di essere un gran figo, con le sue braccia da gorilla. Mi sono accorto anche di come guardava le donne, soprattutto se non erano troppo vestite.»

«E oggi cos'è successo?» Impaziente, Martin cercò di farlo venire al dunque.

Ancora con lo sguardo puntato a terra, Per continuò: «L'ho visto che controllava i genitori di Melanie. Poi, quando sono andati via, è rimasto lì ad aspettare.»

«Per quanto tempo?» chiese Patrik.

Per ci pensò su. «Mah, forse cinque minuti. Dopodiché è andato dritto verso la roulotte di Melanie, a passi decisi, e io ho pensato che magari volesse provarci o qualcosa del genere, ma quando lei ha aperto lui si è lanciato dentro, e allora ho pensato: è stato lui a portarsi via Jenny. Sono andato a prendere una mazza e sono tornato lì e gliel'ho data in testa.»

A quel punto dovette fermarsi a prendere fiato, e per la prima volta alzò gli occhi e puntò lo sguardo dritto su Patrik e Martin. Videro che gli tremavano le labbra.

«Finirò nei guai per questa cosa? Per averlo colpito alla testa, intendo dire?»

Patrik gli appoggiò una mano sulla spalla per tranquillizzarlo.

«Credo di poterti garantire che non ci saranno conseguenze per te. Non che incoraggiamo la gente ad agire così, non fraintendermi, ma la verità è che se non fossi intervenuto tu lui probabilmente sarebbe riuscito a violentare Melanie.»

Il sollievo fece letteralmente afflosciare Per, ma dopo un attimo si raddrizzò di nuovo. «Può essere stato lui che... con Jenny...?»

Non riusciva neanche a pronunciare le parole, ma la sua domanda aveva dato forma ai pensieri di Patrik.

«Non lo so. Hai mai notato se guardava Jenny a quel modo?»

Per rifletté spasmodicamente, ma alla fine scosse la testa. «Non lo so. Voglio dire, lo faceva sicuramente, visto che fissava tutte le donne che passavano, ma non posso dire se l'abbia mai guardata in particolare.»

Ringraziarono Per e lo riconsegnarono ai suoi preoccupati genitori. Poi si avviarono verso la stazione di polizia. Forse quello a cui avevano dato febbrilmente la caccia in tutti quei giorni era proprio l'uomo che si trovava già lì, chiuso al sicuro. Entrambi incrociarono letteralmente le dita, sperando di non sbagliarsi.

Nella saletta l'atmosfera era carica di vibrazioni. Il pensiero di Jenny Möller incalzava tutti a cavare di bocca la verità a Mårten Frisk il più rapidamente possibile, ma sapevano anche che certe situazioni non si possono forzare. Era Patrik a condurre l'interrogatorio, e nessuno era rimasto sorpreso dalla sua richiesta di avere a fianco Martin. Dopo aver sbrigato le formalità snocciolando nomi, data e ora per il verbale, cominciarono con le domande.

«Sei in stato di fermo per tentato stupro nei confronti di Melanie Johansson. Hai qualcosa da dire in proposito?»

«Puoi scommetterci!»

Mårten era stravaccato sulla sedia, con uno degli enormi bicipiti appoggiato allo schienale. Era vestito da spiaggia, canottiera scollata e un paio di pantaloncini molto corti: il minimo quantitativo di stoffa per mettere in mostra il massimo quantitativo di muscoli. I capelli ossigenati erano un po' troppo lunghi e la frangia gli ricadeva continuamente sugli occhi.

«Non ho fatto niente contro la sua volontà, e se lei dice il contrario vuol dire che racconta palle! Avevamo deciso di vederci dopo che se ne fossero andati i suoi e stavamo proprio cominciando a divertirci quando ha fatto irruzione quel deficiente con la mazza da pallabase. A proposito, voglio sporgere denuncia per maltrattamento. Scrivetelo pure sui vostri taccuini.» Indicò i due blocchi davanti a Patrik e Martin e fece un sorriso storto.

«Di questo discuteremo dopo. Adesso parliamo delle accuse che riguardano te.»

La breve replica di Patrik riassumeva tutto il disprezzo che quell'uomo suscitava in lui. Nel suo mondo i bulli grandi e grossi che se la prendevano con le ragazzine appartenevano alla parte più meschina della società.

Mårten alzò le spalle come se la cosa gli fosse indifferente. Gli anni di prigione l'avevano formato a dovere. L'ultima volta che Patrik l'aveva avuto davanti era un diciassettenne magro e insicuro che aveva spiattellato i quattro stupri di cui si era reso colpevole subito dopo essersi seduto. Ma poi aveva imparato dai suoi compari più grandi, e la trasformazione fisica rifletteva evidentemente quella mentale. Ciò che era invece rimasto invariato era l'odio aggressivo nei confronti delle donne. Per quanto ne sapevano, in passato si era sfogato solo in stupri brutali, non in omicidi, ma la preoccupazione di Patrik era che gli anni di prigione avessero prodotto danni più gravi di quanto avrebbero potuto immaginare. Possibile che Mårten Frisk fosse diventato, da violentatore, omicida? E in questo caso, dov'era Jenny Möller e che nesso c'era tra lei e Mona e Siv? All'epoca dei loro omicidi Mårten Frisk non era neanche nato!

Patrik sospirò e continuò l'interrogatorio. «Facciamo finta di crederti. C'è comunque una sorprendente coincidenza che ci preoccupa, cioè che tu eri al campeggio di Grebbestad quando è scomparsa una ragazza di nome Jenny Möller e al campeggio di Sälvik, a Fjällbacka, quando è scomparsa una turista tedesca che è poi stata ritrovata assassinata. Anzi, occupavi addirittura la tenda accanto a quella di Tanja Schmidt e della sua amica. Un po' strano, ci pare.»

Mårten impallidì in maniera evidente. «Ma che cazzo! Io non c'entro niente.»

«Ma hai presente di chi stiamo parlando?»

Di malavoglia disse: «Be', certo che le ho viste quelle due lesbiche della tenda di fianco, ma non è il genere che mi arrapa, e poi erano un po' troppo vecchie per i miei gusti. Due racchie.»

Patrik pensò al viso di Tanja sulla fototessera, forse poco espressivo ma garbato, e si trattenne a stento dal tirare in faccia a Mårten il blocco che aveva davanti. Quando sollevò lo sguardo su di lui, era gelido.

«E Jenny Möller? Diciassette anni, carina, bionda. È proprio di tuo gusto, vero?»

Sulla fronte di Mårten si formarono delle goccioline di sudore. Aveva gli occhi piccoli e quando s'innervosiva batteva ritmicamente le palpebre. Come in quel momento.

«Io non c'entro. Non l'ho toccata, giuro!»

Alzò le braccia come a sottolineare la sua innocenza, e suo malgrado Patrik individuò una sfumatura di sincerità in quell'affermazione. Quando il discorso passava a Tanja e Jenny si comportava in maniera completamente diversa rispetto alla reazione che aveva alle domande su Melanie. Con la coda dell'occhio Patrik vide che anche Martin sembrava dubbioso.

«Okay, ammetto che la tipa oggi non era proprio del tutto convinta, ma dovete credermi, per le altre due non so di cosa stiate parlando! Giuro!»

Il panico trapelava chiaramente dalla voce di Mårten, e dopo un tacito scambio di sguardi Martin e Patrik decisero di interrompere l'interrogatorio. Purtroppo, gli credevano. Questo comportava che da qualche parte qualcun altro aveva con sé Jenny Möller, sempre ammesso che non fosse già morta. E d'un tratto la promessa fatta ad Albert Thernblad di scoprire l'assassino di sua figlia sembrò a Patrik molto molto difficile da mantenere.

Gösta era angosciato. Era come se tutt'a un tratto la vita avesse ripreso a formicolare in una parte del corpo rimasta addormentata per un pezzo. Il lavoro lo lasciava indifferente da tanto di quel tempo che era strano per lui provare qualcosa che fosse anche solo lontanamente simile al coinvolgimento emotivo. Bussò piano alla porta di Patrik.

«Posso?»

«Cosa? Ah, sì, certo.» Patrik alzò lo sguardo dalla scrivania con aria distratta.

Gösta entrò e si sedette, ma non disse niente, e dopo un po' Patrik dovette venirgli in aiuto. «Sì? C'è qualcosa che vuoi dirmi?»

Gösta si schiarì la voce e studiò attentamente le proprie

mani, appoggiate sulle ginocchia. «L'elenco mi è arrivato ieri.»

«Quale elenco?» Patrik aggrottò le sopracciglia.

«Quello degli stupratori della zona usciti di prigione. C'erano solo due nomi, e uno era quello di Mårten Frisk.»

«E questo muso lungo da cosa dipende?»

Gösta alzò gli occhi. L'angoscia aveva assunto la forma di un grosso grumo duro nello stomaco.

«Non ho fatto il mio dovere. Avevo pensato di controllare i nomi, chi erano, cosa facevano, e di andare a scambiare due parole con loro. Ma non mi sono preso la briga di farlo. È la pura verità, Hedström. Non l'ho fatto. E adesso...»

Patrik non rispose e si limitò ad aspettare il seguito.

«Se avessi fatto il mio lavoro quella ragazza forse non sarebbe stata aggredita e quasi violentata e magari avremmo anche avuto la possibilità di parlare con Frisk di Jenny con un giorno d'anticipo. Chissà, per lei potrebbe avere fatto la differenza tra la vita e la morte. Può darsi che ieri fosse viva e oggi sia morta. E questo solo perché io ho il culo pesante e non ho fatto il mio lavoro!» Si diede un pugno sulla coscia, con enfasi.

Dopo qualche attimo di silenzio, Patrik si allungò in avanti sulla scrivania. Quando parlò, il tono era comprensivo, non accusatorio come si era aspettato Gösta, che alzò lo sguardo sorpreso.

«In effetti, Gösta, a volte lasci parecchio a desiderare, e lo sappiamo sia tu che io. Ma non tocca a me affrontare il problema: è il nostro superiore a doverlo fare. Quanto a Mårten Frisk e al fatto che ieri non l'hai controllato, puoi dimenticartene. Prima di tutto, non l'avresti mai localizzato al campeggio così in fretta, ci avresti messo almeno due giorni. E poi non credo, purtroppo, che sia stato lui a prendere Jenny Möller.»

Gösta guardò sorpreso Patrik. «Ma io pensavo che il caso fosse praticamente chiuso...»

«Anch'io. Invece nel corso dell'interrogatorio né Martin né io abbiamo avuto quest'impressione.»

«Oh, maledizione.» Gösta rifletté in silenzio, ma l'angoscia non aveva ancora mollato la presa. «C'è qualcosa che posso fare?»

«Come ti dicevo, non siamo sicuri al cento per cento. Ma abbiamo fatto un prelievo a Frisk, così potremo stabilire definitivamente se è lui l'uomo giusto. Il campione è già partito per il laboratorio, e abbiamo specificato che è urgente, ma ti sarei grato se seguissi la cosa, sollecitandoli se necessario. Se fosse lui, ogni ora che passa potrebbe essere determinante per Jenny.»

«Certo, ci penso io. Gli starò addosso come un pitbull.»

Patrik sorrise. Se proprio avesse dovuto paragonare Gösta a un cane, avrebbe scelto, piuttosto, un vecchio beagle stanco.

Ansioso di rendersi utile, Gösta saltò su dalla sedia e si diresse a una velocità mai vista prima verso la porta. Il sollievo di non aver commesso un madornale errore lo faceva volare. Promise a se stesso che da quel momento avrebbe lavorato con il massimo impegno, magari addirittura facendo qualche ora di straordinario quella sera. Già, però aveva prenotato il campo per le cinque... be', poteva sempre farlo un'altra volta, lo straordinario.

Detestava dover camminare in mezzo alla sporcizia e a tutte quelle cianfrusaglie. Era come entrare in un altro mondo. Scavalcò cauta un mucchio di giornali, sacchetti della spazzatura e chissà cos'altro.

«Solveig?» Nessuna risposta. Premette la borsetta contro il petto e avanzò nell'ingresso. Eccola lì. Avvertì fisicamente la repulsione in tutto il corpo. La odiava più di quanto avesse mai odiato un essere umano, suo padre compreso, ma contemporaneamente dipendeva da lei, e a quel pensiero si sentiva sempre soffocare.

Vedendo Laine, Solveig sorrise.

«Oh, ma guarda chi arriva. Puntuale come sempre. Eh già, tu sì che sei una persona precisa, Laine.» Chiuse l'album che stava sistemando e le fece segno di sedersi.

«Preferisco lasciarteli subito, vado un po' di fretta...»

«Dai, Laine, conosci anche tu le regole del gioco. Prima un bel caffè, in tutta calma, e poi il pagamento. Sarebbe davvero scortesissimo da parte mia non offrirti niente.»

La voce grondava sarcasmo, ma Laine sapeva che era meglio non protestare. Quel balletto si era ripetuto innumerevoli volte nel corso degli anni. Diede una pulita con la mano a un angolo della panca e sedendosi non riuscì a trattenere una smorfia di disgusto. Dopo ogni visita in quella casa si sentiva sporca per ore.

Solveig si alzò sbuffando dalla sedia e ripose amorevolmente i suoi album. Mise in tavola due tazze sbreccate e Laine trattenne l'impulso di pulirne il bordo. Poi fu la volta di un cestino di sfogliatine sbriciolate. Solveig la invitò a servirsi. Lei ne prese un pezzetto e tra sé e sé si augurò che la visita finisse prestissimo.

«Vero che ci stiamo divertendo un sacco, eh?»

Solveig intinse voluttuosamente una sfogliatina nel caffè e fece l'occhiolino a Laine, che per tutta risposta tacque.

Lei continuò: «Vedendoci qui insieme come due vecchie amiche, nessuno potrebbe immaginare che una di noi abita nella casa padronale di una grande tenuta e l'altra in una catapecchia, vero?»

Laine chiuse gli occhi, sperando che quell'umiliazione si concludesse davvero in fretta. Fino alla volta successiva.

Strinse le mani sotto la tavola e ricordò a se stessa il motivo per cui si sottoponeva a quel tormento, un anno dopo l'altro.

«Sai cos'è che mi preoccupa, Laine?» Solveig parlava con la bocca piena, e le briciole cadevano sulla tavola.

«Che tu scateni la polizia contro i miei ragazzi. Lo sai, Laine, pensavo che io e te avessimo fatto un patto. Ma quando viene qui la polizia a sostenere qualcosa di assurdo come il fatto che i miei ragazzi sono venuti a rompere delle finestre da voi, be', è ovvio che mi faccio qualche domanda...»

Laine non riuscì a far altro che annuire.

«Credo di meritarmi delle scuse per questo, non pensi? Perché, come abbiamo spiegato alla polizia, i ragazzi sono stati qui con me tutta la sera, quindi non possono avere tirato dei sassi su alla tenuta.» Solveig bevve un sorso di caffè e fece un cenno a Laine con la tazza. «Allora? Sto aspettando.»

«Ti chiedo scusa.» Laine mormorò le parole tenendo lo sguardo basso, umiliata.

«Prego? Non ho sentito bene.» Solveig si portò dimostrativamente una mano dietro l'orecchio.

«Ti chiedo scusa. Devo essermi sbagliata.» Lo sguardo che rivolse alla cognata era di sfida, ma Solveig sembrò accontentarsi.

«Ecco fatto, così è tutto sistemato. Non è poi stato tanto difficile, no? Vediamo di sbrigare anche l'altra piccola faccenda?»

Si allungò in avanti sulla tavola, leccandosi le labbra. Laine tirò su di malavoglia la borsetta dalle ginocchia e ne estrasse una busta. Solveig si allungò a prenderla e ne contò avidamente il contenuto con le dita unte.

«Al centesimo. Come al solito. Eh già, è quel che ho

sempre detto: tu sì che sei una persona precisa, Laine. Tu e Gabriel siete molto precisi.»

Con la sensazione di essere incastrata in una ruota per criceti, Laine si alzò e si diresse verso la porta. Una volta fuori, inspirò profondamente la frizzante aria estiva. Solveig le gridò dietro: «Mi fa sempre piacere fare una chiacchieratina, Laine! Ci vediamo il mese prossimo!»

Laine chiuse gli occhi, costringendosi a respirare con calma. A volte si chiedeva se ne valesse davvero la pena.

Poi ricordò il tanfo dell'alito di suo padre nell'orecchio e il motivo per cui la tranquillità che si era creata attorno doveva essere preservata a ogni costo. Doveva valerne la pena per forza.

Appena entrato si accorse che qualcosa non andava. Erica era seduta nella veranda, di spalle, ma la sua postura indicava che c'era un problema. Per un attimo si sentì sopraffare dall'angoscia, ma subito si rese conto che, se il bambino fosse stato in pericolo, l'avrebbe cercato sul cellulare.

«Erica?»

Lei si girò, gli occhi rossi di pianto. In due passi la raggiunse e le si sedette accanto sul divano di vimini.

«Ma tesoro, cosa succede?»

«Ho litigato con Anna.»

«Per cosa?»

Conosceva bene tutti gli alti e bassi del loro complicato rapporto e i motivi per cui sembravano essere sempre sul punto di entrare in rotta di collisione, ma da quando Anna aveva rotto con Lucas pareva che fosse in atto una sorta di tregua. Patrik si chiese cosa fosse andato storto questa volta.

«Non ha mai denunciato Lucas per quello che ha fatto a Emma.»

«Ma cosa dici?»

«Sì, e adesso che Lucas ha avviato un contenzioso legale per l'affido io pensavo che quello fosse il suo asso nella manica. E invece contro di lui non c'è niente, così avrà modo di mettere insieme un sacco di bugie per dimostrare che Anna non è una madre adeguata.»

«Sì, però non ha prove.»

«No, e noi lo sappiamo. Ma cosa succederà se riuscirà a gettarle addosso tanto di quel fango da risultare credibile almeno in parte? Sai quanto è ingegnoso. Non sarei affatto sorpresa se riuscisse a infinocchiare i giudici e li portasse dalla sua parte.» Erica nascose disperata il viso contro la spalla di Patrik. «Se Anna perdesse i bambini, andrebbe a fondo.»

Patrik la strinse a sé per calmarla.

«Non lasciamo correre troppo la fantasia. È stato sciocco da parte di Anna non denunciarlo, ma in un certo senso la capisco. Lucas le ha dimostrato una volta dopo l'altra che non è uno con cui si possa scherzare, quindi non è strano che abbia paura.»

«Sì, hai ragione. Ma la cosa che più mi ha ferita è che mi abbia mentito per tutto questo tempo. Mi sento ingannata. Ogni volta che le chiedevo a che punto era, mi rispondeva in maniera evasiva che la polizia a Stoccolma ha talmente tanto da fare che ci vuole molto tempo perché si occupi di una nuova denuncia. Be', lo sai anche tu cosa diceva. Ed erano tutte bugie. Solo che, in qualche modo, riesce sempre a fare di me la cattiva della situazione.» Nuovo attacco di pianto.

«Dai, amore, adesso calmati. Non vorrai mica che il nostro piccolino abbia l'impressione di essere finito in una valle di lacrime!»

Erica non poté trattenere una risatina e si asciugò gli occhi con la manica.

«Adesso ascoltami» continuò Patrik. «A volte il rapporto tra te e Anna somiglia più a quello tra madre e figlia che a quello tra due sorelle, ed è questo che incasina sempre tutto. Tu ti sei occupata di lei al posto di vostra madre e questo implica che ha bisogno delle tue attenzioni, ma allo stesso tempo sente la necessità di emanciparsi da te. Capisci cosa intendo?»

Erica annuì. «Sì, lo so, ma mi sembra una vera ingiustizia essere punita perché mi sono presa cura di lei.» Qualche altro singhiozzo.

«Adesso mi sembra tu stia scivolando nell'autocommiserazione...» Le scostò una ciocca di capelli dalla fronte. «Tu e Anna risolverete tutto come avete sempre fatto, prima o poi, ma questa volta sei tu quella che può essere più generosa. Anna non è in una fase facile. Lucas è un avversario potente e sinceramente capisco che lei possa essere terrorizzata. Quindi, prima di commiserarti troppo, pensa anche a questo.»

Erica si sciolse dall'abbraccio e lo guardò imbronciata. «Ma scusa, non dovresti prendere le mie parti?»

«È quello che sto facendo.» Le accarezzò la testa, e tutt'a un tratto parve essere distante decine di chilometri.

«Scusami, io sono qui che frigno sui miei problemi... a voi come sta andando?»

«Non parlarmene. Oggi è stata una vera giornata di merda.»

«Ma non puoi addentrarti nei particolari» completò la frase Erica.

«Esatto. Ma, come ti dicevo, è stata una giornata di merda.» Sospirò, ma poi si riscosse. «Cosa dici, organizziamo una seratina speciale? Abbiamo l'aria di avere tutti e due bisogno di tirarci un po' su. Io vado in pescheria a comprare qualcosa di buono, e intanto tu apparecchi. Ti va?»

Erica annuì e alzò il viso in attesa di un bacino. Aveva i suoi lati positivi, il padre del suo piccolo.

«Compra anche un po' di patatine e salsine varie, per favore! Tanto vale che ne approfitti, visto che sono già una balena!»

Lui rise. «Sarà fatto, capo.»

Martin batté irritato la penna sulla scrivania. Ce l'aveva con se stesso. Gli eventi del giorno prima gli avevano fatto completamente dimenticare che doveva telefonare al padre di Tanja Schmidt. Avrebbe voluto prendersi a calci da solo. L'unica scusa che gli veniva in mente era che, con la cattura di Mårten Frisk, non l'aveva più considerata una priorità. Probabilmente non sarebbe riuscito a trovarlo prima di sera, ma poteva fare un tentativo. Guardò l'orologio. Le nove. Prima di chiedere a Pia se poteva fargli da interprete, decise di controllare se il signor Schmidt fosse in casa.

Uno squillo, due, tre, quattro. Al quinto, quando ormai stava pensando di riattaccare, sentì rispondere una voce intrisa di sonno. Imbarazzato per averlo svegliato, Martin riuscì a spiegare in un tedesco alquanto incerto chi era e che avrebbe richiamato subito. Per sua fortuna, all'azienda di promozione turistica Pia rispose subito. Era disponibile ad aiutarlo, così qualche minuto più tardi aveva in linea entrambi.

«Innanzitutto, vorrei farle le mie condoglianze.»

L'uomo all'altro capo del filo ringraziò a voce sommessa per la premura, ma Martin avvertì il suo dolore sotto forma di una sorta di pesante velo che si stendeva sulla conversazione. Esitò, incerto su come continuare. La voce dolce di Pia traduceva tutto, ma tra una frase e l'altra, mentre lui rifletteva, si sentiva solo il loro respiro.

«Sapete chi ha fatto questo a mia figlia?»

La voce tremava leggermente, e in quel momento la traduzione di Pia non sarebbe stata necessaria. Martin capiva lo stesso.

«Non ancora. Ma lo scopriremo.»

Come Patrik durante il colloquio con Albert Thernblad, Martin si chiese se stava promettendo troppo, ma non aveva potuto fare a meno di tentare di lenire il dolore di quell'uomo nell'unico modo che conosceva.

«Abbiamo parlato con la compagna di viaggio di Tanja. Sostiene che sua figlia era venuta a Fjällbacka per una ragione precisa. Ma quando abbiamo parlato con l'ex marito di Tanja lui non è riuscito a farsi venire in mente niente. Lei sa qualcosa?»

Martin trattenne il respiro. Seguì un silenzio lungo, lunghissimo. Poi il padre di Tanja cominciò a parlare.

Quando finalmente l'uomo riattaccò, Martin si chiese se poteva davvero credere alle sue orecchie. Quella storia era troppo assurda, ma conteneva ugualmente un che di inequivocabilmente vero, tanto che era difficile non crederci. Stava per riattaccare anche lui quando si rese conto di avere ancora in linea Pia. Esitante, lei gli chiese: «Sei riuscito a sapere quello che ti serviva? Spero di aver tradotto tutto.»

«La traduzione era perfetta. E sì, ho saputo quello che mi serviva. Non c'è bisogno che te lo chieda, ma...»

«Lo so, non devo dire niente a nessuno. Prometto di non farne parola.»

«Benissimo. Ah, senti...»

«Sì?»

Aveva sentito bene? Era possibile che il tono lasciasse spazio a una speranza? Gli mancò il coraggio, e poi gli sembrava che l'occasione non fosse quella giusta.

«No, niente. Ne parliamo un'altra volta.»

«Okay.»

Gli sembrò di avvertire una sfumatura di delusione, ma dopo gli ultimi fallimenti sul fronte amoroso la sua autostima era ancora troppo malconcia per illudersi che non fosse uno scherzo della sua fantasia.

Dopo aver ringraziato Pia e riattaccato, i pensieri corsero però a tutt'altro. Ricopiò al computer gli appunti presi durante la telefonata e dopo averli stampati li portò a Patrik. Finalmente una svolta.

Quando s'incontrarono, erano entrambi sulla difensiva. D'altra parte era la prima volta che si rivedevano dopo il catastrofico litigio nella casa padronale di Västergården, e ciascuno dei due aspettava che fosse l'altro a fare il primo passo. Dato che era stato Johan a telefonare e che Linda si sentiva ancora abbastanza in colpa, alla fine fu lei a prendere la parola.

«Senti, l'altro giorno ho detto delle cose cattive. Non volevo. È solo che mi sono incazzata di brutto.»

Erano seduti, come al solito, in cima a un mucchio di fieno, e quando Linda lo guardò si accorse che il profilo di Johan era come scolpito nella pietra. Poi però i lineamenti si addolcirono.

«Ma va', lascia perdere. Anche io ho reagito in maniera eccessiva. È solo che...» esitò cercando le parole giuste «... è solo che è stato difficilissimo ritrovarmi lì con tutti quei ricordi. Tu non c'entravi più di tanto.»

Con gesti ancora un po' esitanti, Linda gli si raggomitolò contro e lo cinse con le braccia. Inaspettatamente, il litigio le aveva ispirato un certo rispetto nei suoi confronti. Lo aveva sempre visto come un ragazzino, uno che dipendeva dalla madre e dal fratello, ma quel giorno aveva scoperto un uomo, e la cosa la intrigava. La intrigava moltissimo. Aveva scoperto anche un certo rischio in quella storia, e anche questo aumentava la forza di attrazione nei suoi confronti. Gli aveva letto negli occhi che si era trattenuto a stento dall'alzare le mani, e in quel momento, mentre premeva la guancia contro la sua schiena, al ricordo si sentì vibrare dentro. Era come volare vicino a una fiammella, abbastanza vicino, per avvertirne il calore, e abbastanza lontano, per evitare la fiamma. Se c'era una persona in grado di restare in equilibrio su quel filo sottile, era lei.

Fece scivolare le mani in avanti, affamata e imperiosa. Avvertiva ancora una certa resistenza in lui, ma era sicura di essere quella che comandava, nel loro rapporto. Dopotutto era basato solo su un'attrazione fisica, e in quel campo riteneva che le donne in generale e lei in particolare fossero in vantaggio. Un vantaggio che intendeva sfruttare. Soddisfatta, si accorse che il respiro gli si faceva affannoso e la resistenza si allentava.

Si spostò sulle sue ginocchia e quando le lingue s'incontrarono seppe che era uscita vittoriosa dalla battaglia. Un'illusione che durò solo fino a quando sentì Johan afferrarla per i capelli e piegarle con forza la testa all'indietro in modo da poterla guardare negli occhi, dall'alto in basso. Se l'intenzione era di farla sentire piccola e impotente, ci era riuscito. Per un attimo gli vide nello sguardo lo stesso guizzo della volta del litigio e si chiese se, gridando, la sua voce sarebbe riuscita ad arrivare fino alla casa padronale. Probabilmente no.

«Lo sai? Devi essere gentile con me. Altrimenti può darsi che un uccellino sussurri alla polizia quello che ho visto qui.»

Linda sbarrò gli occhi. La voce le uscì in un sussurro: «Non lo farai, vero? Avevi promesso, Johan.»

«A sentire quello che dice la gente, una promessa da parte di un membro della famiglia Hult non vale granché. Dovresti saperlo.»

«Non puoi, Johan. Per favore. Farò tutto quello che vuoi.»

«Ah ecco! Meno male che il sangue non è acqua!»

«Lo dici tu stesso che non riesci a capire come mio padre abbia potuto comportarsi così con zio Johannes. Intendi fare la stessa cosa?» La voce era implorante. La situazione le era del tutto sfuggita di mano e, confusa, si chiese come era potuta finire in posizione d'inferiorità, quando fino a poco prima era lei ad avere il controllo.

«Perché non dovrei? In un certo senso si potrebbe dire che è il karma. Il cerchio si chiude.» Fece un sorriso cattivo. «Ma forse non hai tutti i torti. Va bene, starò zitto. Però non dimenticarti che posso cambiare idea in qualsiasi momento, quindi sarà bene che tu sia gentile con me... amore.»

Le accarezzò il viso, tenendola però ancora dolorosamente stretta per i capelli con l'altra mano. Poi le portò la testa ancora più in basso. Lei non protestò. L'equilibrio di potere era decisamente cambiato.

Estate 1979

Si svegliò sentendo qualcuno che piangeva nel buio. Era difficile localizzare la fonte del rumore, ma si trascinò lentamente finché non sentì della stoffa e qualcosa che si muoveva sotto le sue dita. Il fagotto sul pavimento si mise a gridare di terrore, ma lei lo calmò, accarezzando i capelli della ragazza. Sapeva bene quale tormento fosse il terrore, prima di cedere il posto a un sordo sconforto.

Era consapevole del proprio egoismo, ma non poté fare a meno di rallegrarsi di non essere più sola. Le sembrava che fosse passata un'eternità dall'ultima volta che era stata in compagnia di un altro essere umano, eppure non pensava che si trattasse di più di qualche giorno. Era difficile tenere il conto del tempo, al buio. Il tempo era qualcosa che esisteva solo lassù. Alla luce. Lì sotto, invece, era un nemico che la teneva prigioniera nella consapevolezza che esisteva una vita, forse già sfuggita.

Quando il pianto della ragazza si fu esaurito, arrivò la cascata di domande. Lei non aveva risposte da dare. Cercò invece di spiegarle l'importanza di assecondare senza combatterlo il male sconosciuto. Ma la ragazza non voleva capire. Piangeva e domandava, pregando e implorando un dio in cui lei non aveva mai creduto, se non forse qualche rara volta da bambina. Per la prima volta si ritrovò a sperare di avere torto e che un dio esistesse davvero. Come avrebbe potuto vivere altrimenti la sua bambina, senza una madre e senza un dio a cui affidarsi? Era stato per amore della figlia che aveva ceduto alla paura, sprofondandovi, e l'ostinazione dell'altra ragazza nel combatterla cominciò a irritarla. Una volta dopo l'altra cercò di spiegarle che non serviva a niente, ma lei non voleva ascoltarla. Presto l'avrebbe contagiata con la sua bellicosità e di lì al ritorno della speranza, la speranza che l'avrebbe resa vulnerabile, il passo era breve.

Sentì la botola che veniva spostata e i passi che si avvicinavano. Si affrettò a scostare la ragazza, che le aveva appoggiato la testa sulle ginocchia. Forse avrebbe avuto fortuna, forse lui avrebbe fatto del male all'altra invece che a lei, per questa volta.

Il silenzio era assordante. Le chiacchiere di Jenny avevano sempre riempito lo spazio ristretto della roulotte, ma ora regnava il vuoto. Erano seduti uno di fronte all'altra al tavolino da pranzo, ciascuno nella propria bolla. Ciascuno nel proprio mondo di ricordi.

Diciassette anni sfilavano davanti ai loro occhi come un film interiore. Kerstin avvertiva il peso del corpicino appena nato di Jenny. Inconsapevolmente, inarcò le braccia come se la stringesse al seno. Quella neonata era cresciuta, e sembrava che fosse successo tutto così in fretta. Troppo in fretta. Perché ultimamente avevano sprecato tanto tempo in battibecchi e litigi? Se avesse saputo quello che stava per succedere non avrebbe rivolto a Jenny una sola parola rabbiosa. Lì seduta, con un buco nel cuore, giurò a se stessa che se solo si fosse sistemato tutto non avrebbe mai più alzato la voce con lei.

Bo sembrava l'immagine riflessa del suo caos interiore. Nel giro di un paio di giorni era invecchiato di dieci anni e il viso era solcato da rughe, rassegnato. Sarebbe stato il momento di avvicinarsi, di sostenersi a vicenda, ma il terrore li paralizzava.

Gli tremavano le mani. Le allacciò sul tavolino nel tentativo di fermare il tremito, ma accorgendosi che sembrava un gesto di preghiera sciolse immediatamente le dita. Non osava ancora invocare poteri ultraterreni: sarebbe stato come riconoscere ciò che ancora non voleva affrontare. Si aggrappava alla vana speranza che la figlia si fosse lanciata in un'avventura irresponsabile. Ma nel profondo di se stesso sapeva che era passato troppo tempo perché fosse un'ipotesi credibile. Jenny era troppo premurosa, troppo affettuosa per preoccuparli così. Certo i loro litigi li avevano avuti, soprattutto negli ultimi due anni, ma la certezza che il legame che li univa fosse fortissimo non era mai venuta meno. Lui sapeva che lei voleva bene a entrambi e l'unico motivo possibile del suo mancato rientro era inconcepibile nella sua mostruosità. Era successo qualcosa. Qualcuno aveva fatto qualcosa alla loro amata Jenny. Ruppe il silenzio, ma la voce gli si incrinò e prima di poter continuare dovette schiarirsela.

«Telefoniamo di nuovo alla polizia per sapere se hanno scoperto qualcosa di nuovo?»

Kerstin scosse la testa. «Abbiamo già chiamato due volte, oggi. Se sanno qualcosa, si fanno vivi loro.»

«Ma non possiamo starcene qui seduti e basta, maledizione!» Si alzò di scatto, sbattendo la testa contro il pensile. «Merda, si sta troppo stretti qui! Perché abbiamo dovuto portarla per forza in vacanza in roulotte, quando lei non voleva saperne! Se solo fossimo rimasti a casa e le avessimo permesso di stare con i suoi amici, invece di costringerla a starsene rinchiusa in questo stramaledetto buco con noi!»

Si scatenò contro il pensile e Kerstin lo lasciò fare. Quando la rabbia si stemperò nel pianto, si alzò senza una parola e lo cinse con le braccia. Restarono così a lungo, in silenzio, finalmente riuniti nel terrore e in un dolore che, per quanto avessero cercato di tenersi aggrappati alla spe-

ranza, aveva già cominciato a riscuotere il suo tributo.
Tra le braccia, Kerstin sentiva ancora il peso di Jenny neonata.

Questa volta quando imboccò Norra Hamngatan brillava il sole. Patrik esitò un secondo prima di bussare. Poi il senso del dovere prese il sopravvento e, deciso, diede un paio di colpi alla porta. Non aprì nessuno. Tentò una seconda volta, ancora più forte. Ancora nessuna risposta. Ecco, lo sapeva. Avrebbe dovuto telefonare prima di venire. Ma quando era arrivato Martin per raccontargli quello che aveva detto il padre di Tanja aveva reagito d'impulso. Si guardò intorno. Davanti alla casa accanto, una donna si stava occupando di alcune piante in vaso.

«Scusi, per caso sa dove sono gli Struwer? La loro auto è qui, quindi pensavo che fossero in casa.»

Interrompendosi, la donna fece un cenno verso il mare con la testa. «Sono al capanno.» Con una paletta da giardinaggio indicò uno dei casotti rossi un tempo utilizzati per le attrezzature da pesca.

Patrik ringraziò e scese lungo una scaletta di pietra fino alla fila di capanni. Sul pontile c'era una sedia a sdraio su cui Gun stava prendendo il sole con un bikini minimale. Notò che anche il corpo era abbronzatissimo quanto il viso, e anche altrettanto rugoso. Evidentemente alcune persone non si curavano del rischio del melanoma. Si schiarì la voce per attirare la sua attenzione.

«Buongiorno, mi scusi se la disturbo, ma volevo fare due chiacchiere con lei, se possibile.» Patrik aveva assunto il suo tono formale, come sempre quando doveva dare brutte notizie. Poliziotto, non essere umano: era l'unico modo per dormire la notte.

«Sì, certo...» La risposta suonava come una domanda.

«Un attimo, vado a mettermi qualcosa.» E Gun entrò nel capanno.

Patrik si sedette e si concesse di godersi il panorama. Il porto era più vuoto del solito, ma il mare scintillava e i gabbiani sorvolavano indifferenti i pontili a caccia di cibo. Ci volle un po' di tempo, ma quando Gun finalmente tornò aveva un paio di shorts e una canottiera ed era accompagnata da Lars, che salutò serio Patrik e si sedette insieme alla moglie.

«Cos'è successo? Avete trovato chi ha ucciso Siv?» La voce di Gun era concitata.

«No, non è per questo che sono qui.» Patrik fece una pausa e pesò le parole da dire. «Vede, stamattina abbiamo parlato con il padre della giovane tedesca che abbiamo trovato insieme a Siv.» Di nuovo una pausa.

Gun sollevò le sopracciglia in un'espressione interrogativa. «Sì?»

Patrik disse il nome del padre di Tanja e la reazione di Gun non lo deluse: la donna trasalì, boccheggiando. Lars la guardò sorpreso. Non era abbastanza informato per capire il nesso.

«Ma come? È il padre di Malin! Cosa sta dicendo? Malin è morta!»

Era difficile esprimersi in modo diplomatico. Ma non era nemmeno tenuto a farlo. Decise di dire le cose come stavano e basta.

«Non era morta. Era una scusa. Pare che le sue richieste di rimborso, Gun, fossero diventate, come dire, assillanti. Per questo aveva imbastito la storia della morte della bambina.»

«Ma la ragazza che è morta qui si chiamava Tanja, non Malin.» Gun aveva l'aria perplessa.

«Evidentemente le ha anche cambiato nome, scegliendone uno che suonasse più tedesco. Ma non ci sono dubbi sul fatto che Tanja era sua nipote Malin.»

Per una volta Gun Struwer ammutolì, poi cominciò a ribollire. Lars tentò di metterle una mano sulla spalla per calmarla, ma lei la scosse via.

«Chi si crede di essere, quello! Ma hai sentito che sfacciataggine, Lars? Mentirmi dicendo che la mia nipotina, il sangue del mio sangue, era morta! Per tutti questi anni è stata benissimo e io invece ero qui che credevo che la mia piccolina avesse avuto un terribile incidente! E ha anche il coraggio di affermare che l'ha fatto perché io ero assillante! Ma ti sembra, Lars? Solo perché pretendevo quello che mi spettava, mi si accusa di essere stata assillante!»

Ancora una volta Lars cercò di calmarla, ma lei si scrollò la mano di dosso. Era talmente indignata che agli angoli della bocca le si erano formate delle bollicine di saliva.

«Ah, ma adesso mi sente! Voi avete il suo numero di telefono, no? Be', allora datemelo, per favore, così glielo dico io, a quello stronzo di un tedesco, cosa penso di tutta questa storia!»

Dentro di sé Patrik sospirò profondamente. Capiva che la donna aveva il diritto di essere indignata, ma a suo modo di vedere l'implicazione principale di quanto le aveva appena detto le era completamente sfuggita. Lasciò che si sfogasse un po' e poi disse, con la massima calma: «Capisco che per lei sia difficile accettarlo, ma quella che abbiamo trovato assassinata una settimana fa, insieme a Siv e Mona, è sua nipote. Quindi devo chiedervi: non avete avuto alcun contatto con una ragazza di nome Tanja Schmidt, non si è fatta viva con voi in alcun modo?»

Gun scosse la testa decisa, ma Lars pareva pensoso. Dopo un attimo, disse esitante: «C'è stato qualcuno che ha chiamato, più volte, senza poi dire nulla. Te lo ricordi, no, Gun? Dev'essere successo due o tre settimane fa, credevamo che fosse qualche ragazzino che aveva voglia di scherzare. Pensa che possa essere stata...?»

Patrik annuì. «È probabile. Suo padre le aveva confessato tutto un paio d'anni fa, e forse lei ha provato a riprendere contatto con voi. È anche andata in biblioteca a fotocopiare alcuni articoli sulla scomparsa di sua madre, quindi dev'essere venuta qui per cercare di scoprire cosa le era successo.»

«Povero tesorino.» Gun aveva capito cosa ci si aspettava da lei e ora stava piangendo lacrime di coccodrillo. «E pensare che era ancora viva, e così vicina! Se solo fossimo riuscite a vederci prima... Che razza di persona è quella che mi ha fatto tutto questo? Prima Siv e poi la piccola Malin.» D'un tratto le sorse un dubbio. «Credete che sia in pericolo anch'io? C'è qualcuno che mi vuole fare del male? Ho bisogno della scorta della polizia?» Lo sguardo di Gun passò eccitato da Patrik a Lars.

«Non penso sia necessario. Non riteniamo che gli omicidi abbiano a che vedere con lei, quindi se fossi nei suoi panni non mi preoccuperei.» Poi non riuscì a resistere alla tentazione: «Inoltre l'assassino sembra orientato esclusivamente verso le donne *giovani*.»

Si pentì subito e si alzò per indicare che il colloquio era terminato. «Mi dispiace veramente di avervi dato questa brutta notizia, ma vi sarei grato se mi chiamaste, nel caso vi venisse in mente qualcos'altro. Per cominciare, faremo qualche controllo sulle telefonate che avete ricevuto.»

Prima di andarsene, diede un'ultima occhiata invidiosa al panorama. Gun Struwer era la dimostrazione definitiva del fatto che le cose belle non toccano in sorte solo a chi se le merita.

«Cos'ha detto?»

Martin era seduto nella saletta del personale insieme a Patrik. Come al solito il caffè era rimasto nella brocca sulla piastra elettrica per troppo tempo, ma ormai si erano abituati e lo bevevano lo stesso a grandi sorsi.

«Non dovrei dirlo, ma che persona odiosa. La cosa che più l'ha turbata non è stata il fatto di essersi persa tanti anni della vita di sua nipote, e neanche che fosse appena stata assassinata, ma che il padre avesse escogitato un sistema tanto efficace per mettere fine ai suoi tentativi di spillargli soldi.»

«Che schifo.»

Rimasero per un po' a ponderare la meschinità dell'essere umano, in un'atmosfera cupa. Alla stazione regnava un silenzio inusuale. Mellberg doveva essersi concesso una lunga dormita e non era ancora comparso, e Gösta ed Ernst erano fuori a caccia di pirati della strada, o meglio, stavano bevendo tranquilli il caffè in una piazzola di sosta nella speranza che i pirati si facessero avanti presentandosi spontaneamente e chiedendo di essere accompagnati in prigione. "Prevenzione sul campo", pare che la chiamassero. E in un certo modo avevano ragione. Se non altro, finché se ne stavano seduti lì, in quella piazzola specifica il rischio di incidenti diminuiva in maniera drastica.

«Ma secondo te che obiettivo si era prefissata venendo qui? Non penso si fosse messa in testa di giocare alla detective per scoprire che fine avesse fatto sua madre!»

Patrik scosse la testa. «No, non lo credo neanch'io. Però capisco che potesse essere curiosa di sapere cos'era successo. Voleva vedere questo posto con i suoi occhi. Prima o poi si sarebbe sicuramente messa in contatto anche con la nonna, per quanto non credo che il ritratto che gliene deve aver fatto suo padre fosse dei più lusinghieri, quindi posso capire che abbia esitato. Non mi sorprenderebbe affatto se dai tabulati della Telia saltasse fuori che le chiamate a Lars e Gun Struwer partivano da uno dei telefoni pubblici di Fjällbacka, magari proprio quello del campeggio.»

«Ma come è finita a Kungsklyftan insieme allo scheletro di sua madre e a quello di Mona Thernblad?»

«Mah, non ne so più di te. L'unica possibilità che mi viene in mente è che abbia scoperto per caso qualcosa, o meglio qualcuno, che aveva a che fare con la scomparsa di sua madre e di Mona.»

«Se è così, Johannes è automaticamente escluso. È al sicuro in una tomba nel cimitero di Fjällbacka.»

Patrik alzò gli occhi. «Lo sappiamo per certo? Sappiamo oltre ogni ragionevole dubbio che è morto?»

Martin rise. «Stai scherzando? Si è impiccato nel 1979. Difficile essere più morti di così!»

Nella voce di Patrik si era insinuata un'ombra di eccitazione. «So che suona incredibile, ma ascoltami un attimo: metti che la polizia avesse cominciato ad avvicinarsi troppo alla verità e che lui sentisse di avere il fuoco al sedere. Essendo un Hult è in grado di procurarsi grosse somme di denaro, da solo o grazie a suo padre. Qualche bustarella qui, qualche bustarella là, e voilà: ecco che si ritrova con un falso certificato di morte e una bara vuota.»

Martin rideva. «Ma dai, sei fuori! Guarda che è di Fjällbacka che stiamo parlando, non della Chicago degli anni venti! Sei certo di non essere rimasto troppo a lungo sul pontile? No perché, da quello che dici, sembra che tu ti sia preso un bel colpo di sole! Considera anche solo il fatto che è stato suo figlio a trovarlo. Come si fa a far raccontare a un bambino di quattro anni una cosa che non è vera?»

«Non lo so, ma ho intenzione di accertarmene. Vieni con me?»

«Dove?»

Patrik alzò gli occhi al cielo e rispose scandendo ogni parola.

«A parlare con Robert, no?»

Sospirando, Martin si alzò e disse: «Come se non avessimo abbastanza da fare.» Mentre uscivano, gli venne in mente una cosa: «E il concime? Avevo pensato di occuparmene prima di pranzo.»

«Chiedi ad Annika di farlo» replicò Patrik.

Martin si fermò da Annika, che al momento non era troppo impegnata e non aveva nulla in contrario a occuparsi di qualcosa di concreto, e le passò le informazioni che le servivano.

Tuttavia non poté fare a meno di chiedersi se non stavano sprecando tempo prezioso. La teoria di Patrik gli pareva campata in aria, troppo fantasiosa per avere un qualche nesso con la realtà. Ma il responsabile dell'indagine era lui...

Annika si dedicò subito alla nuova ricerca. Le ore precedenti erano state frenetiche per lei, dato che aveva dovuto organizzare e coordinare le operazioni di ricerca di Jenny nei dintorni. Ora però le battute erano state interrotte e, con la partenza di gran parte dei turisti in seguito agli ultimi eventi, il centralino era diventato silenzioso quasi come uno spettro. Perfino i giornalisti avevano cominciato a perdere interesse per la vicenda, a favore di altre, più succulente.

Guardò il foglietto su cui aveva annotato le informazioni che le aveva lasciato Martin, poi cercò un numero sull'elenco telefonico. Dopo che la chiamata fu rimpallata da un ufficio all'altro dell'azienda, finalmente ebbe il nome del responsabile delle vendite. Venne messa in attesa con tanto di musica in sottofondo e sfruttò quell'intervallo per tornare con la mente alla settimana trascorsa in Grecia, che sembrava ormai lontanissima. Al ritorno si sentiva riposata, forte e bella, ma il rientro alla stazione di polizia l'aveva travolta e gli effetti benefici della vacanza si erano volatilizzati. Rivide davanti a sé, piena di nostalgia, le spiagge bianche, l'acqua turchese e le grandi scodelle di tzatziki. Sia lei che il marito avevano accumulato un paio di chili, grazie alla piacevole dieta mediterranea, ma la cosa non li preoccupava. Nessuno dei due era mai stato particolarmente minuto, sia in altezza che in larghezza, ma l'avevano accettato come uno dei fatti della vita, restando felicemente indifferenti ai consigli dietetici delle riviste. Quando, a letto, si abbracciavano, le loro curve si adattavano perfettamente le une alle altre, trasformandoli in un'unica massa calda e ondeggiante. E non si poteva dire che durante quella vacanza non ne avessero approfittato...

I ricordi di Annika furono interrotti bruscamente da una melodiosa voce maschile che tradiva, stando alla pronuncia delle "i", un marcato accento della zona di Lysekil. Si diceva che le "i" allungate tipiche dell'alta borghesia di Stoccolma derivassero originariamente dal desiderio di dimostrare che si era sufficientemente facoltosi da avere una seconda casa sulla costa occidentale. Annika non sapeva quanto ci fosse di vero, ma era una storia intrigante.

Spiegò all'uomo il motivo della chiamata.

«Oh, che emozione. Un'indagine per omicidio. Lavoro nel settore da trent'anni, ma è la prima volta che mi capita.»

Mi fa piacere indorarle la giornata, pensò Annika insofferente, ma tenne per sé la replica acida che le era salita alle labbra per non smorzare l'entusiasmo dell'interlocutore, in modo che le fornisse rapidamente le informazioni che le servivano. A volte l'amore della cosiddetta gente comune per il sensazionalismo rasentava la morbosità.

«Avremmo bisogno del vostro aiuto per procurarci l'elenco dei vostri clienti che acquistano il concime Fz-302.»

«Be', non è una cosa tanto semplice. Abbiamo smesso di venderlo nel 1985. Un ottimo prodotto, ma purtroppo erano subentrate nuove norme che ci hanno costretti a cessarne la produzione.» Il responsabile delle vendite sospirò per l'ingiustizia insita nel fatto che la protezione dell'ambiente potesse comportare la soppressione di un prodotto efficace.

«Ma una qualche documentazione l'avrete, no?» obiettò Annika.

«Sì, devo controllare con l'amministrazione, ma è probabile che sia rimasta traccia di qualcosa giù nel vecchio archivio. Vede, fino al 1987 l'archiviazione era manuale, mentre da quella data in poi è stato tutto computerizzato. Comunque non credo che sia stato buttato via niente.»

«Lei non ricorda qualcuno che comprava...» guardò di nuovo il foglietto «... il prodotto Fz-302 qui in zona?»

«Eh no, cara, è passato troppo tempo perché possa tornarmi in mente così su due piedi.» Rise. «Ne è passata di acqua sotto i ponti, da allora!»

«Sì, immaginavo che non sarebbe stato così facile. Quanto tempo pensa che le serva per risalire a queste informazioni?»

L'uomo rifletté qualche istante. «Mah, se vado dalle ragazze dell'amministrazione con qualche dolcetto per il caffè e le blandisco un po', secondo me la risposta potrebbe arrivare oggi sul tardi o al massimo domani mattina. Può andare?»

Era meno di quello che Annika avesse osato sperare quando l'aveva sentito parlare di "vecchio archivio", così ringraziò allegramente. Scrisse un bigliettino per Martin sul risultato della telefonata e glielo lasciò sulla scrivania.

«Gösta?»
«Sì?»
«Pensi che la vita possa essere meglio di così?»
Nella piazzola di sosta alle porte di Tanumshede avevano occupato uno dei tavolini da picnic. Non essendo dei dilettanti, erano stati così previdenti da passare da Ernst a prendere un termos di caffè e poi alla panetteria per comprare un sacchettone di dolcetti. Ernst si era sbottonato la camicia della divisa, esponendo al sole il petto bianco e scavato. Con la coda dell'occhio guardava discretamente un gruppetto di ragazze sui vent'anni che si erano prese una pausa, interrompendo il viaggio in auto, e stavano ridendo e vociando.
«Senti un po', tira dentro la lingua, e anche la camicia. Ricordati che potrebbe passare qualche collega. Dobbiamo dare l'impressione di lavorare.»
In divisa, Gösta sudava, ma non essendo altrettanto disinvolto nell'ignorare il regolamento non osava aprire la camicia.
«Ma va', rilassati. Sono tutti presi a cercare la tipa. Non gliene frega niente a nessuno di quello che facciamo.»
Gösta si rabbuiò. «Si chiama Jenny Möller, non "la tipa". E non dovremmo dare una mano anche noi invece di starcene qui come due stramaledetti pedofili bavosi?» Accennò con la testa al gruppo di ragazze in abiti succinti dal quale sembrava che Ernst avesse difficoltà a staccare gli occhi.
«Come siamo diventati solerti, tutto d'un colpo! Non

mi pare che prima d'ora tu ti sia mai lamentato, quando ti ho salvato dal tran tran per qualche mezz'ora. Non dirmi che ti sei convertito al dovere!»

Ernst lo stava fissando con gli occhi ridotti a due fessure. Gösta si accorse che non era aria e si chiese se avesse fatto male a parlare. Aveva sempre avuto un po' paura di Ernst. Somigliava troppo ai ragazzini che, a scuola, ti aspettano fuori dalla porta. Che sentono l'odore della debolezza e sfruttano senza scrupoli la propria superiorità. Aveva visto con i suoi occhi cosa succedeva a quelli che si mettevano contro Ernst. Si pentì delle proprie parole, e borbottò una spiegazione.

«No, non volevo mica dire niente. Però mi dispiace per i suoi genitori. Ha solo diciassette anni.»

«Tanto, il nostro aiuto non lo vogliono. Per qualche motivo Mellberg lecca il culo a quel rompicoglioni di Hedström, quindi non ho intenzione di sbattermi per niente.» Il tono di voce era talmente alto e astioso che le ragazze si voltarono a guardarli.

Gösta non osò intimare a Ernst di parlare più piano, ma abbassò il proprio volume a un sussurro, sperando che il collega seguisse il suo esempio. Non aveva intenzione di ricordargli che, se era stato escluso dall'indagine, la colpa era sua. Ernst aveva sicuramente già rimosso la faccenda del mancato rapporto sulla denuncia della scomparsa di Tanja.

«Secondo me Hedström sta facendo un buon lavoro. E anche Molin si dà parecchio da fare. E, se devo essere sincero, io non ho contribuito quanto avrei potuto.»

Ernst aveva l'aria di non credere alle sue orecchie. «Ma che cazzo spari, Flygare? Stai dicendo che due pivellini che messi insieme non hanno una frazione della nostra esperienza saprebbero fare di meglio? È questo che stai dicendo, brutto idiota?»

Se Gösta avesse riflettuto un po' prima di esprimersi, avrebbe sicuramente potuto prevedere l'effetto di quelle parole sull'ego ferito di Ernst. Ora gli toccava fare marcia indietro il più velocemente possibile.

«Ma no, non intendevo questo. Ho detto soltanto che... no, certo che non hanno la nostra esperienza. E in effetti per il momento di risultati non se ne sono visti, quindi...»

«Proprio così» concordò Ernst, un po' meno contrariato. «Non hanno ancora combinato niente.»

Gösta tirò un sospiro di sollievo. La sua voglia di tirare fuori un minimo di spina dorsale era rapidamente scemata.

«Allora, che dici, Flygare? Ci prendiamo ancora un po' di caffè e una ciambellina?»

Gösta si limitò ad annuire. Viveva da tanto di quel tempo seguendo il metodo del minimo sforzo che era l'unica cosa che gli venisse naturale.

Quando svoltarono nello spiazzo davanti alla casetta di legno, Martin si guardò intorno curioso. Non era mai stato da Solveig e dai suoi figli, e osservò affascinato il ciarpame accumulato tutt'intorno.

«Dio santo, come si fa a vivere in questo modo?»

Scesero dalla macchina, e Patrik spalancò le braccia. «Va oltre la mia capacità di comprendere. Mi prudono le mani dalla voglia di dare una sistemata. Credo che alcuni catorci fossero qui già all'epoca di Johannes.»

Dopo aver bussato, sentirono i passi strascicati di Solveig. Sicuramente era seduta al suo solito posto, al tavolo della cucina, e non si stava certo affrettando a venire ad aprire.

«E adesso che c'è? Possibile che la gente onesta non possa mai stare in pace?»

Martin e Patrik si scambiarono un'occhiata. L'aggettivo scelto era contraddetto dalla fedina penale dei figli, che riempiva abbondantemente un foglio A4.

«Vorremmo scambiare due parole con lei. E anche con Johan e Robert, se sono in casa.»

«Dormono.»

Si scostò di lato, scontrosa, e li fece entrare. Martin non riuscì a nascondere una smorfia di disgusto e Patrik gli diede una gomitata perché si controllasse. Ricomponendo rapidamente i tratti del viso, Martin lo seguì in cucina. Solveig li lasciò lì mentre andava a svegliare i figli, che stavano effettivamente dormendo nella camera che dividevano. «Alzarsi, ragazzi. Ci sono di nuovo qui gli sbirri a ficcare il naso. Dicono che vogliono fare qualche domanda. Datevi una mossa così ce ne liberiamo in fretta.»

Non le importava molto che Patrik e Martin l'avessero sentita: tornò tranquilla in cucina e si sedette al suo posto. Ancora semiaddormentati, Johan e Robert si presentarono in mutande.

«Ormai siete qui un giorno sì e l'altro pure. Sa quasi di persecuzione.»

Robert era imperturbabile come sempre. Johan invece li guardò di traverso e si allungò verso un pacchetto di sigarette lasciato sulla tavola. Ne accese una e si mise a giocherellare con il pacchetto finché Robert non gli sibilò di smetterla.

Dentro di sé, Martin si chiese come Patrik avrebbe affrontato l'argomento, sicuramente non dei più facili. Era ancora piuttosto sicuro che la teoria del collega fosse campata in aria.

«Abbiamo qualche domanda sulla morte di suo marito.»

Solveig e i figli guardarono Patrik con estrema sorpresa.

«La morte di Johannes? E perché? Si è impiccato. Non

c'è molto altro da dire, se non che sono stati quelli come voi a spingerlo a farlo!»

Robert zittì irritato sua madre e guardò di traverso Patrik. «Dove vuoi arrivare? Mia madre ha ragione: si è impiccato e non c'è altro da dire.»

«Vogliamo soltanto avere tutto chiaro. Sei stato tu a trovarlo?»

Robert annuì. «Sì, e mi toccherà convivere con quell'immagine per tutta la vita.»

«Potresti raccontarci esattamente cos'è successo quel giorno?»

«Non capisco a che serva» ribatté Robert contrariato.

«Apprezzerei lo stesso che lo facessi» insistette con delicatezza Patrik, ricevendo in risposta, dopo qualche istante, un'alzata di spalle.

«Bah, se sono queste le cose che ti eccitano...» Si accese anche lui una sigaretta, e nella cucina il fumo si addensò notevolmente.

«Ero appena tornato da scuola ed ero in cortile a giocare un po'. Ho visto che la porta del fienile era socchiusa e mi sono incuriosito, così sono andato a vedere. Come al solito era piuttosto buio là dentro, l'unica luce era quella che filtrava tra le assi. Si sentiva odore di fieno.» Robert parve essere sprofondato in un mondo solo suo. Continuò: «Qualcosa non tornava.» Esitò. «Non riesco a descriverlo esattamente, ma avevo la sensazione che qualcosa fosse diverso.»

Johan ascoltava affascinato il fratello. Martin ebbe l'impressione che fosse la prima volta che sentiva parlare in dettaglio del giorno in cui si era impiccato suo padre.

Robert continuò. «Sono andato avanti, piano. Facevo finta di tendere un agguato agli indiani. Senza far rumore mi sono avvicinato in punta di piedi al mucchio di fieno e dopo qualche passo ho visto che c'era qualcosa per terra. Sono andato più vicino. Quando mi sono accorto che era papà ho pensato che mi stesse facendo uno scherzo, ed ero contento. Credevo che volesse aspettare che gli fossi vicino per afferrarmi e farmi il solletico, o qualcosa del genere.» Deglutì. «Invece non si è mosso. L'ho toccato piano con il piede, ma è rimasto immobile. Poi mi sono accorto che aveva una corda intorno al collo, e guardando su ho visto che ne era rimasto un pezzo appeso alla trave.»

La mano che stringeva la sigaretta tremava. Martin rivolse un'occhiata cauta a Patrik per controllare la sua reazione. A lui pareva abbastanza chiaro che Robert non stava inventando niente. Il suo dolore era talmente palpabile da dare l'impressione di poterlo toccare. Si accorse che il collega stava pensando la stessa cosa. Scoraggiato, Patrik chiese: «E dopo cosa successe?»

Robert soffiò in alto un anello di fumo e rimase a osservarlo mentre si dissolveva.

«Ho chiamato mia madre, naturalmente. Lei è venuta a vedere e si è messa a urlare tanto forte che pensavo che mi saltassero i timpani, e poi ha telefonato al nonno.»

Patrik trasalì. «Non alla polizia?»

Solveig grattò nervosamente la tovaglia e disse: «No, ho chiamato Ephraim. È stata la prima cosa che mi è venuta in mente.»

«Quindi la polizia non è venuta?»

«No, si è occupato di tutto Ephraim. Ha telefonato al dottor Hammarström, che a quell'epoca era il medico condotto, e lui è venuto a vedere Johannes e poi ha fatto uno di quei certificati con la causa della morte, non so come si chiama, e ha organizzato le cose per farlo venire a prendere dalle pompe funebri.»

«Quindi, niente polizia?» insistette Patrik.

«No, l'ho già detto. Si è occupato di tutto Ephraim. Il dottor Hammarström avrà parlato di sicuro con la polizia, ma di agenti non se ne sono visti. E perché poi? Era un suicidio!»

Patrik non perse tempo a dire che la polizia deve sempre essere chiamata sul luogo di un suicidio. Evidentemente Ephraim Hult e quel dottor Hammarström avevano deciso di propria iniziativa di non contattare la polizia finché il cadavere non fosse stato rimosso. La domanda era: perché? In ogni caso, aveva l'impressione di non poter andare oltre. A Martin venne però un'improvvisa ispirazione.

«Non avete per caso visto una donna da queste parti? Una brunetta sui venticinque anni, di corporatura normale.»

Robert rise. Nella sua voce non c'era più traccia del tono serio di poco prima. «Considerando la quantità di donne che vanno su e giù qui, bisogna essere un po' più precisi.»

Johan li stava osservando intensamente. Rivolto a Robert disse: «L'hai vista in fotografia. È quella delle locandine dei giornali. La tedesca che hanno trovato insieme alle due ragazze.»

La reazione di Solveig fu esplosiva. «Cosa intendete dire, eh? Perché avrebbe dovuto essere qui? Volete trascinarci di nuovo nel fango? Prima accusate Johannes e adesso venite qui a fare delle domande provocatorie ai miei ragazzi! Fuori! Non vi voglio più vedere qui! All'inferno!»

Si era alzata in piedi e, grazie anche alla sua stazza, li stava letteralmente spingendo via. Robert si mise a ridere, ma Johan sembrava pensieroso.

Quando Solveig tornò, ansimante, dopo aver sbattuto la porta alle spalle di Martin e Patrik, Johan tornò in camera senza una parola, si buttò sul letto e si tirò la coperta sulla testa, fingendo di dormire. Doveva riflettere.

Seduta a prua della lussuosa barca a vela con le braccia strette intorno alle ginocchia, Anna si sentiva uno straccio. Gustav aveva evitato di fare domande e aveva acconsentito a partire subito, lasciandola in pace. Dopo aver accettato le sue scuse, aveva anche generosamente promesso di portarla con i bambini a Uddevalla, da dove avrebbero potuto prendere il treno e tornare a casa.

La sua vita era un casino d'inferno. Le parole di Erica le facevano ancora bruciare gli occhi, pieni di lacrime di rabbia, ma la collera si mescolava al dolore per il fatto che lei e la sorella sembravano dover per forza litigare. Con Erica era sempre tutto troppo complicato. Non si accontentava mai di essere semplicemente la sorella maggiore, capace di dare sostegno e coraggio: doveva per forza assumere il ruolo materno senza capire che così non faceva altro che aumentare il senso di vuoto lasciato dalla madre che avrebbero dovuto avere.

A differenza di Erica, Anna non aveva mai biasimato Elsy per l'indifferenza con cui le trattava. Se non altro si era illusa di averlo semplicemente considerato uno dei duri fatti della vita, ma quando all'improvviso entrambi i genitori erano morti aveva capito di aver quanto meno sperato che con gli anni Elsy potesse intenerirsi e calarsi nel proprio ruolo. In questo modo anche Erica avrebbe avuto la possibilità di essere sorella e basta. Ma la morte della madre aveva portato a quella situazione, in cui entrambe erano imprigionate, senza sapere come uscirne. I periodi di pace tacitamente concordati cedevano inevitabilmente il passo ad altri di guerra di posizione, e ogni volta una parte della sua anima veniva lacerata e strappata dal corpo.

Allo stesso tempo, Erica e i bambini erano le uniche persone che le erano rimaste. Pur non avendolo voluto ammettere di fronte alla sorella, anche lei vedeva Gustav per quello che era: un uomo superficiale e viziato. Tuttavia non riusciva a resistere alla tentazione, perché mostrarsi in giro con uno come lui era un toccasana per la sua autostima. A braccetto con Gustav diventava visibile. La gente si chiedeva bisbigliando chi fosse e le donne guardavano ammirate i bei vestiti firmati di cui lui la copriva. Anche lì in mare le persone si voltavano a indicare la sontuosa barca a vela, e seduta a prua come una specie di polena Anna si era accorta di provare un ridicolo senso d'orgoglio.

Quando però, nei momenti in cui si sentiva più forte, si rendeva conto che a patire le conseguenze del suo bisogno di conferme erano i bambini, si vergognava. Ne avevano già passate abbastanza durante gli anni trascorsi con il padre e non si poteva certo affermare, neanche con tutta la buona volontà, che Gustav fosse un buon surrogato. Nei loro confronti era freddo, maldestro e impaziente, e lei evitava il più possibile di lasciarli soli con lui.

A volte nei confronti di Erica provava un'invidia tale da farsi schifo da sola. Proprio adesso che lei si trovava nel bel mezzo del contenzioso per l'affido, con in mano solo conti che non quadravano e un rapporto che a essere sinceri era di una vuotezza sconfortante, sua sorella avanzava con l'incedere di una madonna incinta. L'uomo che Erica aveva scelto come padre di suo figlio era esattamente del genere che sarebbe servito a lei per essere felice ma che a causa di un innato autolesionismo lei stessa respingeva costantemente. Il fatto che adesso Erica godesse di una situazione economica tranquilla e, come se non bastasse, anche di una certa fama induceva i diavoletti invidiosi della rivalità tra sorelle a fare capolino. Anna non voleva essere così meschina, ma era difficile resistere all'amarezza, in particolare ora che la sua vita era tinta solo di grigio.

Le grida eccitate dei bambini, seguite da un urlo frustrato di Gustav, la strapparono all'autocommiserazione, costringendola a tornare alla realtà. Si strinse meglio nella giacca impermeabile e tornò verso poppa camminando cauta lungo la battagliola. Dopo essere riuscita a calmare i bambini si costrinse a sorridere a Gustav. In fondo, anche quando la mano non è delle migliori bisogna giocare con le carte che si hanno.

Come tante altre volte, Laine si mise a gironzolare nella grande casa. Gabriel era via per uno dei suoi soliti viaggi di lavoro, e lei era di nuovo sola. L'incontro con Solveig le aveva lasciato un retrogusto amaro in bocca e ancora una volta la consapevolezza della mancanza di una via d'uscita si abbatté su di lei come un macigno. Non sarebbe mai stata libera. Il mondo sudicio e distorto di Solveig le rimaneva sulla pelle come un cattivo odore.

Si fermò davanti alla scala che portava al piano superiore dell'ala sinistra. L'appartamento di Ephraim. Non ci saliva da quando era morto, ma anche prima ci era andata pochissime volte. Quella era sempre stata riserva di Jacob e, in casi eccezionali, di Gabriel. Seduto lassù, Ephraim dava udienza agli uomini, come un feudatario. Nel suo mondo le donne erano sempre state delle ombre, con il compito di procurare piacere e fornire assistenza.

A passi esitanti cominciò a salire. Davanti alla porta si fermò. Poi la spinse risolutamente. Era tutto esattamente come lo ricordava. Nelle stanze silenziose aleggiava ancora un odore mascolino. Dunque era lì dentro che suo figlio aveva trascorso tante ore della sua infanzia. Quanto era stata gelosa. Confrontati a nonno Ephraim, sia lei che

Gabriel erano sempre risultati perdenti. Per Jacob loro due erano sempre stati comuni, opachi mortali, mentre Ephraim aveva ai suoi occhi quasi uno status divino. Quando era morto, così all'improvviso, la prima reazione di Jacob era stata di stupore. Impossibile che sparisse e basta. Un giorno era lì, quello dopo non c'era più. Lui che era stato una fortezza inespugnabile, un fatto incontrovertibile.

Laine se ne vergognava, ma quando aveva capito che Ephraim era morto la prima sensazione che aveva provato era stata di sollievo. Ma anche di gioia, di trionfo al pensiero che neanche lui poteva governare le leggi della natura. A tratti ne aveva quasi dubitato. Le era sempre sembrato così sicuro che anche Dio, come tutto il resto, fosse qualcosa che lui era in grado di manipolare.

La sua poltrona era davanti alla finestra, rivolta verso il bosco là fuori. Come Jacob, non resistette alla tentazione di sedersi al suo posto. Per un attimo ebbe l'impressione di percepire lo spirito del suocero nella stanza. Le sue dita seguirono pensose le linee della stoffa.

I racconti sulla capacità di guarire di Gabriel e Johannes avevano segnato profondamente Jacob, e a lei questo non era mai andato giù. A volte tornava al pianterreno con un'espressione quasi estatica che la spaventava. Allora lo abbracciava forte, stringendolo a sé finché non lo sentiva rilassarsi. Quando lo lasciava andare, era di nuovo tutto come al solito. Fino alla volta successiva.

Ma adesso il vecchio era morto e sepolto da un pezzo. Per fortuna.

«Credi sul serio che ci sia qualcosa di vero nella tua idea che Johannes non sia morto?»

«Non lo so, Martin. Ma al momento sono disposto ad

attaccarmi a qualsiasi appiglio mi si offra. Devi ammettere che è piuttosto strano che la polizia non abbia visto Johannes sul luogo del suicidio.»

«Sì, certo, ma questo presupporrebbe che fossero coinvolti sia il medico che l'impresario delle pompe funebri» obiettò Martin.

«Non è poi tanto campato in aria. Non dimenticare che Ephraim era un uomo molto facoltoso, e che con i soldi si possono comprare ben altri favori. Non mi sorprenderebbe neanche che si conoscessero molto bene. Dopotutto erano uomini di primo piano nella comunità, sicuramente attivi nella vita associativa, nei Lions e via di questo passo.»

«Ma aiutare a fuggire un uomo sospettato di omicidio...»

«Non di omicidio, di sequestro di persona. Inoltre a quanto ne so Ephraim Hult era un uomo dotato di un'enorme capacità di persuasione. Forse li convinse che Johannes era innocente, e che la polizia voleva incastrarlo, e che quello era l'unico modo per aiutarlo.»

«Be', però... Possibile che Johannes fosse disposto a lasciare la sua famiglia così, di punto in bianco? Con due figli piccoli?»

«Non dimenticare come ci è stato descritto. Un giocatore d'azzardo, uno che sceglieva sempre il minimo sforzo, che prendeva alla leggera le regole e gli impegni. Se c'era qualcuno disposto a salvarsi la pelle a scapito della sua famiglia, era proprio Johannes. Calza perfettamente.»

Martin sembrava ancora scettico. «Ma, se così fosse, dove è stato in tutti questi anni?»

Patrik guardò attentamente nelle due direzioni prima di svoltare a sinistra verso Tanumshede. Poi rispose: «All'estero, forse. Con un bel po' di soldi del suo paparino in tasca.» Guardò Martin. «Non sembri del tutto convinto della genialità della mia teoria.»

Martin rise. «Già, proprio così. Secondo me sei completamente fuori strada. D'altra parte in questo caso non c'è niente di normale, quindi perché no?»

Patrik si fece serio. «Mi vedo continuamente davanti Jenny Möller. Rinchiusa da qualche parte, con qualcuno che la tortura in maniera disumana. È per lei che cerco di ragionare seguendo binari diversi da quelli normali. Non possiamo permetterci di essere inquadrati come negli altri casi. Il tempo è troppo poco. Dobbiamo prendere in considerazione anche quello che è apparentemente inconcepibile. È possibile, anzi perfino probabile, che questa sia solo una mia idea balzana, ma non ho ancora trovato niente che mi dimostri che così non è, quindi sento di dovere a Jenny il tentativo di seguire anche questa strada, pur se dovesse fruttarmi il marchio di idiota per il resto della vita.»

A Martin parve di cominciare a capire il ragionamento di Patrik, e di essere quasi propenso a dargli credito. «Ma come potrai ottenere una riesumazione su basi così vaghe, e così velocemente?»

Quando rispose, Patrik aveva un'espressione amara: «Con l'ostinazione, Martin, con l'ostinazione.»

Furono interrotti dalla suoneria del cellulare di Patrik, che rispose a monosillabi mentre Martin tentava di intuire l'argomento. Dopo un minuto scarso il collega chiuse la comunicazione e mise giù l'apparecchio.

«Chi era?»

«Annika. Il laboratorio ha chiamato per il test del dna sul campione che abbiamo prelevato a Mårten Frisk.»

«E?» Martin trattenne il fiato. Sperava con tutto il cuore di essersi sbagliato, insieme a Patrik, e che quello che avevano chiuso in prigione fosse l'assassino di Tanja.

«I campioni non combaciano. Lo sperma trovato su Tanja non è di Mårten Frisk.»

Martin non si era reso conto di aver trattenuto il respiro, ma se ne accorse nel momento in cui buttò fuori l'aria con una lunga espirazione.

«Merda. D'altra parte non è una sorpresa, no?»

«No, però lo si poteva sperare.»

Rimasero in silenzio, rabbuiati, per qualche istante. Poi Patrik si lasciò scappare un profondo sospiro, quasi volesse attingere la forza necessaria ad affrontare il compito che si profilava, immenso come il monte Everest, davanti a loro.

«Bene, a questo punto non ci resta che organizzare una riesumazione a tempo di record.»

Afferrò il telefono e si mise al lavoro. Sapeva di dover essere più convincente di quanto non gli fosse mai riuscito nella sua vita di poliziotto, ma non essendo nemmeno lontanamente convinto della sua teoria, sapeva anche che non sarebbe stato facile.

L'umore di Erica stava peggiorando rapidamente. L'inattività forzata la induceva a gironzolare per la casa senza meta, cincischiando ora qui ora là. Il litigio con Anna le rodeva ancora dentro, simile alla sgradevole sensazione lasciata da una sbornia, contribuendo a deprimerla ancora di più. Inoltre tendeva a commiserarsi. Pur essendo in qualche modo sollevata dal fatto che Patrik fosse tornato a lavorare, non aveva messo in conto che venisse assorbito dall'indagine fino a quel punto. Anche a casa la sua mente era presa dal caso e, per quanto la gravità della situazione le risultasse evidente, dentro di lei c'era una vocina che egoisticamente chiedeva che la sua attenzione fosse concentrata su di lei.

Telefonò a Dan. Magari era a casa e aveva il tempo di venire a prendere un caffè. Rispose la figlia maggiore, che le riferì che il padre era uscito in barca con Maria. Erano tutti presi dalle loro faccende, e lei era lì a girarsi i pollici con la pancia all'aria.

Quando il telefono squillò si gettò sull'apparecchio con una foga tale che per poco non lo fece cadere.

«Pronto?»

«Sì, pronto. Cercavo Patrik Hedström.»

«È al lavoro. Posso esserti utile io o vuoi il suo numero di cellulare?»

L'uomo all'altro capo del filo esitò.

«Ecco, vedi, ho avuto il numero da sua madre. Le nostre due famiglie si conoscono da molto tempo e l'ultima volta che ho parlato con Kristina mi ha detto che secondo lei avrei dovuto dare un colpo di telefono a Patrik, se fossimo passati dalle sue parti. E dato che io e mia moglie siamo appena arrivati a Fjällbacka...»

Erica ebbe un'illuminazione. La soluzione al problema di come occupare la giornata era lì davanti a lei.

«Perché non venite qui? Patrik sarà a casa verso le cinque, possiamo fargli una sorpresa. E nel frattempo faremo conoscenza. Siete amici d'infanzia, hai detto?»

«Sarebbe fantastico. Sì, da piccoli ci frequentavamo. Da adulti, per un motivo o per l'altro, ci siamo un po' persi di vista, ma sono cose che succedono, a volte. Il tempo corre.» Rise, una risatina sommessa e come gorgogliante.

«Ma allora è proprio il caso di rimediare. Quando potete venire?»

L'uomo mormorò qualcosa in sottofondo, ma tornò subito all'apparecchio.

«Non abbiamo niente in programma, quindi, se per te va bene, potremmo anche venire subito.»

«Ottimo.»

Di fronte alla prospettiva di un'interruzione nella routine, Erica sentì tornare l'entusiasmo. Descrisse rapidamente il percorso e riagganciò. Poi si affrettò a mettere su la caffettiera. Quando sentì il campanello si rese conto di non avere chiesto nemmeno il nome all'amico di Patrik. Be', poco male: avrebbero cominciato con le presentazioni.

Tre ore più tardi Erica era sull'orlo delle lacrime. Batté le palpebre e chiamò a raccolta le ultime energie nel tentativo di apparire interessata.

«Uno degli aspetti più appassionanti del mio lavoro è seguire il flusso dei cdr. Come ti spiegavo prima, cdr sta per "call data record", cioè le informazioni sulla durata delle telefonate, sui destinatari e così via. Una volta raccolti i cdr, ecco che si ha a disposizione un'eccezionale fonte di informazioni sugli schemi comportamentali dei clienti...»

Erica aveva l'impressione di sentirlo parlare da un'eternità. Quell'uomo non la smetteva più! Jörgen Berntsson era così noioso da farle venire le lacrime agli occhi, e sua moglie non era molto meglio. Non perché facesse le stesse lunghissime e insulse tirate del marito, ma perché da quando era arrivata e aveva detto il proprio nome non aveva più pronunciato una parola.

Sentendo i passi di Patrik sui gradini dell'ingresso saltò su dal divano, riconoscente, e gli andò incontro.

«Abbiamo visite» sussurrò.

«Chi?» bisbigliò lui di rimando.

«Un tuo amico d'infanzia, Jörgen Berntsson. Con signora.»

«Oh no, dimmi che stai scherzando...» sbuffò lui.

«Purtroppo no.»

«E come cavolo sono arrivati qui?»

Erica abbassò colpevolmente gli occhi. «Li ho invitati io. Per farti una sorpresa.»

«Cosa?» La voce era salita un po' più del previsto, così la riabbassò subito: «Perché li hai invitati?»

Erica spalancò le braccia. «Mi annoiavo da morire e lui ha detto che è un tuo amico d'infanzia, così ho pensato che saresti stato contento!»

«Ma tu hai idea di quante volte mi è toccato giocare con lui quando eravamo piccoli? E non è che fosse più simpatico, te lo garantisco.»

Si resero conto di essersi trattenuti un po' troppo nell'ingresso. Inspirarono profondamente.

«Ehi, ma guarda un po'! Che sorpresa!»

Erica rimase impressionata dal talento teatrale di Patrik. Mentre si risedeva, insieme a lui, davanti a Jörgen e Madeleine, non riuscì a spremere altro che un sorrisino alquanto pallido.

Un'ora più tardi era pronta a fare harakiri. Patrik, che aveva avuto qualche ora di bonus, riusciva ancora a mantenere un'espressione vagamente interessata.

«Quindi siete qui di passaggio?»

«Sì, pensavamo di fare tutta la costa in auto. Siamo stati a Smöge, da una vecchia compagna di scuola di Madde, e a Lysekil, da un mio compagno di corso. Così prendiamo due piccioni con una fava: facciamo vacanza e riannodiamo vecchie conoscenze!»

Spazzolò via dai pantaloni un immaginario granello di polvere e scambiò un'occhiata con la moglie per poi proseguire, di nuovo rivolto a Patrik ed Erica. In realtà non era necessario che aprisse bocca. Sapevano cosa stava per dire.

«Ecco, e adesso che abbiamo visto la vostra bella casa... e com'è spaziosa...» continuò guardandosi intorno con aria di apprezzamento «... abbiamo pensato di sentire se per caso c'è la possibilità di fermarci da voi una notte o due. Qui intorno è praticamente tutto al completo...»

Entrambi guardavano speranzosi Patrik ed Erica, alla quale non serviva la telepatia per captare i pensieri vendicativi che Patrik le stava indirizzando. Ma l'ospitalità è come una legge di natura. Non c'è modo di sfuggirle.

«Certo, potete stare qui, se volete. Abbiamo una stanza per gli ospiti.»

«Ottimo! Sarà bellissimo. A proposito, dov'ero arrivato? Ah sì, dopo aver raccolto sufficienti cdr per poter fare delle analisi statistiche...»

La serata sparì come nella nebbia. Tuttavia impararono entrambi molto più di quanto avrebbero desiderato dimenticare in materia di tecnologia delle telecomunicazioni.

Gli squilli si susseguirono senza risposta, poi scattò la segreteria telefonica del cellulare: «Ciao, sono Linda. Lasciate un messaggio dopo il segnale acustico e vi richiamerò appena possibile.» Johan chiuse la comunicazione, irritato. Le aveva già lasciato quattro messaggi e lei non gli aveva ritelefonato. Esitando, compose il numero fisso di Västergården. Sperava che Jacob fosse al lavoro. Ebbe fortuna: rispose Marita.

«Buongiorno, Linda è in casa?»

«Sì, è in camera sua. Chi devo dire?»

Esitò di nuovo, ma probabilmente Marita non avrebbe riconosciuto la sua voce anche se avesse detto il suo nome.

«Johan.»

La sentì appoggiare il ricevitore e salire la scala. Rivide davanti a sé gli interni della casa padronale, molto più chiaramente ora che ci era tornato da poco, dopo tanti anni.

Qualche istante più tardi Marita era di ritorno. La voce si era fatta sospettosa.

«Dice che non vuole parlare con te. Posso sapere che Johan sei?»

«Grazie, adesso devo andare.» Si affrettò a riattaccare.

Si sentiva combattuto tra emozioni contrastanti. Non aveva mai amato qualcuno come amava Linda. Se chiudeva gli occhi, riusciva ancora a richiamare la sensazione della sua pelle nuda contro la propria. Allo stesso tempo, la odiava. La reazione a catena era cominciata già quando si erano scontrati come due combattenti a Västergården. L'odio e la volontà di farle del male erano stati talmente forti che era riuscito a dominarli a fatica. Come facevano due sentimenti così opposti a coesistere?

Forse era stato stupido a credere che tra loro ci fosse davvero qualcosa. Che per lei fosse più di un gioco. Seduto davanti al telefono, ora si sentiva un idiota e quella sensazione alimentò ulteriormente la rabbia che provava. Ma c'era una cosa che poteva fare per infondere in lei parte del senso di umiliazione che provava. Si sarebbe pentita di aver creduto di poter fare quello che le pareva, con lui.

Avrebbe raccontato quello che aveva visto.

Patrik non aveva mai pensato a una riesumazione come a un piacevole diversivo, ma dopo le interminabili sofferenze della serata precedente perfino quella gli sembrava un'attività gradevole.

Insieme a Mellberg e Martin, in silenzio, assisteva alla macabra scena che si svolgeva sotto i suoi occhi nel cimitero di Fjällbacka. Erano le sette della mattina e sebbene il sole fosse già sorto da parecchio la temperatura era ancora sopportabile. Lungo la strada di fianco al cimitero passavano poche auto, e a parte il cinguettio degli uccelli l'unico rumore era quello dei badili conficcati nella terra.

Era un'esperienza nuova per tutti e tre. Una riesumazione non era un fatto usuale nella vita di un poliziotto, e nessuno di loro aveva la minima idea di come si svolgesse. Si usava una piccola scavatrice per togliere uno strato dopo l'altro di terra, fino alla bara? Oppure si chiamava una squadra di becchini esperti che eseguivano manualmente quell'inquietante incombenza? La seconda ipotesi si rivelò quella più vicina alla realtà. Gli stessi uomini che scavavano le fosse in vista delle inumazioni ordinarie si stavano ora occupando, per la prima volta, di tirare fuori un corpo già sepolto. Senza una parola, con espressione grave, conficcavano il badile nella terra. Di cosa avrebbero potuto parlare? Dei programmi sportivi della sera prima? Del barbecue con gli amici nel fine settimana? No, la solennità di quell'istante aveva steso un pesante velo di silenzio sul loro lavoro, e così sarebbe stato finché la bara non fosse finalmente emersa dalla terra in cui riposava.

«Sei sicuro di sapere quello che fai, Hedström?»

Mellberg pareva preoccupato, e Patrik condivideva quello stato d'animo. Il giorno prima aveva dato fondo a tutta la sua capacità di persuasione, pregando, minacciando e implorando, per fare in modo che gli ingranaggi della giustizia girassero molto più rapidamente del consueto e consentissero l'apertura della bara di Johannes Hult. Tuttavia il suo sospetto era poco più di una sensazione.

Pur non essendo religioso, l'idea di violare quella pace lo turbava. Nel silenzio che regnava nel cimitero c'era un che di sacrale, e sperava davvero di poter dimostrare che il riposo dei morti era stato disturbato a ragion veduta.

«Stig Thulin mi ha telefonato ieri dal suo ufficio al comune, e non era affatto contento, sai? Evidentemente qualcuno dei tanti a cui hai telefonato si è messo in contatto con lui e gli ha detto che deliravi di una cospirazione tra Ephraim Hult e due degli uomini più rispettati di Fjällbacka, di bustarelle e di chissà cos'altro. Era incazzato nero. Ephraim sarà anche morto, ma il dottor Hammarström è vivo e lo stesso vale per l'impresario delle pompe funebri, e se salta fuori che ci siamo lasciati andare a illazioni infondate...»

Mellberg spalancò le braccia. Non era necessario che concludesse la frase. Patrik sapeva quali sarebbero state le conseguenze. Una bella strigliata, e poi sarebbe diventato lo zimbello di tutti in eterno.

Mellberg parve leggergli nel pensiero. «Per la miseria, sarà meglio che tu abbia ragione, Hedström.»

Indicò con un dito corto e grassoccio la tomba di Johannes, mettendosi a camminare irrequieto avanti e indietro. Il mucchio di terra aveva raggiunto più o meno un metro di altezza e la fronte degli operai luccicava di sudore. Ormai non doveva mancare molto.

L'umore di Mellberg, fino al giorno prima insolitamente buono, quella mattina era peggiorato, e non sembrava che il cambiamento fosse ricollegabile solo alla levataccia e alla sgradevolezza dell'incombenza. C'era qualcos'altro. La scontrosità che l'aveva sempre caratterizzato, ma che da un paio di settimane a quella parte era stranamente assente, era di nuovo lì. Non aveva ancora toccato il suo apice, ma non avrebbe tardato a raggiungerlo. Per tutto il tempo il commissario non aveva fatto altro che lamentarsi e imprecare. Il che, stranamente, era più piacevole del suo breve periodo di affabilità. Più familiare, insomma. Mellberg si staccò dal capannello, imprecando ancora, per andare ad arruffianarsi i tecnici della scientifica appena arrivati da Uddevalla. Martin sussurrò a denti stretti: «Qualsiasi cosa fosse, a quanto pare è passata.»

«Secondo te cos'era?»
«Uno stato di momentanea confusione mentale» bisbigliò Martin.
«Ieri Annika ha sentito girare una strana voce.»
«Ah sì? E cioè?»
«L'altroieri era andato via prima...»
«Be', non direi che sia proprio una mossa rivoluzionaria.»
«No, verissimo. Ma Annika l'ha sentito telefonare all'aeroporto di Arlanda. E sembrava avere una gran fretta di andare via.»
«Arlanda? Doveva andare a prendere qualcuno? Visto che è ancora qui, direi che non era lui a partire.»
Martin aveva la stessa espressione perplessa di Patrik. E curiosa, anche.
«Non ne so più di te. Ma l'intrigo si infittisce...»
Uno degli uomini che lavoravano intorno alla tomba fece un cenno con la mano. Esitanti, si avvicinarono al grande mucchio di terra e guardarono nella fossa, dove era stata messa a nudo una bara di legno scuro.
«Eccolo qui il vostro uomo. Lo tiriamo fuori?»
Patrik annuì. «Procedete con cautela, mi raccomando. Adesso avverto i tecnici, così appena la bara è fuori se ne occupano loro.»
Raggiunse i tre colleghi della scientifica che stavano parlando con Mellberg con espressione seria. Un'auto delle pompe funebri era parcheggiata sul vialetto di ghiaia con il portellone aperto, pronta a trasportare la bara, con o senza Johannes.
«Hanno quasi finito. Apriamo qui la cassa o lo fate a Uddevalla?»
Il responsabile, Torbjörn Ruud, non rispose subito: prima disse all'unica donna della squadra di avvicinarsi e scattare qualche foto. Solo dopo si rivolse a Patrik: «Direi

che l'apriamo qui. Se hai ragione tu e nella bara non troviamo niente, la questione è chiusa. Se invece, come mi pare più probabile, ci troviamo qualcuno, lo portiamo a Uddevalla per l'identificazione. Perché immagino sia questo che vi serve, no?» Quando guardò Patrik con aria interrogativa, i baffoni da tricheco si sollevarono.

Patrik annuì. «Sì, se nella bara c'è qualcuno, vorrei avere la conferma che si tratta con assoluta certezza di Johannes Hult.»

«Direi che si può fare. Ho già richiesto la sua ortopantomografia, quindi non dovrebbe volerci troppo tempo. Mi pare che ci sia una certa fretta...»

Ruud abbassò gli occhi. Aveva anche lui una figlia diciassettenne e non aveva bisogno che gli venisse ricordata l'importanza della rapidità in questi frangenti. Bastava provare a immaginare per una frazione di secondo il terrore che dovevano provare in quel momento i genitori di Jenny Möller.

In silenzio rimasero a guardare mentre la bara cominciava lentamente ad avvicinarsi al ciglio della fossa. Quando comparve il coperchio, Patrik sentì prudere le mani per la tensione. Entro pochi istanti avrebbero saputo. Con la coda dell'occhio percepì un movimento in lontananza e girò la testa da quella parte. Solveig stava arrivando a passo di marcia dall'ingresso sul lato della stazione dei vigili del fuoco. Non avendo la forza per correre avanzava ondeggiando come una grande nave in balia del mare mosso, gli occhi puntati sulla fossa da cui ormai la bara spuntava nella sua interezza.

«Cosa vi credete di fare, brutti figli di puttana che non siete altro!»

I tecnici di Uddevalla, non abituati alla scurrilità di Solveig Hult, trasalirono. Con il senno di poi, Patrik si rese conto che avrebbe dovuto prevederlo e organizzare una delimitazione dell'area di scavo. Si era illuso che l'ora antelucana bastasse a tenere alla larga la gente, ma naturalmente la moglie di Johannes non era una persona qualsiasi. Le andò incontro.

«Solveig, lei non dovrebbe essere qui.»

Patrik la prese per un braccio, senza stringere, ma lei si divincolò e lo oltrepassò.

«Non vi arrendete, eh? E adesso profanate anche la sua tomba! Dovete distruggerci la vita a ogni costo?»

Prima che qualcuno facesse in tempo a impedirglielo, Solveig raggiunse la fossa, ululando e stringendo i pugni. Incerti sul da farsi, rimasero tutti impietriti. Poi Patrik vide arrivare di corsa altre due figure: Johan e Robert si limitarono a rivolgere ai presenti uno sguardo carico di odio, per poi raggiungere la madre.

«Non fare così, mamma. Vieni, andiamo a casa.»

Erano ancora tutti immobili. Nel cimitero si sentivano solo i gemiti di Solveig e le voci imploranti dei figli. Johan si girò.

«È rimasta alzata tutta la notte, da quando avete telefonato per dire cosa volevate fare. Abbiamo tentato di trattenerla, ma lei è uscita di nascosto. Bastardi! Possibile che questa cosa non finisca mai!»

Le sue parole erano come un'eco di quelle della madre. Per un attimo provarono tutti un moto di vergogna collettiva per il lavoro sporco a cui erano stati costretti, ma costretti era la parola giusta. Dovevano portare a termine quello che avevano cominciato.

Torbjörn Ruud fece un cenno a Patrik. Insieme aiutarono Johan e Robert ad allontanare Solveig dalla fossa. Le sue ultime forze sembravano essersi esaurite, e la donna collassò contro il petto di Robert.

«Fate quello che dovete fare, ma poi lasciateci in pace» disse Johan, senza guardarli negli occhi.

Tenendola in mezzo, i due ragazzi condussero la madre verso l'uscita, e nessuno si mosse finché non furono scomparsi. Non vennero fatti commenti sull'accaduto.

Appoggiata accanto alla fossa, la bara racchiudeva ancora in sé i suoi segreti.

«Avete avuto l'impressione che dentro ci fosse un corpo?» chiese Patrik agli operai.

«Non si può dire. La cassa è pesante di suo. E a volte capita anche che da qualche fessura entri della terra. L'unico modo per saperlo è aprirla.»

Non si poteva più rimandare. La fotografa ormai aveva scattato da tutte le angolazioni. Ruud e i colleghi infilarono i guanti e si misero al lavoro.

Il coperchio si aprì un po' alla volta. Tutti trattennero il respiro.

Alle otto in punto Annika telefonò. Avevano avuto tutto il pomeriggio precedente per cercare nell'archivio, ormai dovevano pur aver trovato qualcosa. Aveva ragione.

«Che tempismo! Abbiamo appena trovato il raccoglitore con l'elenco. Purtroppo, però, non ho buone notizie. O forse è proprio il contrario. Nella vostra zona avevamo un solo cliente: Rolf Persson, che tra l'altro si serve ancora da noi, anche se naturalmente non di quel prodotto. Ora le do l'indirizzo.»

Annika annotò i dati su un post-it. Era delusa di non aver raccolto altri nomi. Un solo cliente da controllare era un po' poco, ma forse il responsabile delle vendite aveva ragione: poteva essere una buona notizia. In fin dei conti serviva un nome soltanto.

«Gösta?»

Senza alzarsi dalla sedia, si spinse sulle rotelle fino alla porta e fece capolino in corridoio, chiamando di nuovo. Nessuna risposta. Chiamò ancora, questa volta più forte, e fu ricompensata dalla testa di Gösta che spuntò dalla porta, come aveva fatto la sua.

«Ho un incarico per te. Abbiamo il nome di un agricoltore della zona che usava il concime trovato sulle ragazze.»

«Non dovremmo chiedere a Patrik prima?»

Gösta era riluttante. Aveva ancora gli occhi assonnati e aveva trascorso il primo quarto d'ora alla scrivania a strofinarseli e a sbadigliare.

«Patrik, Mellberg e Martin sono al cimitero per la riesumazione. Non posso disturbarli adesso. E sai bene che non c'è tempo da perdere. Questa volta non seguiamo il regolamento alla lettera, Gösta.»

Quando Annika ci si metteva era difficile resisterle, e Gösta dovette riconoscere che le ragioni addotte pesavano parecchio. Sospirò.

«Non andarci da solo, però. Ricordati che quello con cui abbiamo a che fare non è il solito delinquente da quattro soldi che si distilla l'acquavite in casa. Portati dietro Ernst.» Poi mormorò, a voce così bassa che Gösta non la sentì: «A qualcosa dovrà pur servire, quello stronzo.» A volume normale aggiunse: «E già che ci siete passate bene al setaccio il posto dove sta. Se vedete qualcosa che vi insospettisce, per quanto minimo, fate finta di niente, tornate qui e riferite a Patrik, e deciderà lui come muoversi.»

«Ma pensa un po'! Non sapevo che fossi stata promossa da segretaria a capo della polizia. È successo durante le ferie?» sbottò Gösta, irritato. Tuttavia, non osò dirlo a voce così alta da farlo sentire ad Annika. Sarebbe stata una mossa azzardata, per non dire cretina.

Dietro la parete di vetro, con gli occhiali da computer

sulla punta del naso, la segretaria sorrideva. Sapeva benissimo quali pensieri ribelli rimbalzassero tra le orecchie di Flygare, ma non gliene importava granché. Aveva smesso da un pezzo di tenere in considerazione le sue opinioni. Bastava che facesse il suo lavoro e non combinasse qualche casino. Lui ed Ernst, insieme, potevano rappresentare una combinazione pericolosa. Ma in quel caso le toccava dire, come Kajsa Warg nelle sue famose ricette, «si prende quel che c'è».

Ernst non fu affatto contento di essere buttato giù dal letto. Sapendo che il capo non era in ufficio, aveva calcolato di potersi crogiolare tra le lenzuola ancora un po' prima che la sua presenza alla stazione fosse richiesta, ma il ronzio insistente del campanello mandò a monte i suoi piani.

«Che cazzo c'è?»

Davanti alla porta, Gösta teneva il dito ostinatamente premuto sul campanello.

«Dobbiamo lavorare.»

«Possibile che non si possa rimandare di un'ora?» rispose Ernst inviperito.

«No, dobbiamo andare a parlare con un agricoltore che ha comprato il concime individuato dai tecnici.»

«È quel rompicoglioni di Hedström che te l'ha ordinato? E ti ha detto che dovevo venire anch'io? Pensavo di essere stato tagliato fuori dalla sua indagine di merda!»

Gösta valutò rapidamente se fosse meglio mentire o dire le cose come stavano. Optò per la seconda alternativa: «No, Hedström è a Fjällbacka con Molin e Mellberg. È stata Annika a chiedercelo.»

«Annika?» Ernst scoppiò in una risata sprezzante. «Da quando io e te prendiamo ordini da una segretaria? No, guarda, allora io mi rimetto a dormire.»

Ridacchiando fece per chiudere la porta in faccia a Gösta, ma fu bloccato da un piede inserito tra lo stipite e il battente.

«Senti, secondo me è meglio che andiamo a controllare questa cosa.» Gösta si interruppe, per poi appellarsi all'unica argomentazione che sapeva avrebbe fatto presa su Ernst. «Pensa alla faccia che farebbe Hedström se fossimo noi a risolvere il caso. Chi lo sa? Magari il fottuto contadino da cui dobbiamo andare ha la ragazza lì. Non sarebbe una bella soddisfazione arrivare da Mellberg con questa notizia?»

La luce che passò sul viso del collega confermò a Gösta che aveva fatto centro. Ernst già s'immaginava le lodi del capo.

«Mi vesto e sono da te. Aspettami in macchina.»

Dieci minuti dopo erano sulla strada per Fjällbacka. L'azienda agricola di Rolf Persson confinava a sud con le proprietà della famiglia Hult, e Gösta non poté fare a meno di chiedersi se fosse un caso. Dopo aver sbagliato una prima volta, trovarono la strada giusta e parcheggiarono sullo spiazzo. Non c'era anima viva. Scesero dall'auto e si guardarono intorno, incamminandosi verso la casa colonica.

L'azienda somigliava a tutte le altre della zona: una stalla con le pareti di legno rosso a un tiro di schioppo dalla casa, bianca e con una cornice isolante azzurra intorno alle finestre. Nonostante tutto quello che si leggeva sui giornali a proposito dei fondi dell'Unione Europea che piovevano come manna dal cielo sugli agricoltori svedesi, Gösta sapeva che la realtà era molto meno rosea, e l'impressione di sconsolante decadenza che l'insieme degli edifici ispirava era lì a confermarlo. Si vedeva che i proprietari facevano del loro meglio per mantenerli in uno stato decoroso, ma sia la vernice della stalla che quella della casa avevano cominciato a scrostarsi, ed era come se le pareti emanassero un impalpabile senso di irrecuperabilità. Salirono nella veranda, le cui decorazioni in legno a smerlo indicavano che la casa era stata costruita prima che i tempi moderni rendessero sacri concetti come velocità e praticità.

«Prego, accomodatevi.»

Era stata una gracchiante voce femminile a invitarli dentro, e prima di entrare i due poliziotti si pulirono accuratamente le scarpe sullo zerbino. Il soffitto basso costrinse Ernst a chinare la testa, mentre Gösta, che non si era mai distinto per la sua statura, poté entrare senza preoccuparsi di urtarlo.

«Buongiorno, siamo della polizia. Cerchiamo Rolf Persson.»

L'anziana donna, che stava preparando la colazione, si asciugò le mani su uno strofinaccio.

«Un attimo, vado a chiamarlo. Sta facendo un riposino sul divano. Sono cose che succedono quando si invecchia.» Ridacchiando, sparì nei meandri della casa.

Incerti su cosa fare, si guardarono intorno, per poi sedersi. A Gösta la cucina ricordava quella dei suoi genitori, anche se i Persson dovevano avere solo una decina d'anni più di lui. A un primo sguardo la donna gli era sembrata decisamente anziana, ma osservandola meglio aveva notato che gli occhi erano più giovani di quanto lasciasse supporre il resto. Erano gli effetti che poteva avere il duro lavoro fisico.

Usavano ancora una vecchia stufa a legna per cucinare. Il linoleum nascondeva sicuramente un pavimento in legno. Andava di moda recuperarli, tra le coppie giovani, ma per la generazione sua e dei Persson rappresentavano ancora un ricordo troppo vivo della povertà vissuta durante l'infanzia. All'epoca del suo avvento nelle case svedesi, il linoleum era un indicatore preciso del fatto che ci si era emancipati dalla vita di stenti dei propri genitori.

I pannelli alle pareti erano consumati, ma anche quelli istigavano al sentimentalismo. Non poté resistere alla tentazione di far correre un dito nella fessura tra un pannello e l'altro, e la sensazione risvegliata da quel gesto fu la stessa di quando lo faceva, da piccolo, nella cucina di casa sua.

L'unico rumore era il ticchettio di un orologio a parete, ma dopo una breve attesa sentirono anche dei borbottii dalla stanza accanto, abbastanza forti da lasciar intendere che una delle due voci era alterata, l'altra supplichevole. Dopo qualche minuto, la donna tornò con il marito. Anche lui dimostrava più dei suoi probabili settant'anni, e il risveglio forzato non gli giovava. Aveva i capelli per aria e le guance solcate da rughe profonde. La donna tornò alla stufa. Tenendo gli occhi bassi, si mise a mescolare la pappa d'avena nella pentola.

«Cosa porta la polizia in casa mia?»

Il tono era autoritario, e Gösta non poté fare a meno di notare che la donna trasaliva. Cominciava a intuire come mai portasse così male gli anni che aveva. La pentola urtò qualcosa, facendo rumore, e Rolf tuonò: «La smetti? La colazione può aspettare. Adesso lasciaci in pace.»

La donna abbassò la testa e si affrettò a togliere la pentola dalla stufa. Poi infilò la porta. Gösta dovette trattenersi dal seguirla per dirle una parola di conforto.

Rolf si versò un bicchierino e si sedette, senza chiedere ai due poliziotti se ne volessero uno anche loro. D'altra parte, non avrebbero osato accettare. Dopo averlo scolato d'un fiato, si asciugò le labbra con il dorso della mano e li guardò con aria di sfida.

«Allora? Cosa volete?»

Ernst stava guardando agognante il bicchierino vuoto, così fu Gösta a prendere la parola: «Lei utilizzava un concime che si chiamava...» consultò il taccuino «... Fz-302?»

Rolf scoppiò in una risata. «E venite a svegliarmi per questo? Per chiedermi che concime uso? Cavolo, si vede che la polizia non ha molto da fare ultimamente.»

Gösta non fece una piega. «Abbiamo i nostri buoni motivi per chiederglielo. E vogliamo una risposta.» La sua avversione nei confronti di quell'uomo aumentava di minuto in minuto.

«E va bene, non c'è bisogno che si scaldi. Non ho niente da nascondere.» Rise di nuovo, versandosi un altro goccio.

Gli occhi incollati al bicchiere, Ernst si leccò le labbra. A giudicare dall'alito, per Rolf Persson non erano i primi cicchetti della giornata. Dovendo mungere probabilmente era già sveglio da qualche ora e non era molto lontano dal pranzo, ma secondo Gösta era comunque un po' presto per bere alcol. Ernst non sembrava della stessa opinione.

«Credo di averlo utilizzato fino all'84 o all'85. Poi è arrivato un qualche ente a dire che poteva "nuocere all'equilibrio dell'ecosistema".» La frase era stata pronunciata con voce stridula ed evidenziata dalle virgolette tracciate nell'aria con le dita. «E così sono dovuto passare a un concime dieci volte peggiore, che oltretutto costa dieci volte tanto. Deficienti.»

«Per quanto tempo ha usato quel concime?»

«Mah, una decina d'anni, direi. Nei registri devo avere la data esatta, comunque penso di aver cominciato verso la metà degli anni settanta. Perché vi interessa?» Stava scrutando sospettoso sia Ernst che Gösta.

«Si tratta di un'indagine in corso.»

Gösta non disse altro, ma si accorse che nella testa dell'agricoltore si accendeva una lampadina.

«È per quelle donne, vero? Le donne trovate a Kungsklyftan. E la ragazzina scomparsa? Pensate che c'entri anch'io? Eh? È questo che credete? Eh no, porca miseria!»

Si alzò su gambe malferme. Rolf Persson era un uomo grande e grosso. Il suo corpo non sembrava segnato dall'età, e i bicipiti che spuntavano dalla camicia erano forti e nerboruti. Ernst alzò le braccia come a volerlo tranquillizzare, e si alzò anche lui. È in situazioni del genere che Lundgren si rende utile, pensò Gösta sollevato. Praticamente il collega viveva per quei momenti.

«Adesso ci calmiamo tutti. Abbiamo una pista da seguire e stiamo andando a trovare diverse persone. Non c'è alcun motivo di sentirsi accusati. Però vorremmo dare un'occhiata in giro, anche solo per potervi cancellare dalla lista.»

L'agricoltore parve sospettoso, ma poi annuì. Gösta ne approfittò per chiedere se poteva andare in bagno.

La vescica non era più quella di una volta e lo stimolo era ormai insopportabile. Rolf annuì e indicò una porta con la scritta W.C.

«Eh già, per la miseria, c'è in giro gente che ruba tutto quello che le viene a tiro, e gli onesti come me e te...»

Quando Gösta tornò dal bagno, Ernst s'interruppe a metà della frase con aria colpevole. Un secondo bicchierino vuoto rivelava che aveva ottenuto il cicchetto tanto agognato, e ora lui e l'agricoltore sembravano vecchi amici.

Mezz'ora più tardi, facendosi coraggio, Gösta riprese il collega.

«Porca troia, quanto puzzi di alcol. Pensi di farla franca con Annika, con l'alito che ti ritrovi?»

«E che cazzo, Flygare! Piantala di fare la signorina Sotuttoio. Mi sono bevuto un bicchierino, che ci sarà di male! E poi è scortese rifiutare, quando uno te lo offre.»

Gösta si limitò a sbuffare senza fare altri commenti. Si sentiva abbattuto. Mezz'ora di perlustrazione non aveva fruttato un bel niente. Non c'era traccia della ragazza e neanche di una fossa scavata di fresco. Aveva l'impressione di aver buttato via la mattinata. Tuttavia, mentre lui vuotava la vescica Ernst e l'agricoltore avevano fatto amicizia e poi avevano continuato a parlottare per tutto il tempo. Personalmente, Gösta trovava che, in un'indagine per omicidio, fosse più opportuno mantenere una certa distanza con gli elementi sospetti, ma come sempre Lundgren faceva di testa sua.

«Quel Persson ha detto qualcosa che possa tornarci utile?»

Ernst si alitò nella mano annusando il risultato, e inizialmente ignorò la domanda. «Senti, Flygare, fermati un attimo, che compro delle pastiglie per la gola.»

Chiuso in un mutismo eloquente, Gösta accostò al distributore dell'Ok Q8 e aspettò in macchina mentre Ernst faceva una corsa a prendere qualcosa per rimediare al problema dell'alito. Solo quando fu di nuovo in auto rispose alla domanda.

«No, guarda, abbiamo preso un grosso abbaglio. Quello è un tipo in gamba, e potrei giurare che non ha niente a che vedere con la faccenda. No no, possiamo depennarlo subito. E poi quella del concime è sicuramente una falsa pista. Quei tecnici del diavolo se ne stanno tutto il giorno con il culo attaccato alla sedia e non fanno altro che analizzare e analizzare, mentre noi che lavoriamo sul campo ci accorgiamo di quanto siano ridicole le loro teorie. Dna e capelli e concimi e impronte di pneumatici e tutte le altre stronzate con cui si trastullano. No, guarda: meglio una bella ripassata al momento giusto, e il caso si risolve come d'incanto. Te lo dico io, Flygare.» Strinse il pugno per illustrare la sua tesi e poi, contento di aver dimostrato chi se ne intendeva davvero di metodi d'indagine, appoggiò la testa all'indietro e chiuse gli occhi.

Gösta, che non ne era altrettanto sicuro, proseguì in silenzio verso Tanumshede.

La notizia era arrivata anche a Gabriel, la sera prima. Ora erano seduti tutti e tre a tavola per la colazione, in silenzio, ciascuno immerso nei suoi pensieri. Con grande sorpresa dei genitori, prima che facesse notte Linda si era presentata a casa con il necessario per dormire e senza una parola era salita nella sua camera, che era sempre pronta ad accoglierla.

Esitante, Laine ruppe il silenzio. «Che bello che tu sia venuta a casa, Linda.»

La ragazza mormorò una risposta con lo sguardo fisso sulla fetta di pane che stava imburrando.

«Parla più forte, Linda. Non è educato borbottare a quel modo.»

Laine fulminò Gabriel con un'occhiata, ma lui non se ne curò più di tanto. Quella era casa sua e lui non aveva intenzione di fare i salamelecchi a quella ragazzina solo per il dubbio piacere di averla lì per qualche tempo.

«Ho detto che sto a casa solo per una notte o due, poi torno a Västergården. Avevo bisogno di cambiare aria per un po'. Tutte quelle lagne e quegli alleluia sono un po' troppo. E poi è deprimente vedere come fanno rigare dritto quei ragazzini. Sentirli blaterare continuamente di Gesù fa venire i brividi...»

«Sì, ho detto anche io a Jacob che forse sono un po'

troppo severi con i bambini, ma lo fanno con le migliori intenzioni. E la fede è importante per Jacob e Marita, è una scelta che dobbiamo rispettare. Per esempio so che a Jacob dà molto fastidio sentirti parlare così. E in effetti non è certo un linguaggio che si addica a una signorina.»

Linda alzò gli occhi al cielo. Era lì solo per evitare Johan, che non avrebbe avuto il coraggio di cercarla alla tenuta, ma quelle prediche le stavano già dando sui nervi. Forse sarebbe stato meglio tornare indietro. Non si poteva resistere a una tale rottura di palle.

«Be', immagino che tu abbia sentito parlare della riesumazione. Papà ha telefonato a Jacob per dirglielo appena l'ha contattato la polizia. Che assurdità! Come fanno a pensare che possa essere stato tutto un piano escogitato da Ephraim perché sembrasse che Johannes fosse morto! È la storia più strampalata che abbia mai sentito!»

Sulla pelle bianca del petto di Laine si erano formate delle chiazze rosse. Continuava a tormentarsi la collana di perle che portava al collo e Linda dovette reprimere l'impulso di strappargliela e ficcarle in gola quelle stramaledette perle.

Gabriel si schiarì la voce e in tono autoritario s'inserì nella conversazione. Tutta quella faccenda della riesumazione lo disturbava. Interferiva con la sua routine e sollevava polvere nel suo mondo ordinato, e la cosa lo infastidiva moltissimo. Non credeva assolutamente che la polizia avesse qualcosa di oggettivo su cui basare quell'ipotesi, ma non era quello il problema. E non era nemmeno il timore che venisse disturbato il riposo di suo fratello a scombussolarlo, per quanto non fosse un pensiero piacevole. No, si trattava piuttosto dell'incongruenza che l'intera operazione comportava: il fatto che una bara venisse portata alla luce invece che sottoterra. Le fosse dovevano restare chiuse e le bare sigillate. Era così che doveva essere. Dare e avere. Ordine e metodo.

«Sì, trovo degno di nota il fatto che la polizia agisca in modo così arbitrario. Non so come sia potuto succedere, ma ho intenzione di capirlo, credetemi. Non viviamo in uno stato di polizia.»

Ancora una volta Linda mormorò qualcosa rivolta al piatto.

«Scusa, cara, cosa dici?» Laine si era rivolta a Linda.

«Ho detto che forse dovreste chiedervi di sfuggita cosa significa tutto questo per Solveig, Robert e Johan. Non capite cosa provano sapendo che Johannes viene tirato fuori dalla tomba in questo modo? E invece niente: non fate altro che lagnarvi e commiserarvi. Pensate a qualcun altro, per una volta!»

Gettò il tovagliolo sul piatto e si alzò da tavola. Le mani di Laine corsero alla collana di perle, e per un attimo sembrò chiedersi se fosse il caso di seguire la figlia. Un'occhiata di Gabriel la inchiodò alla sedia.

«Mah, mi chiedo da chi abbia preso questa ipersensibilità.»

Il tono del marito era accusatorio. Laine non rispose.

«Ci vuole un bel coraggio per dire che non ci curiamo di Solveig e dei ragazzi. Certo che ci importa ma, dato che hanno dimostrato a più riprese di non gradire la nostra solidarietà, chi è causa del suo mal...»

A volte Laine odiava suo marito. Eccolo lì, che si mangiava il suo uovo di buon appetito. Dentro di sé si immaginò mentre gli si avvicinava, gli prendeva il piatto e glielo premeva sul petto. Invece si alzò e cominciò a sparecchiare.

Estate 1979

Ora condividevano il dolore. Come due gemelle siamesi, si stringevano l'una all'altra in un rapporto simbiotico fatto di parti uguali di amore e odio. Non stare da sole laggiù al buio era una consolazione, ma il desiderio di sfuggire al dolore e lasciare che fosse l'altra a subirlo non poteva non scatenare una reciproca ostilità.

Non parlavano molto. Nel sotterraneo le voci echeggiavano in modo sinistro. Quando i passi tornavano a farsi sentire si staccavano di colpo, rifuggendo da quel contatto pelle contro pelle che rappresentava l'unica protezione dal freddo e dal buio. Ma in quel momento l'unica cosa importante diventava la fuga dal dolore. Si lanciavano l'una contro l'altra nel tentativo disperato di non cadere per prime nelle mani di quell'essere malvagio.

Questa volta era stata lei a vincere. Sentì cominciare le grida. In un certo senso essere quella che se la cavava era un tormento quasi pari alla tortura. Lo schianto secco delle ossa che si spezzavano era ben impresso nella sua memoria, e nel proprio corpo massacrato riconosceva ogni grido dell'altra. Sapeva anche cosa veniva dopo le grida: le mani che fino a quel momento avevano piegato e storto, tagliato e menoma-

to, venivano appoggiate, calde e carezzevoli, sul punto più dolorante. Ormai conosceva quelle mani quanto le proprie. Erano grandi e forti, ma insieme lisce, senza ruvidità o irregolarità. Le dita erano lunghe e delicate come quelle di un pianista e, sebbene non le avesse mai viste davvero, con gli occhi della mente riusciva a vederle nitidamente davanti a sé.

Le grida aumentarono d'intensità e lei tentò di portare le mani alle orecchie, per coprirsele, ma le braccia giacevano inutilizzabili lungo i fianchi, rifiutandosi di ubbidire ai suoi comandi.

Cessate le grida, aperta e richiusa la botola sopra le loro teste, si trascinò sul pavimento freddo e umido fino all'altra.

Era venuto il momento di consolare.

Quando il coperchio fu scostato di lato, il silenzio era compatto. Patrik si sorprese a girarsi appena per guardare inquieto in direzione della chiesa. Non sapeva cosa aspettarsi. Forse un fulmine che dal campanile si abbattesse su di loro nel bel mezzo della profanazione in atto. Invece non accadde nulla del genere.

Quando vide lo scheletro nella bara sentì sprofondare il cuore. Si era sbagliato.

«Eh già, Hedström, certo che hai combinato un bel pasticcio.»

Mellberg scosse la testa, scontento, e con quella sola frase riuscì a far sentire Patrik come se la sua testa fosse appena stata appoggiata sul ceppo del patibolo. Il capo aveva ragione. Era un bel pasticcio.

«Bene, allora ce lo portiamo via per confermare che è il nostro uomo. Perché immagino che difficilmente ci sarà qualche sorpresa. Non avete altre teorie su eventuali scambi di corpi o cose del genere, vero?»

Patrik si limitò a scuotere la testa. Se lo meritava, in effetti. I tecnici fecero quel che dovevano fare e quando, poco dopo, la bara partì in direzione di Uddevalla, lui e Martin salirono in macchina per tornare alla stazione.

«Avresti potuto avere ragione. Dopotutto non era una teoria completamente campata in aria.»

Martin stava cercando di consolarlo, ma Patrik scosse di nuovo la testa.

«No, avevi ragione tu. Era un po' troppo complessa per essere possibile. Immagino che mi toccherà pagare il prezzo di questa cosa per un bel po'.»

«Mi sa proprio di sì» ammise Martin, solidale. «Però prova a ragionare così: avresti potuto sopportare il peso di non averlo fatto, magari dopo aver saputo che avrebbe salvato la vita a Jenny Möller? Per lo meno hai tentato. Dobbiamo continuare a portare avanti tutte le idee che ci saltano in mente, che siano folli o meno. È la nostra unica possibilità per trovarla in tempo.»

«Se non è già troppo tardi» disse Patrik, cupo.

«Vedi? È proprio il modo in cui non dobbiamo ragionare. Non l'abbiamo ancora trovata morta, quindi è viva. Non esiste alternativa.»

«Hai ragione. È solo che non so in che direzione procedere, adesso. Dove dobbiamo cercare? Si torna sempre a quella stramaledetta famiglia Hult, senza mai avere in mano qualcosa di concreto.»

«Abbiamo il collegamento tra gli omicidi di Siv, Mona e Tanja.»

«Ma niente che li colleghi alla scomparsa di Jenny.»

«Vero» ammise Martin. «Però in realtà non cambia nulla, no? L'importante è che facciamo tutto quello che possiamo per cercare chi ha ucciso Tanja e chi ha rapito Jenny. I fatti dimostreranno se sono la stessa persona oppure due. Ma noi stiamo facendo tutto il possibile.»

Martin sottolineò ogni parola dell'ultima frase, sperando che il concetto fosse colto dal collega. Capiva benissimo perché Patrik si prendeva a calci da solo, dopo la riesumazione fallita, ma in quel momento non potevano permettersi di avere un responsabile dell'indagine a corto di autostima. Doveva credere in quello che stavano facendo.

Quando rientrarono alla stazione, Annika li fermò. Aveva il ricevitore in mano, e lo teneva in modo tale che la persona all'altro capo del filo non sentisse quello che diceva a Patrik e Martin.

«È Johan Hult. Ha urgente bisogno di parlarti. Te lo passo nel tuo ufficio?»

Patrik annuì e si affrettò a raggiungere la scrivania. Un attimo dopo squillò il telefono.

«Patrik Hedström.»

Ascoltò attentamente, interrompendo l'interlocutore solo con un paio di domande. Poi corse da Martin, carico di nuova energia.

«Vieni, Molin, dobbiamo andare a Fjällbacka.»

«Ma ci siamo appena stati! Dove si va?»

«A fare una chiacchieratina con Linda Hult. Penso che ci sia in ballo qualcosa di interessante, anzi, interessantissimo.»

Erica aveva sperato che, come la famiglia Flood, anche i nuovi ospiti volessero passare la giornata in barca, in modo da sbarazzarsene almeno per un po'. Ma si era sbagliata.

«Sai, Madde e io non siamo degli appassionati del mare. Preferiamo tenerti compagnia qui in giardino. Il panorama è splendido.»

Jörgen spaziò allegramente con lo sguardo sulle isole, preparandosi a una giornata al sole. Erica cercò di trattenere una risata. Sembrava un pazzo. Era bianco come la neve ed evidentemente voleva mantenersi tale. Si era spalmato di crema solare dalla testa ai piedi, il che lo rendeva, se possibile, ancora più bianco, e il naso era coperto da una qualche lozione color evidenziatore che dava una protezione ancora più impenetrabile. Il look era completato da un grande cappello a tesa larga. Dopo mezz'ora di accurata preparazione si accomodò con un sospiro soddisfatto accanto alla moglie su una delle sedie a sdraio che Erica si era sentita in dovere di portare fuori.

«Ah, che paradiso. Non trovi anche tu, Madde?»

Chiuse gli occhi, ed Erica colse riconoscente l'occasione per filarsela. In quel momento lui aprì un occhio: «Sarebbe sfacciato chiederti qualcosa da bere? Un bel bicchierone di sciroppo alla frutta allungato con l'acqua sarebbe il massimo. Sicuramente ne vuole uno anche Madde.»

La moglie si limitò ad annuire senza neanche alzare la testa. Era immersa nella lettura di un testo sul diritto fiscale, e anche lei sembrava spaventatissima all'idea di potersi abbronzare. Un paio di pantaloni alle caviglie e una camicia a maniche lunghe risolvevano efficacemente il problema, insieme a un cappello di paglia e alla lozione color evidenziatore. Evidentemente pensava anche lei che non si può mai essere troppo sicuri. Una di fianco all'altro, sembravano due alieni atterrati in giardino.

Erica entrò e preparò lo sciroppo di frutta. Era disposta a qualsiasi cosa, pur di evitare di stare in loro compagnia. Erano di gran lunga le persone più noiose in cui si fosse mai imbattuta. Se la sera prima avesse potuto scegliere tra stare con loro e guardare il muro, non c'era dubbio su cosa avrebbe fatto. Al momento giusto avrebbe detto alla madre di Patrik che non era proprio il caso di dare in giro così disinvoltamente il loro numero di telefono.

Patrik, se non altro, riusciva a svignarsela andando al lavoro. Però vedeva anche lei che era sfinito. Non l'aveva mai visto così coinvolto e impaziente di arrivare a un risultato. D'altra parte, non era mai accaduto prima che la posta in gioco fosse così alta.

Le sarebbe piaciuto poterlo aiutare di più. Nel corso

dell'indagine sulla morte della sua amica Alex era riuscita a essere utile alla polizia in diverse occasioni, ma quella volta aveva un legame personale con la vittima. Oltretutto, adesso era inchiodata dalle dimensioni assunte dal suo corpo. La pancia e la calura cospiravano per costringerla, per la prima volta in vita sua, a un'involontaria inattività. Inoltre aveva l'impressione che il cervello fosse in qualche modo in standby. Tutti i suoi pensieri erano indirizzati all'esserino nella pancia e a quella fatica erculea che avrebbe dovuto affrontare entro un arco di tempo relativamente breve. La sua mente si rifiutava ostinatamente di concentrarsi su altro per più di un momento, tanto che si chiedeva come facessero le mamme che lavoravano fino al giorno prima del parto. Forse era lei a essere diversa, ma con il procedere della gravidanza si era sempre più ridotta, o elevata, a seconda di come si considerava la situazione, a un organismo riproduttivo che covava, pulsava e nutriva. Ogni fibra del suo corpo si preparava alla nascita del piccolo e proprio per questo le persone invadenti le risultavano così fastidiose. Disturbavano la sua concentrazione, ecco. Non riusciva più a capire come la solitudine dei giorni precedenti le fosse potuta risultare così insopportabile. Al confronto, adesso le sembrava un paradiso.

Sospirando, preparò una grande brocca di sciroppo allungato con l'acqua, ci mise dentro dei cubetti di ghiaccio e la portò insieme a due bicchieri ai due alieni sul prato.

Una rapida puntata a Västergården bastò per scoprire che Linda non si trovava lì. Quando i due poliziotti erano comparsi Marita aveva assunto un'espressione interrogativa, ma non aveva fatto domande dirette, limitandosi a mandarli alla tenuta. Per la seconda volta nel giro di pochi giorni Patrik imboccò il lungo viale alberato, e di nuovo fu colpito dalla bellezza del luogo. Vide che, sul sedile accanto a lui, Martin era rimasto a bocca aperta.

«Possibile che ci sia gente che sta in posti del genere?»

«Già, certi se la passano proprio bene» disse Patrik.

«Quindi in quella casa enorme abitano solo due persone?»

«Tre, se si conta anche Linda.»

«Per la miseria, non c'è da meravigliarsi se in Svezia c'è carenza di abitazioni» commentò Martin.

Questa volta, quando suonarono il campanello fu Laine ad aprire.

«Cosa posso fare per voi?»

A Patrik parve di percepire nella sua voce un'ombra d'inquietudine.

«Cerchiamo Linda. Veniamo da Västergården, sua nuora ci ha detto che era qui.» Martin fece un vago cenno con la testa nella direzione dalla quale erano arrivati.

«Cosa volete da lei?» Gabriel era comparso alle spalle della moglie, che non aveva ancora aperto la porta a sufficienza per farli passare.

«Dobbiamo farle qualche domanda.»

«Qui non si fanno domande a mia figlia senza di noi.» Gabriel raddrizzò la schiena, preparandosi a difendere la prole.

Proprio quando Patrik stava per cominciare a spiegare, da dietro l'angolo spuntò Linda. Indossava dei pantaloni da equitazione e sembrava diretta alla scuderia.

«State cercando me?»

Patrik annuì, sollevato all'idea di evitare un confronto diretto con il padre. «Sì, abbiamo qualche domanda. Preferisci entrare o restare fuori?»

Gabriel lo interruppe. «Cos'è questa storia, Linda? Hai

combinato qualcosa di cui dovremmo essere informati? Sappi che non abbiamo intenzione di lasciare che la polizia ti interroghi da sola.»

Linda, che improvvisamente sembrò una bambina spaventata, annuì appena.

«Possiamo parlare in casa.»

Seguì Martin e Patrik all'interno, nel soggiorno. Quando si sedette sul divano, con i vestiti che puzzavano ancora di cavallo, non parve preoccuparsi della tappezzeria. Laine non poté fare a meno di arricciare leggermente il naso e osservare inquieta la stoffa bianca. Linda la guardò con aria di sfida.

«Va bene se ti facciamo qualche domanda in presenza dei tuoi genitori? Se si fosse trattato di un interrogatorio vero e proprio non avremmo potuto negare loro la possibilità di assistere, perché non sei ancora maggiorenne, ma visto che si tratta di un colloquio informale...»

Gabriel era pronto a lanciarsi in una nuova filippica, ma Linda alzò le spalle. Per un attimo a Patrik parve di cogliere anche una certa misura d'impaziente compiacimento misto a nervosismo, ma durò lo spazio di un istante.

«Poco fa ci ha chiamati Johan Hult, tuo cugino. Sai di cosa possiamo aver parlato?»

Alzando di nuovo le spalle, la ragazza si mise a tormentare le pellicine delle unghie.

«Vi incontravate piuttosto spesso, vero?»

Patrik procedeva con i piedi di piombo. Johan aveva raccontato parecchio della loro relazione ed era chiaro che la notizia non sarebbe stata accolta positivamente da Gabriel e Laine.

«Be', sì, ci siamo visti.»

«Ma che cazzo stai dicendo?»

Sia Laine che Linda trasalirono. Come il figlio, Gabriel

non imprecava mai. Non riuscivano a ricordare una sola occasione in cui avesse fatto ricorso a espressioni di quel genere.

«Perché, scusa? Posso vedere chi voglio, io. Mica sei tu a decidere.»

Patrik s'intromise prima che la situazione degenerasse: «Lasciamo perdere quando o quanto vi siete incontrati: per quel che ci riguarda puoi anche tenertelo per te, ma c'è una particolare occasione che ci interessa molto. Johan ha detto che una sera, circa due settimane fa, vi siete incontrati nel fienile di Västergården.»

Gabriel, rosso in viso per la collera, non disse niente e aspettò la risposta di Linda.

«Sì, è possibile. Ci siamo visti diverse volte, quindi non saprei dirlo esattamente.»

Si stava ancora tormentando le pellicine, tutta concentrata, senza guardare gli adulti che aveva intorno.

Martin riprese dal punto in cui si era fermato Patrik. «Secondo Johan, quella sera avete visto qualcosa di particolare. Sai a cosa ci riferiamo?»

«Dato che sembrate saperlo, non è più semplice se me lo dite voi?»

«Linda! Non peggiorare le cose con questo atteggiamento sfacciato. Adesso mi fai il piacere di rispondere alle domande della polizia. Se sai di cosa stanno parlando, dillo. Se invece si tratta di qualcosa che ti ha messo in testa quel... quel poco di buono, prendo e...»

«Senti, guarda che tu di Johan non sai proprio niente. Sei un maledetto ipocrita e...»

«Linda...» l'ammonì Laine, interrompendola. «Cerca di non peggiorare la situazione. Fai come dice tuo padre e rispondi alle domande della polizia, e poi parleremo del resto.»

Dopo qualche secondo di riflessione, Linda seguì il consiglio della madre e continuò, seppure recalcitrante: «Immagino che Johan vi abbia raccontato che abbiamo visto quella ragazza.»

«Quale ragazza?» Il volto di Gabriel era un grande punto interrogativo.

«La tedesca. Quella che è stata uccisa.»

«Sì, è stato questo che ci ha detto Johan» rispose Patrik, per poi attendere in silenzio che Linda proseguisse.

«Non sono affatto sicura come Johan che fosse lei. Abbiamo visto le foto sulle locandine dei giornali e in effetti la somiglianza c'era, direi, però esisteranno tantissime ragazze che hanno più o meno quell'aspetto. E poi cosa poteva esserci venuta a fare a Västergården? Non è che ci bazzichino molti turisti, no?»

Martin e Patrik ignorarono la domanda. Sapevano esattamente cosa era andata a fare a Västergården: aveva seguito l'unica pista che portava alla scomparsa di sua madre, e quella pista portava anche a Johannes Hult.

«Dov'erano Marita e i bambini, quella sera? Johan ha detto che non c'erano, ma non sapeva dove fossero andati.»

«A casa dei genitori di Marita, a Dals-Ed, per un paio di giorni.»

«Jacob e Marita lo fanno spesso» spiegò Laine. «Quando lui vuole fare qualche lavoretto di falegnameria in casa senza trambusto intorno, lei va per qualche giorno dai nonni materni dei bambini, in modo che anche loro possano passare un po' di tempo con i nipoti. Noi abitiamo così vicini che li vediamo quasi ogni giorno.»

«Accantoniamo per un momento la possibilità che quella che hai visto fosse Tanja Schmidt. Puoi descriverci il suo aspetto?»

Linda esitò. «Capelli scuri lunghi fino alle spalle, corporatura normale. Una tipa qualsiasi, non particolarmente carina» disse con l'aria di superiorità di chi sa di avere sempre avuto un aspetto gradevole.

«E com'era vestita?» Martin si allungò in avanti nel tentativo di incrociare lo sguardo della ragazza, senza riuscirci.

«Boh, non me lo ricordo bene. Sono passate due settimane e tra l'altro stava cominciando a fare buio...»

«Provaci» la spronò Martin.

«Dei jeans, tipo. Una qualche maglietta aderente e un golf. Blu, forse, e la maglietta era bianca. Oppure era il contrario? E poi... sì, una borsetta rossa.»

Patrik e Martin si scambiarono un'occhiata. Quello che aveva descritto era esattamente l'abbigliamento di Tanja nel giorno della sua scomparsa. La maglietta era bianca e il golf blu, non l'inverso.

«A che ora l'avete vista?»

«Abbastanza presto, direi. Intorno alle sei.»

«Hai visto se Jacob l'ha fatta entrare?»

«Di sicuro quando ha bussato alla porta non le ha aperto nessuno. Poi ha fatto il giro della casa, ed è scomparsa.»

«Avete visto se se n'è andata?» chiese Patrik.

«No, d'altra parte dal fienile non si vede la strada. E come ho detto non sono affatto sicura quanto Johan che quella che abbiamo visto fosse la ragazza giusta.»

«Hai idea di chi altro potesse essere? Voglio dire... non è che siano poi tanti gli estranei che si presentano a bussare a Västergården, no?»

Dopo l'ennesima alzata di spalle e qualche istante di silenzio, Linda rispose: «No, non saprei. Però poteva anche essere una che voleva vendere qualcosa. Che ne so io?»

«Jacob ha detto di aver ricevuto visite, dopo?»
«No.»
Linda non aggiunse altro, e sia Patrik che Martin capirono che era molto più preoccupata di quanto non volesse mostrare davanti a loro. E forse anche ai genitori.
«Posso sapere dove volete arrivare?» intervenne Gabriel. «Come ho già detto, mi pare che il vostro comportamento stia assumendo le caratteristiche della vessazione nei confronti della mia famiglia. Come se non bastasse la riesumazione di mio fratello! A proposito, che esito ha dato? La bara era vuota, forse?»
Il tono era sarcastico, e Patrik non poté fare a meno di farsi carico di quella domanda.
«Abbiamo trovato un corpo nella bara. Probabilmente quello di suo fratello Johannes.»
«Probabilmente.» Gabriel sbuffò e incrociò le braccia sul petto.
«E adesso volete prendervela anche con il povero Jacob?»
Laine guardò il marito, sconvolta. Era come se avesse capito solo in quel momento le implicazioni delle domande dei poliziotti.
«Ma... non crederete mica che Jacob...» Le mani volarono al collo.
«In questo momento non crediamo niente, ma c'interessa molto sapere come e dove si è mossa Tanja prima di sparire, quindi Jacob può essere un testimone importante.»
«Testimone un cazzo! Ammetto che come eufemismo non è male, ma non crediate nemmeno per un istante che ci caschiamo. State cercando di completare l'opera iniziata nel 1979 dai vostri colleghi, incapaci quanto voi. Non vi importa chi incastrare, basta che sia un Hult, vero? Pri-

ma tentate di far credere che Johannes sia ancora vivo e abbia ricominciato a far fuori le ragazzine dopo ventiquattro anni di pausa, e poi, quando salta fuori che è morto quanto lo si può essere in una bara, ve la prendete con Jacob!»

Gabriel si alzò e indicò la porta. «Fuori di qui! Non voglio più vedervi, finché non avrete un pezzo di carta che vi autorizzi a venire in casa mia e io non avrò avuto modo di chiamare il mio avvocato. Fino a quel momento, potete andare a farvi fottere!»

Le imprecazioni sgorgavano sempre più frequenti, e agli angoli della bocca gli si erano formate delle bollicine di saliva. Patrik e Martin sapevano capire quando era il momento di andarsene e si avviarono verso l'ingresso. Nell'istante in cui la porta si chiuse alle loro spalle con un tonfo sordo, sentirono la voce di Gabriel che tuonava contro la figlia: «E adesso si può sapere cosa ti è saltato in testa?»

«Acqua cheta...»

«Già. Non avrei mai creduto che sotto quella superficie liscia covasse cenere vulcanica» commentò Martin.

«Anche se posso capirlo. Dal suo punto di vista...» Il pensiero corse nuovamente al clamoroso fiasco della mattina.

«Smettila di pensarci, te l'ho detto. Hai fatto quello che avevi da fare, non puoi continuare a commiserarti all'infinito» ribatté Martin seccamente.

Patrik lo fissò sorpreso. Martin avvertì il suo sguardo e alzò le spalle come per giustificarsi. «Scusami. Evidentemente lo stress comincia a fare effetto anche su di me.»

«No, no. Hai ragione. Non è il momento di commiserarsi.» Patrik staccò per un attimo gli occhi dalla strada e guardò il collega. «E non scusarti mai per essere stato sincero.»

«Okay.»

Per un attimo il silenzio si fece imbarazzato. Quando passarono davanti al campo da golf di Fjällbacka, per alleggerire l'atmosfera Patrik disse: «Quand'è che ti fai rilasciare la carta verde, che andiamo a farci qualche buca insieme?»

Martin gli rivolse un sorriso canzonatorio. «Sei sicuro di averne il coraggio? Magari mi rivelo un talento naturale e ti straccio clamorosamente.»

«Non penso. Sono molto bravo anch'io, sai?»

«Comunque dobbiamo sbrigarci, perché dopo passerà un bel po' di tempo prima che possiamo tornare a fare qualche buca.»

«Cosa vuoi dire?» Patrik sembrava sinceramente perplesso.

«Forse te ne sei dimenticato, ma tra qualche settimana avrai un neonato in casa. E allora non ti rimarrà molto tempo da dedicare a queste cose, sai?»

«Ma va', in qualche modo si farà. Quando sono così piccoli dormono un sacco, quindi vedrai che qualche buca ci starà lo stesso. E poi Erica capisce benissimo che anche io ho bisogno di uscire e fare qualcosa di diverso, di tanto in tanto. Quando abbiamo deciso di fare un figlio, ci siamo detti che sarebbe stato fondamentale continuare a concederci a vicenda degli spazi per i nostri interessi e non limitarci a fare i genitori e basta.»

Quando Patrik fu arrivato alla fine del suo ragionamento, Martin aveva le lacrime agli occhi per le risate. Scosse la testa.

«Ah, certo, vi rimarrà un sacco di tempo per fare le vostre cose» disse. «Quando sono così piccoli dormono un sacco» ripeté imitandolo, solo per scoppiare a ridere ancora più forte.

Patrik, che sapeva che la sorella di Martin aveva cinque figli, cominciò a preoccuparsi, chiedendosi cosa sapesse Martin che a lui era sfuggito. Ma prima che facesse in tempo a chiederlo sentì squillare il cellulare.

«Hedström.»

«Ciao, sono Pedersen. È un brutto momento?»

«No. Aspetta però che trovo un posto per fermarmi.»

Stavano oltrepassando in quel momento il campeggio di Grebbestad, e un'ombra scura passò sul viso di entrambi. Patrik proseguì per qualche centinaio di metri, finché raggiunse il parcheggio del porticciolo. Svoltò e si fermò.

«Parcheggiato. Avete trovato qualcosa?»

Non era riuscito a nascondere l'impazienza, e Martin lo osservava teso. Intorno alla macchina i turisti passavano a frotte, entrando e uscendo dai negozi e dai ristoranti. Patrik osservò invidioso l'espressione beata e inconsapevole dipinta sul volto di tutti.

«Sì e no. Abbiamo intenzione di approfondire la cosa, ma considerando le circostanze magari ti farà piacere sapere che dalla tua riesumazione, che a quanto mi è sembrato di capire è stata un po' affrettata, qualcosa di buono è uscito.»

«Sì, affrettata è il termine giusto. Mi sento piuttosto cretino, quindi qualsiasi cosa tu abbia trovato mi interessa.» Patrik trattenne il respiro.

«Prima di tutto, abbiamo controllato l'ortopantomografia, e il tizio nella bara è senza alcun dubbio Johannes Hult. Quindi, su questo punto purtroppo non posso dirti niente che ti consoli. Però...» e qui il medico legale non poté resistere alla tentazione di fare una pausa a effetto «... che sia morto per impiccagione è una vera e propria sciocchezza.

La sua prematura dipartita dipende piuttosto da un colpo alla nuca inferto con un oggetto contundente.»

«Cosa?» gridò Patrik, facendo fare a Martin un salto sul sedile. «Che razza di oggetto contundente? Mi stai dicendo che gli hanno dato una mazzata in testa?»

«Qualcosa del genere. Ma è sul tavolo proprio adesso. Ti do un colpo di telefono appena ho in mano qualche elemento in più. Per ora purtroppo non posso dirti altro.»

«Grazie di avermi avvertito subito. Fatti vivo non appena avrai finito.»

Trionfante, Patrik chiuse lo sportellino del cellulare.

«Cos'ha detto? Cos'ha detto?» Martin era curiosissimo.

«Che non sono un idiota completo.»

«Be', certo, serve un medico per confermarlo. Ma a parte questo?» insistette Martin asciutto. Non sopportava di essere tenuto sulle spine.

«Ha detto che Johannes Hult è stato assassinato.»

Martin piegò la testa verso le ginocchia e si strofinò la faccia con entrambe le mani, fingendosi disperato. «No, merda! Chiedo l'esonero da questa indagine. Non è possibile! Mi stai dicendo che quello che era il principale sospettato del sequestro di Siv e Mona, anzi, della loro morte, è stato ucciso lui stesso?»

«Esatto. E se Gabriel Hult pensa di riuscire a sbraitare tanto forte da indurci a smettere di rivangare il loro passato si sbaglia. Questa non è altro che una conferma del fatto che all'interno della famiglia Hult qualcosa non quadra. Qualcuno di loro sa come e perché Johannes Hult è stato ucciso e qual è il nesso con gli omicidi delle ragazze. Ci scommetto qualsiasi cosa!» Batté il pugno contro il palmo, sentendo che all'abbattimento di quella mattina si sostituiva una rinnovata energia.

«Spero soltanto che riusciamo a sbrogliare in fretta questa matassa. Per il bene di Jenny Möller» disse Martin.

La sua uscita ebbe su Patrik l'effetto di una secchiata di acqua gelida. Non doveva lasciarsi prendere la mano dall'istinto di competizione, dimenticando il motivo per cui facevano il loro lavoro. Restarono qualche istante a guardare le persone che passavano intorno all'auto. Poi Patrik rimise in moto e partì verso la stazione di polizia.

Kennedy Karlsson era convinto che fosse cominciato tutto dal nome. Non c'era qualcosa di diverso a cui dare la colpa. Molti ragazzi avevano ben altro, per esempio il fatto che i genitori bevevano e li picchiavano. Lui invece aveva solo il nome.

Finita la scuola superiore, sua madre aveva trascorso qualche anno negli Stati Uniti. Prima, se qualcuno andava negli States era un avvenimento, in paese. Ma a metà degli anni ottanta, quando era partita lei, era passato un sacco di tempo dall'epoca in cui un biglietto per gli Stati Uniti significava un viaggio di sola andata. Le famiglie i cui figli adolescenti si trasferivano nelle grandi città o all'estero erano parecchie. L'unica cosa rimasta invariata era che, se qualcuno lasciava la sicurezza della piccola comunità, le malelingue si mettevano subito in moto, sostenendo che non sarebbe andata a finire bene. E nel caso di sua madre in un certo senso avevano avuto ragione. Dopo un paio d'anni nella terra promessa, era tornata con lui nella pancia. Di suo padre non aveva mai sentito parlare. Ma neanche quella era una buona scusa: sua madre si era sposata con Christer ancora prima che lui nascesse, dandogli un padre come qualsiasi altro. No, era proprio colpa del nome. Evidentemente sua madre aveva voluto darsi un tono e dimostrare che, pur essendo tornata a casa con la coda tra le gambe, era stata nel grande mondo. E lui doveva servire a ricordarlo a tutti. Per questo non perdeva occasione per raccontare che per il nome del figlio maggiore si era ispirata a John F. Kennedy, dato che negli anni trascorsi negli Stati Uniti aveva coltivato una sconfinata ammirazione per quel grande uomo. Chissà perché, allora, non lo aveva battezzato semplicemente John.

Ai suoi fratelli, la madre e Christer avevano riservato un destino migliore. Per loro erano andati bene Emelie, Mikael e Thomas. Sani e normali nomi svedesi che lo facevano risaltare ancora di più nel mucchio. Che suo padre fosse nero, oltretutto, non migliorava le cose, ma Kennedy non pensava che fosse quello il fattore determinante. Era quel nome del cazzo, ne era certo.

Quando era stato il momento di iniziare le elementari, non vedeva l'ora. Se lo ricordava chiaramente: l'emozione, la gioia, l'impazienza di cominciare qualcosa di nuovo, di vedersi davanti qualcosa di completamente diverso. Era bastato un giorno o due per fargli passare la voglia a forza di botte. Per colpa di quel nome. Aveva imparato rapidamente che staccarsi dalla massa è un peccato. Un nome strano, un taglio di capelli bizzarro, dei vestiti fuori moda... non faceva differenza, era comunque una dimostrazione del fatto che non si era come gli altri. Nel suo caso c'era anche l'aggravante che, secondo gli altri, si credeva chissà chi a causa del suo nome originale. Come se fosse stato lui a darselo. Se avesse potuto, avrebbe scelto qualcosa tipo Johan, Oskar o Fredrik. Insomma, un nome che gli permettesse di essere automaticamente accettato in un gruppo.

Anche dopo i primi giorni, a scuola l'inferno era continuato. Le frecciate, le botte, l'emarginazione avevano fatto sì che si costruisse intorno un muro di granito, e ben presto ai pensieri erano seguite le azioni. Tutta la rabbia che aveva accumulato all'interno aveva preso a fuoriuscire attraverso piccoli fori diventati a mano a mano più grandi, finché era risultata evidente a tutti. E allora era già troppo tardi: la scuola era un capitolo chiuso e anche la fiducia della famiglia, e gli amici non erano gli amici che si dovevano avere.

Quanto a lui, Kennedy si era rassegnato al destino dettatogli dal suo nome. Aveva la scritta PROBLEMA tatuata in fronte e non gli restava che rispondere alle aspettative che ne derivavano. Un modo di vivere facile, eppure paradossalmente piuttosto difficile.

Tutto questo era cambiato quando, contro la sua volontà, era arrivato a Bullaren. L'avevano portato lì quando l'avevano beccato per un disgraziato furto d'auto, e inizialmente era stata sua intenzione opporre la minima resistenza possibile per potersene andare al più presto. Poi aveva conosciuto Jacob. E attraverso Jacob aveva conosciuto Dio.

Tuttavia, ai suoi occhi erano quasi la stessa cosa.

Non era successo un miracolo. Non aveva udito una voce tonante dall'alto o visto cadere un fulmine dal cielo a prova della sua esistenza. Era invece stato grazie alle ore trascorse con Jacob e alle loro lunghe conversazioni che aveva preso forma in lui l'immagine del Dio di Jacob, come un puzzle che lentamente rivela il disegno raffigurato sul coperchio della scatola.

Una volta era anche scappato dalla comunità, e aveva fatto casino con gli amici e si era ubriacato, per poi essere ritrascinato lì, umiliato, e dover sostenere, il giorno dopo, con la testa dolorante, lo sguardo mite di Jacob in cui, stranamente, sembrava non trovasse posto il rimprovero.

Si era lamentato con lui della storia del nome, spiegandogli che la colpa di tutti i suoi errori era da far risalire a quello. Jacob però era riuscito a spiegargli che doveva considerarlo una cosa positiva, che serviva a indicargli la direzione da prendere nella vita. Quello che aveva ricevuto era un dono, gli aveva detto. Che gli fosse stata assegnata un'identità così unica poteva solo significare che Dio l'aveva scelto tra tutti gli altri. Quel nome lo rendeva speciale, non strano.

Kennedy aveva bevuto quelle parole con lo stesso entusiasmo che mostrerebbe un affamato davanti a una tavola coperta di cibo. E lentamente si era reso conto che Jacob aveva ragione. Il suo nome era un dono che lo rendeva speciale e dimostrava che Dio aveva un piano per lui, Kennedy Karlsson. Doveva ringraziare Jacob Hult per averglielo rivelato prima che fosse troppo tardi.

Ma ora lo impensieriva vederlo così preoccupato. Non aveva potuto fare a meno di sentir spettegolare sul presunto collegamento tra la sua famiglia e la vicenda delle ragazze morte, e pensava che l'inquietudine di Jacob dipendesse da quello. Aveva vissuto sulla sua pelle la malevolenza di un paesino che fiutava il sangue. Adesso, evidentemente, la preda era la famiglia Hult.

Bussò piano alla porta di Jacob. Gli era sembrato di sentire delle voci concitate dentro, e quando aprì, con un'espressione tormentata sul volto, Jacob aveva appena messo giù il telefono.

«Come va?»

«Niente, qualche piccolo problema familiare. Nulla di cui tu debba preoccuparti.»

«I tuoi problemi sono i miei problemi, Jacob. Lo sai. Non puoi raccontarmi cosa succede? Fidati di me come io mi sono fidato di te.»

Jacob si passò stancamente una mano sugli occhi e abbassò le spalle.

«È tutto così assurdo. A causa di una sciocchezza commessa da mio padre ventiquattro anni fa, la polizia si è convinta che abbiamo qualcosa a che fare con l'omicidio della turista tedesca di cui si è parlato sui giornali.»

«Ma è terribile!»

«Sì, e l'ultima notizia è che stamattina hanno riesumato il corpo di mio zio Johannes.»

«Ma come? Hanno profanato la tomba?»

Jacob fece un sorrisino storto. Fino a un anno prima Kennedy avrebbe detto: profa... che?

«Purtroppo sì. È una dura prova per tutta la famiglia. Ma non c'è niente da fare.»

Kennedy sentì montare quella rabbia che conosceva così bene, anche se adesso la sensazione era diversa, perché era diventata la rabbia di Dio.

«Ma non potete denunciarli? Persecuzione, o qualcosa del genere?»

Di nuovo il sorriso storto e desolato di Jacob. «Secondo la tua esperienza un'iniziativa del genere porterebbe a qualche risultato?»

No, certo. Il rispetto che nutriva nei confronti della polizia era scarso, per non dire inesistente. Se c'era qualcuno in grado di capire la frustrazione di Jacob, era lui.

Provava un'infinita gratitudine per il fatto che aveva scelto di condividere le sue tribolazioni proprio con lui. Era l'ennesimo dono per il quale si sarebbe ricordato di ringraziare Dio nella preghiera della sera. Stava per aprire bocca e dirlo a Jacob, quando fu interrotto dallo squillo del telefono.

«Scusami.» Jacob sollevò il ricevitore.

Quando riattaccò, pochi minuti dopo, era ancora più pallido. Dalle battute scambiate Kennedy aveva capito che era il padre, ma si era sforzato di non lasciar trasparire la tensione con cui si beveva ogni parola.

«È successo qualcosa?»

Jacob si tolse lentamente gli occhiali.

«Dimmi qualcosa, insomma! Cosa volevano?» Kennedy non riusciva a nascondere l'angoscia e la preoccupazione che gli attanagliavano il cuore.

«Era mio padre. La polizia è stata a casa sua e ha fatto delle domande a mia sorella. Mio cugino Johan li ha chiamati dicendo che lui e mia sorella hanno visto la ragazza assassinata a casa mia, subito prima che sparisse. Che Dio mi aiuti.»

«Che Dio ti aiuti» sussurrò Kennedy, come un'eco.

Si erano riuniti nell'ufficio di Patrik. Era stretto, ma con un po' di buona volontà erano riusciti a starci tutti. Mellberg aveva messo a disposizione il suo, tre volte più spazioso degli altri, ma Patrik aveva preferito non spostare tutto il materiale.

La lavagna in effetti era ingombra di foglietti e al centro campeggiavano le foto di Siv, Mona, Tanja e Jenny. Patrik era seduto sulla scrivania, con il fianco rivolto agli altri. Per la prima volta dopo un bel po' di tempo era presente la truppa al completo: Patrik, Martin, Mellberg, Gösta, Ernst e Annika. Il trust dei cervelli della stazione di polizia di Tanumshede. Tutti con lo sguardo puntato su Patrik, che di colpo sentì sulle spalle il peso della responsabilità, mentre la fronte gli s'imperlava di sudore. Non gli era mai piaciuto essere al centro dell'attenzione e il pensiero che tutti stessero aspettando di sentire cos'aveva da dire gli provocò uno sgradevole formicolio in tutto il corpo. Si schiarì la voce.

«Mezz'ora fa ha telefonato Tord Pedersen, dell'unità di medicina legale, per dirmi che la riesumazione di stamattina non è stata del tutto inutile.» A questo punto fece una pausa e si concesse un attimo di autocompiacimento per quanto aveva appena detto. La prospettiva di essere oggetto della derisione dei colleghi per un lungo periodo a venire non era stata allettante.

«L'esame autoptico dei resti di Johannes Hult ha rivelato che non si è impiccato. Tutto lascia invece pensare che abbia ricevuto un forte colpo alla nuca.»

Tra i colleghi si diffuse un brusio. Patrik proseguì, consapevole di avere ormai l'attenzione dei colleghi. «Dunque siamo in presenza di un altro omicidio, per quanto non recente. Per questo ho ritenuto opportuno che ci riunissimo per passare in rassegna quello che sappiamo. Domande?» Silenzio. «Allora cominciamo.»

Patrik illustrò tutto il vecchio materiale su Siv e Mona, compresa la testimonianza di Gabriel. Poi passò a Tanja: la conferma che le lesioni riscontrate sul suo corpo erano le stesse riscontrabili sugli scheletri di Siv e Mona, la scoperta che era la figlia di Siv, le informazioni di Johan sulla sua presenza a Västergården.

Gösta fece sentire la sua voce: «E Jenny Möller? Io non sono convinto che ci sia un legame tra la sua scomparsa e gli omicidi.»

Gli occhi di tutti corsero alla foto della bionda diciassettenne che sorrideva dalla lavagna. Anche Patrik la guardò e disse: «Sono d'accordo con te, Gösta. Al momento è solo una teoria tra tante. Ma le battute nei dintorni non hanno dato risultati e la verifica sui violentatori noti alla polizia ha fruttato solo la falsa pista di Mårten Frisk. Quindi, non possiamo fare altro che sperare che ci venga in aiuto qualcuno che ha visto qualcosa, e allo stesso tempo lavorare senza escludere la possibilità che a rapire Jenny sia stata la stessa persona che ha assassinato Tanja. È una risposta sufficiente alla tua domanda?»

Gösta annuì. In pratica non sapevano nulla, ed era la conferma di quanto pensava.

«A proposito, Gösta, Annika mi ha detto che siete andati a verificare la storia del concime. Qualche risultato?»

Fu Ernst a rispondere al posto di Gösta. «Niente di niente. L'agricoltore con cui abbiamo parlato non ha nulla a che vedere con questa faccenda.»

«Vi siete dati un'occhiata intorno, per scrupolo?» Patrik non si sentiva troppo rassicurato dalle dichiarazioni del collega.

«Be', certo. E, come dicevo, non abbiamo trovato niente di niente» ripeté Ernst risentito.

Patrik guardò con espressione interrogativa Gösta, che annuì.

«Va bene. Dovremo riflettere sull'utilità di quella pista. Ora però concentriamoci su questo. Stamattina mi ha telefonato Johan, il figlio di Johannes Hult, per dirmi di aver visto a Västergården una ragazza, che lui sostiene fosse Tanja. Sua cugina Linda, la figlia di Gabriel, era con lui, e poco fa io e Martin siamo andati a parlarle. Lei conferma che hanno visto una ragazza, ma non è altrettanto certa che si trattasse di Tanja.»

«Ma possiamo fidarci di un testimone del genere? La fedina penale di Johan e le rivalità all'interno della famiglia rendono piuttosto opinabile quello che dice, no?» intervenne Mellberg.

«Sì, ci ho pensato anch'io. Dovremo aspettare di sentire cosa dice Jacob Hult. Però mi sembra interessante che, in un modo o nell'altro, si finisca sempre per tornare a quella famiglia. Ovunque ci giriamo, inciampiamo inevitabilmente in qualche membro del clan.»

Nell'ufficetto la temperatura era salita rapidamente. Patrik aveva spalancato una finestra ma, dato che neanche fuori c'era aria, non era servito a molto. Annika cercava un po' di sollievo usando il blocco a mo' di ventaglio, Mellberg si asciugava il sudore dalla fronte con il palmo della mano e sotto l'abbronzatura il viso di Gösta aveva assunto un preoccupante colore grigiastro. Martin si era sbottonato i primi bottoni della camicia, il che permise a Patrik di notare, non senza una certa invidia, che alcune persone riuscivano a dedicare un po' di tempo alla palestra. Solo Ernst sembrava del tutto indifferente al caldo.

«Be', io scommetto che è stato proprio uno di quei maledetti farabutti. Sono gli unici ad avere già avuto a che fare con la polizia» disse.

«A parte il padre» gli ricordò Patrik.

«Esatto, a parte il padre. Comunque in quel ramo della famiglia c'è del marcio.»

«E il fatto che Tanja sia stata vista per l'ultima volta a Västergården, allora? Secondo la sorella, Jacob era a casa, in quel momento. Tutto questo non vi fa pensare a lui?»

Ernst sbuffò sprezzante. «E chi lo dice che la ragazza era lì? Johan Hult. No, guarda, io non credo a una parola di quello che dice.»

«Quando avresti intenzione di parlare con Jacob?» chiese Martin.

«Io e te potremmo andare a Bullaren subito dopo la riunione. Ho telefonato per controllare che fosse al lavoro.»

«Non pensi che Gabriel lo abbia avvertito?» obiettò Martin.

«Certo, ma non possiamo farci niente. Vedremo cosa dice.»

«E dell'informazione che Johannes è stato assassinato, cosa facciamo?» chiese ancora Martin.

Patrik non voleva ammettere che non conosceva la risposta. Gli elementi da approfondire erano un po' troppi, in quel momento, e aveva paura che, facendo un passo indietro per guardare tutto l'insieme in una volta sola, l'enormità del compito che aveva davanti potesse paralizzarlo. Sospirò. «Dobbiamo fare una cosa alla volta. A Jacob non diremo niente. Non voglio che Solveig e i ragazzi lo sappiano prima del tempo.»

«Quindi il passo successivo sarà parlare con loro?»

«Sì, immagino di sì. A meno che qualcuno non abbia altre proposte.»

Silenzio. Nessuno sembrava avere idee migliori.

«E noi cosa facciamo?»

Gösta aveva il respiro affannoso e Patrik si chiese preoccupato se con quel caldo stesse per venirgli un attacco di cuore.

«Annika ha detto che dopo la comparsa di Jenny sulle locandine hanno cominciato ad arrivare segnalazioni dai lettori. Le ha classificate a seconda dell'apparente rilevanza, quindi tu ed Ernst potete cominciare a spulciare l'elenco.»

Patrik sperava di non commettere un errore, coinvolgendo di nuovo Ernst nell'indagine. Visto che quando aveva accompagnato Gösta all'azienda agricola si era comportato bene, voleva dargli un'altra possibilità.

«Annika, vorrei che tu contattassi di nuovo l'azienda che vendeva il concime, chiedendo un elenco allargato dei clienti. In effetti mi risulta difficile credere che i corpi possano essere stati trasportati per un tratto molto lungo, ma può valere la pena controllare.»

«Nessun problema.» Annika si mise ad agitare il blocco ancora più forte. Il labbro superiore le si era imperlato di sudore.

A Mellberg non fu affidato nessun incarico. Patrik si accorse di avere qualche difficoltà a impartire ordini al suo capo. Inoltre, preferiva che non s'immischiasse. Però doveva riconoscere che inaspettatamente era riuscito a tenere fuori dai piedi i politici.

C'era ancora qualcosa di molto strano in lui. Normalmente la sua voce risuonava molto più alta delle altre, mentre adesso se ne stava seduto immobile, in silenzio, con l'aria di trovarsi in un paese lontano. Il buon umore che li aveva lasciati perplessi negli ultimi giorni era stato sostituito da questi ancora più preoccupanti silenzi.

Patrik gli chiese: «Vuole aggiungere qualcosa, commissario?»

Mellberg trasalì. «Cosa? Scusa, dicevi?»

«Ha qualcosa da aggiungere?» ripeté Patrik.

«Ah, certo» borbottò Mellberg, schiarendosi la voce. Lo stavano guardando tutti. «No, direi di no. Mi pare che tu abbia la situazione sotto controllo.»

Annika e Patrik si scambiarono un'occhiata. In genere la segretaria sapeva tutto quello che succedeva alla stazione, ma questa volta si limitò ad alzare le spalle e le sopracciglia come a dire che non aveva idea di cosa stesse accadendo.

«Domande? No? Bene, allora al lavoro.»

Tutti uscirono sollevati dalla stanza surriscaldata sperando di trovare un po' di refrigerio da qualche parte. Solo Martin rimase dov'era.

«Quando ci muoviamo?»

«Pensavo che prima potremmo pranzare, e partire appena finito.»

«Okay. Vuoi che vada a comprare qualcosa?»

«Sì, mi faresti un gran piacere, così nel frattempo do un colpo di telefono a Erica.»

«Salutamela.» Martin stava già uscendo.

Patrik compose il numero. Sperava che Jörgen e Madde non l'avessero uccisa di noia...

«Piuttosto isolato, questo posto.»

Martin si guardò intorno, senza vedere altro che alberi. Era un quarto d'ora che percorrevano una serie di stradine in mezzo al bosco, e cominciava a chiedersi se si fossero persi.

«Tranquillo, so esattamente dove siamo. Sono già stato qui una volta, perché uno dei ragazzi aveva cominciato a diventare ingestibile. Conosco la strada.»

Patrik aveva ragione. Subito dopo svoltarono nello spiazzo.

«Sembra un posto molto bello.»

«Sì, in effetti ha un'ottima fama. Se non altro, sono riusciti a mantenere integra la facciata. Io però divento scettico appena si comincia a esagerare con gli alleluia, ma è un problema mio. Anche se queste comunità ispirate al nonconformismo religioso si danno obiettivi condivisibili, prima o poi finiscono sempre per attirare persone strane, gente che non si sente parte di nulla, forse grazie al forte senso di appartenenza che offrono.»

«Hai l'aria di sapere di cosa parli.»

«Be', mia sorella è stata coinvolta in ambienti un po' strani, per un periodo. Sai, gli anni dell'adolescenza in cui si va alla ricerca di qualcosa. Però ne è uscita indenne, la situazione non è mai degenerata, anche se ho imparato a sufficienza su questi meccanismi per sviluppare un sano scetticismo. Comunque, come ti dicevo prima, su questa comunità in particolare non ho mai sentito dire niente di negativo, quindi non c'è motivo di supporre che non sia brava gente.»

«Già, e in ogni caso questo non c'entra niente con la nostra indagine» disse Martin.

Il tono era di ammonimento, e in effetti l'intenzione era un po' quella. Patrik in genere era molto composto, ma questa volta nella sua voce si percepiva una sfumatura sprezzante. Martin si chiese in che modo tutto questo avrebbe potuto influenzare il colloquio con Jacob.

Era come se Patrik gli avesse letto nel pensiero. Sorrise. «Non preoccuparti. È solo una delle mie idee fisse, ma non ha niente a che vedere con la situazione specifica.»

Parcheggiarono e scesero dall'auto. Nella fattoria le attività fervevano. Ragazzi e ragazze lavoravano al coperto e all'aperto. Un gruppo stava facendo il bagno giù al lago, e il volume delle voci era alto. Sembrava un idillio. Martin e Patrik bussarono alla porta dell'edificio principale, che venne aperta da un ragazzo sulla ventina. Trasalirono entrambi. Se non fosse stato per lo sguardo torvo, non l'avrebbero riconosciuto.

«Ciao, Kennedy.»

«Cosa volete?» Il tono era ostile.

Patrik e Martin non poterono fare a meno di restare lì a guardarlo. Dei capelli lunghi che gli pendevano sempre davanti al viso non c'era più traccia, e lo stesso valeva per i vestiti neri e la pelle rovinata. Il ragazzo che avevano davanti era talmente pulito e pettinato che praticamente scintillava. Ma lo sguardo ostile era familiare a entrambi: lo ricordavano dalle volte in cui lo avevano preso per furto d'auto, spaccio e molti altri reati.

«Hai l'aria di star bene, Kennedy.» La voce di Patrik era gentile. Quel ragazzo gli aveva sempre fatto pena.

Lui non lo degnò di una risposta e ripeté la domanda: «Cosa volete?»

«Parlare con Jacob. È in ufficio?»

Kennedy si parò davanti a loro. «Cosa volete da lui?»

Ancora in tono gentile, Patrik rispose: «Non sono affari che ti riguardino. Quindi te lo chiedo di nuovo: è qui?»

«Dovete smetterla di dare fastidio a lui e alla sua famiglia. Ho sentito cosa state cercando di fare, ed è uno schifo. Ma sarete puniti. Dio vede tutto, anche nei vostri cuori.»

Martin e Patrik si scambiarono un'occhiata. «Va bene, Kennedy, però adesso spostati.»

Il tono di Patrik si era fatto minaccioso e dopo un breve scontro tra due volontà opposte il ragazzo arretrò, riluttante, e li lasciò entrare.

«Grazie» mormorò Martin, seguendo Patrik nell'ingresso. Sembrava che sapesse da che parte andare.

«Se non ricordo male, il suo ufficio è in fondo al corridoio.»

Kennedy li seguì a qualche passo di distanza, come un'ombra silenziosa. Nonostante il caldo, Martin rabbrividì.

Bussarono. Quando Kennedy aprì la porta, Jacob era seduto alla scrivania. Non pareva particolarmente sorpreso.

«Ma guarda un po', il braccio lungo della legge. Non avete qualche delinquente vero a cui correre dietro?»

Alle loro spalle Kennedy, rimasto sulla porta, strinse le mani a pugno.

«Grazie, Kennedy, chiudi pure.»

Il ragazzo ubbidì, suo malgrado.

«Quindi sai perché siamo qui, immagino.»

Jacob si sfilò gli occhiali da computer e si allungò in avanti. Aveva l'aria tormentata.

«Sì, ho ricevuto una telefonata da mio padre un'oretta fa. Mi ha raccontato una storia folle. Il mio caro cuginetto avrebbe affermato di aver visto a casa mia la ragazza assassinata.»

«È una storia folle?» Patrik osservò Jacob.

«Certo.» Stava tamburellando con gli occhiali sulla scrivania. «Cosa sarebbe venuta a fare a Västergården? Per quanto ne so era una turista, e non mi pare che la casa in cui abito si trovi sugli itinerari più gettonati. Quanto alla cosiddetta testimonianza di Johan... Be', ormai conoscete la situazione della famiglia, e purtroppo Solveig e i suoi figli non perdono occasione per infangare il ramo a cui appartengo. È triste, però alcune persone nel loro cuore non hanno Dio ma qualcos'altro...»

«Può darsi» intervenne Patrik in tono affabile, «ma il fatto è che noi sappiamo perché potrebbe essere venuta a Västergården.» Possibile che avesse visto passare un guizzo inquieto negli occhi di Jacob? Continuò: «Non era venuta a Fjällbacka come turista, ma per cercare le sue radici. E forse per scoprire qualcosa in più sulla scomparsa di sua madre.»

«Sua madre?» chiese Jacob, perplesso.

«Sì, era figlia di Siv Lantin.»

Gli occhiali caddero sulla scrivania, con un rumore secco. Martin si chiese se lo stupore fosse recitato o autentico. Aveva scelto deliberatamente di lasciare a Patrik il compito di parlare per potersi dedicare all'osservazione delle reazioni di Jacob nel corso del colloquio.

«Be', questa mi giunge nuova, devo ammetterlo. Ma ancora non capisco cosa sarebbe venuta a fare a Västergården.»

«Come dicevo, sembra avesse intenzione di raccogliere informazioni su quanto accaduto a sua madre. E considerando che tuo zio era il principale indiziato...» Non concluse la frase.

«Alle mie orecchie queste suonano come mere congetture. Mio zio era innocente, e ciononostante con le vostre insinuazioni l'avete spinto alla morte. Messo fuori gioco lui, evidentemente volete incastrare qualcuno di noi. Ditemi un po', qual è la spina nel fianco che crea in voi questo bisogno impellente? È la nostra fede e la gioia che ne ricaviamo a infastidirvi fino a questo punto?»

Jacob era passato al sermone e Martin capì perché fosse così apprezzato come predicatore. La sua voce vellutata che saliva e scendeva a ondate aveva il potere di stregare chi l'ascoltava.

«Noi facciamo solo il nostro lavoro.»

Patrik aveva risposto seccamente, costringendosi a non lasciar trapelare l'avversione suscitata in lui da quelle che riteneva balordaggini religiose. Ma, come Martin, dovette ammettere che Jacob aveva un che di speciale, quando parlava. Persone più deboli di lui avrebbero potuto lasciarsi ammaliare facilmente da quella voce e attirare dal messaggio che diffondeva. Continuò: «Quindi tu sostieni che Tanja Schmidt non ha mai messo piede a Västergården?»

Jacob spalancò le braccia. «Giuro che non ho mai visto quella ragazza. C'è altro?»

Martin pensò a quanto aveva detto Pedersen. Johannes non si era suicidato. Quella notizia avrebbe potuto scuotere Jacob, ma Patrik aveva ragione. Tutti i telefoni del resto della famiglia Hult avrebbero squillato prima che loro fossero saliti in macchina.

«No, abbiamo finito, direi. Ma non è detto che non ci rifacciamo vivi.»

«Non mi sorprenderebbe.»

La voce di Jacob non aveva più il tono del sermone, era tornata mite e calma. Martin stava per abbassare la maniglia quando la porta gli si spalancò davanti. Kennedy, lì fuori, aveva aperto al momento giusto. Doveva essere rimasto ad ascoltare. Ogni dubbio in proposito fu spazzato via dal fuoco nero che gli bruciava nello sguardo: un odio tale che Martin arretrò di scatto. Jacob doveva avergli parlato più dell'occhio per occhio che dell'amore per il prossimo.

Intorno alla tavola l'atmosfera era opprimente. Non che fosse mai stata allegra. Non dalla morte di Johannes in avanti, almeno.

«Quando finirà tutto questo?» Solveig si premette una mano sul petto. «Cadiamo sempre nel fango. È come se tutti credessero che aspettiamo solo che ci vengano a prendere a calci!» Dalla bocca le uscì un gemito. «E ora cosa dirà la gente, venendo a sapere che Johannes è stato tirato fuori dalla tomba? Quando hanno trovato quell'ultima ragazza pensavo che le chiacchiere sarebbero cessate, e invece sta ricominciando tutto da capo.»

«Ma lasciali parlare! Che ce ne frega a noi di quello che blatera la gente in casa sua?»

Robert spense la sigaretta con un impeto tale da far ribaltare il posacenere. Solveig si affrettò a spostare l'album.

«Attento! Possono restare delle bruciature!»

«Sono stufo dei tuoi maledetti album! Te ne stai sempre lì a trafficare con quelle vecchie foto, dalla mattina alla sera! Non hai ancora capito che quell'epoca è finita? Sono passati cent'anni, praticamente, e tu te ne stai ancora lì a sospirare e sistemare le tue dannatissime foto. Papà non c'è più e tu non sei più una reginetta di bellezza. Guardati.»

Robert afferrò gli album e li gettò a terra. Solveig si lanciò con un grido sul pavimento e si mise a raccogliere le foto sparse qua e là, il che servì solo a far aumentare la furia di Robert. Ignorando lo sguardo implorante della madre, si chinò, ne raccolse una manciata e cominciò a farle a pezzi.

«No, Robert, no! Le mie foto! Per favore, Robert.» La sua bocca era come una ferita aperta.

«Sei una vecchia grassona, non l'hai ancora capito? E papà si è impiccato. È ora che te lo ficchi in quella testa!»

Johan, rimasto a osservare la scena impietrito, si alzò e afferrò la mano di Robert, forzando le dita in modo che allentasse la presa convulsa sulle foto e costringendolo ad ascoltarlo: «Adesso ti dai una calmata. Non capisci che è esattamente questo che vogliono? Che ci rivoltiamo uno contro l'altro, mandando in pezzi la nostra famiglia! Ma noi non gli daremo questa soddisfazione, mi hai sentito? Staremo uniti. Adesso aiuti ma' a raccogliere tutto.»

La rabbia di Robert si sgonfiò come un palloncino. Passandosi una mano sugli occhi, guardò inorridito il casino intorno a sé. Simile a un grosso grumo di disperazione, Solveig era accasciata a terra, singhiozzante, con dei pezzi di foto tra le dita. Il suo pianto era straziante. Robert le si inginocchiò accanto e la circondò con le braccia. Le scostò teneramente una ciocca unta dalla fronte e poi l'aiutò ad alzarsi.

«Scusa, ma'. Scusa, scusa, scusa. Ti aiuterò a rimettere a posto gli album. Le foto rotte non le posso aggiustare, ma non sono tante. Guarda, quelle venute meglio ci sono ancora. Guardati qui, com'eri bella.»

Le allungò una foto. Solveig indossava un morigerato costume intero, con una fascia di traverso su cui si leggeva REGINETTA DEL 1° MAGGIO 1967. Ed era bella davvero. Il pianto si stemperò in singulti irregolari. Gli prese di mano la foto e il viso le si aprì in un sorriso. «Vero che ero bella, Robert?»

«Sì, ma', è verissimo. La ragazza più bella che abbia mai visto!»

«Dici sul serio?»

Fece un sorriso civettuolo e gli accarezzò la testa. Lui l'aiutò a rimettersi sulla sedia.

«Sì, parola d'onore.»

Poco dopo era stato raccolto tutto e lei era di nuovo immersa nei suoi album, felice. Con un cenno della testa,

Johan fece capire a Robert di uscire con lui. Seduti sui gradini esterni della casetta di legno, si accesero una sigaretta ciascuno.

«Cazzo, Robert, non puoi perdere la testa adesso.»

Il fratello maggiore grattò la ghiaia con il piede, senza rispondere. Cosa doveva dire?

Johan inspirò il fumo, spingendolo nei polmoni e lasciandolo poi filtrare tra le labbra per gustarselo. «Non dobbiamo stare al loro gioco. Sono convinto di quello che ho detto. Dobbiamo stare uniti.»

Robert rimase in silenzio, pieno di vergogna. Nel punto in cui continuava a strusciare il piede si era formato un buco. Ci gettò dentro il mozzicone e coprì tutto con la ghiaia, il che era peraltro assolutamente inutile: lì intorno era tutto punteggiato di cicche. Dopo un po' si girò a guardare in faccia il fratello.

«Senti, quella storia che hai visto la ragazza a Västergården...» esitò «... è vera?»

Johan tirò un'ultima boccata, per poi gettare anche lui a terra il mozzicone. Si alzò senza guardarlo.

«Certo che è vero.» Poi entrò in casa.

Robert rimase seduto. Per la prima volta sentì che tra lui e suo fratello si stava aprendo un baratro. Provò una paura pazzesca.

Il pomeriggio trascorse in una calma ingannevole. Non volendo azzardare mosse affrettate prima di avere in mano altri dettagli sui resti di Johannes, Patrik era praticamente inattivo da ore, ad aspettare che il telefono squillasse. Irrequieto, andò da Annika per ammazzare il tempo con una chiacchierata.

«Come va?» chiese lei, guardandolo come al solito da sopra gli occhiali.

«Questo caldo non migliora la situazione.» Mentre lo diceva, si accorse che nel piccolo ufficio di Annika c'era un po' di fresco. Un grande ventilatore ronzava sulla sua scrivania, e Patrik chiuse gli occhi godendosi l'arietta.

«Perché non ci ho pensato? Dopotutto ne ho comprato uno per Erica, da tenere in casa. Ne avrei potuto prendere uno per l'ufficio, no? Sarà la prima cosa che farò domani mattina, puoi starne certa.»

«Giusto, a proposito di Erica, come va con il pancione? Dev'essere un bel calvario con questo caldo.»

«Già. Prima che le comprassi il ventilatore stava per dare di matto. Oltretutto dorme male: crampi ai polpacci, non può mettersi a pancia in giù, e tutto il resto. Be', lo sai anche tu.»

«Mah, veramente non posso dire di saperlo» obiettò Annika.

Inorridito, Patrik si rese conto di cosa aveva appena detto. Annika e suo marito non avevano figli, e lui non aveva mai osato chiedere perché. Magari non potevano averne e lui aveva appena detto un'idiozia. Lei si accorse del suo imbarazzo.

«Non preoccuparti. La nostra è stata una scelta. Non abbiamo mai sentito il bisogno di avere dei figli: abbiamo i cani su cui sfogare il nostro affetto, e ci bastano quelli.»

Patrik sentì tornare il colore sulle guance. «Temevo di avere fatto una gaffe. Comunque, è un periodo duro per entrambi, anche se naturalmente più per lei che per me. A questo punto si desidera più che altro che finisca presto. Oltretutto negli ultimi giorni abbiamo avuto una serie di invasioni.»

«Invasioni?» Annika sollevò un sopracciglio.

«Parenti e conoscenti che ritengono che Fjällbacka in luglio sia una meta fantastica.»

«E non trovano di meglio che venire a tenervi compagnia, vero?» disse Annika, ironica. «Già, ne so qualcosa. All'inizio avevamo anche noi lo stesso problema con la nostra casetta in riva al mare, ma poi abbiamo detto a tutti gli scrocconi di andarsene a quel paese. Da allora non si fanno più vivi. Ci si mette abbastanza poco a rendersi conto che non se ne sente assolutamente la mancanza. I veri amici vengono anche a novembre, gli altri è meglio perderli che trovarli.»

«Hai ragione» ammise Patrik, «ma è più facile a dirsi che a farsi. In effetti Erica ha sbattuto fuori il primo gruppo, ma adesso ci risiamo e non possiamo far altro che essere ospitali. E a lei che è a casa dalla mattina alla sera tocca anche servirli e riverirli.» Sospirò.

«Allora forse sarà meglio che tu ti dia una regolata e risolva il problema.»

«Io?» Patrik guardò Annika, ferito.

«Sì, tu. Erica si sta consumando per lo stress, mentre tu te ne stai qui al sicuro dalla mattina alla sera. Forse è il momento di battere il pugno sul tavolo e assicurarle un po' di tranquillità. Non può essere facile, per lei, abituata com'è ad avere il suo lavoro, ritrovarsi di punto in bianco a casa tutto il giorno a guardarsi l'ombelico mentre la tua vita va avanti come al solito.»

«Veramente non ci avevo pensato» rispose Patrik, avvilito.

«Me lo immagino. Quindi, stasera vedi di mettere alla porta gli ospiti, qualsiasi cosa ti sussurri all'orecchio Lutero, e di coccolare come si deve la futura mammina. Le hai almeno telefonato per chiederle come sta, tutta sola dalla mattina alla sera? Immagino che quasi non riesca a uscire, con questo caldo, che sia praticamente confinata in casa.»

«Sì.» Ormai Patrik stava sussurrando. Era come essere

travolti da un rullo compressore. Si sentiva la gola stretta dall'angoscia. Non ci voleva un genio per rendersi conto che Annika aveva ragione. Un misto di miope egoismo e tendenza a lasciarsi fagocitare dall'indagine aveva fatto sì che neanche gli passasse per la testa di chiedersi cosa provasse Erica. Il suo ragionamento era stato che per lei doveva essere piacevole stare in ozio e dedicarsi solo alla gravidanza, ma la cosa che lo metteva in imbarazzo era che conosceva Erica a sufficienza per rendersi conto che non poteva essere così. Sapeva quanto fosse importante per lei fare qualcosa di significativo, non era tipo da starsene con le mani in mano. Ma evidentemente ingannare se stesso era servito ai suoi fini.

«Allora, non sarebbe il caso che te ne tornassi a casa prima del solito per occuparti della tua ragazza?»

«Ma sto aspettando una telefonata» si lasciò sfuggire Patrik, rendendosi conto dallo sguardo di Annika che era la risposta sbagliata.

«Vuoi dire che il tuo telefono funziona solo tra le pareti della stazione? Mi sembra un campo piuttosto limitato per un cellulare, non trovi?»

«Sì» rispose Patrik, tormentato, e balzò in piedi. «Va bene, vado a casa. Mi giri tu le eventuali telefonate...»

La segretaria lo guardò come se fosse un ritardato mentale. Lui uscì dall'ufficio camminando all'indietro. Se avesse avuto un cappello, l'avrebbe tenuto in mano, inchinandosi...

Ma alcuni eventi imprevedibili non gli permisero di lasciare la stazione di polizia prima di un'ora.

Ernst era intento a frugare con lo sguardo tra i dolci sugli scaffali di Hedemyrs. Inizialmente aveva pensato di fare un salto in panetteria, ma la fila gli aveva fatto cambiare idea.

Mentre stava per decidersi tra ciambelline alla cannella e palline al cioccolato e cocco, la sua attenzione venne attirata da un tafferuglio scoppiato al piano di sopra. Lasciò perdere i dolci e andò a vedere. Il negozio era disposto su tre livelli: dalla strada si accedeva al ristorante, con l'edicola e la libreria, al primo piano c'era la drogheria e al secondo abiti, scarpe e articoli da regalo. Davanti alla cassa due donne strattonavano una borsa. Una delle due portava appuntata al petto una targhetta che indicava che era un'addetta del grande magazzino, mentre l'altra sembrava la protagonista di un film russo di quelli con un budget molto limitato. Minigonna inguinale, calze a rete, un top che sarebbe andato bene a una dodicenne e una quantità di trucco sufficiente a farla somigliare a un arcobaleno.

«No, no, my bag!» gridava la donna in un inglese dall'accento marcato.

«I saw you took something» replicò la commessa, anche lei in inglese ma con la tipica cadenza svedese. Quando vide Ernst parve molto sollevata.

«Meno male! Arresti questa donna. L'ho vista mentre girava e metteva in borsa della roba, e poi ha tentato di andarsene come se niente fosse!»

Ernst non esitò. In due lunghi passi raggiunse la presunta ladra e la prese per un braccio. Non sapendo parlare in inglese, non fece domande. Le strappò invece di mano la borsa, piuttosto capiente, e ne rovesciò direttamente il contenuto per terra: un asciugacapelli, un rasoio, uno spazzolino elettrico e, per qualche insondabile ragione, un porcellino di ceramica con la classica ghirlanda di fiori della mezz'estate.

«Allora, che mi dice di questa roba, eh?» chiese Ernst in svedese. La commessa si affrettò a tradurre.

La donna si limitò a scuotere la testa come se non ne

sapesse niente. «I know nothing. Speak to my boyfriend, he will fix this. He is boss of the police!»

«Cosa sta dicendo questa qui?» chiese Ernst. Lo infastidiva enormemente essere costretto a farsi aiutare da una donna.

«Dice che non ne sa niente e che dovreste parlare con il suo fidanzato. Che è il capo della polizia...»

Perplessa, la commessa passò con lo sguardo da Ernst alla donna, che ora aveva un sorriso di superiorità stampato sulle labbra.

«Ah, certo che parlerà con la polizia. E vedremo se continuerà anche lì con la storia del fidanzato. Può darsi che in Russia o da dove diavolo vieni se la bevano, cara signora, ma io non ci casco» gridò con il viso a pochi centimetri da quello della donna. Pur non capendo una parola, lei sembrò perdere parte della sua spavalderia.

Ernst se la tirò dietro con gesti bruschi e la portò fuori da Hedemyrs, poi le fece attraversare la strada per raggiungere la stazione di polizia. Praticamente la trascinava, costringendola a saltellare sui tacchi alti, e le persone in auto rallentavano per osservare la scena. Quando i due le passarono davanti, Annika fece tanto d'occhi.

«Mellberg!» Ernst urlava così forte che la sua voce riecheggiò nel corridoio. Patrik, Martin e Gösta sbucarono dai rispettivi uffici per vedere cosa stesse succedendo. Ernst chiamò di nuovo: «Mellberg, venga qui, ho con me la sua fidanzata!» Ridacchiò tra sé e sé. Adesso sì che l'avrebbe sputtanata per bene. L'ufficio del capo era però insolitamente silenzioso ed Ernst si chiese se per caso fosse uscito mentre lui era andato a fare rifornimento. «Mellberg?» chiamò una terza volta, ora leggermente meno entusiasta al pensiero di far rimangiare alla donna la palla che aveva raccontato. Dopo un lungo istante, durante il quale Ernst rimase in mezzo al corridoio tenendo la donna saldamente per il braccio e sentendo gli occhi di tutti puntati su di sé, Mellberg uscì dall'ufficio. Abbassando a terra lo sguardo, Ernst si rese conto, con un groppo nello stomaco, che le cose non sarebbero andate a finire come aveva pregustato.

«Beeertil!» La donna si liberò dalla stretta e corse da Mellberg, che si bloccò come un capriolo abbagliato dai fari. Dato che era venti centimetri più alta di lui, quando se lo strinse al petto la scena risultò piuttosto comica. Ernst rimase a bocca aperta. Provando il forte desiderio di sparire sottoterra, decise seduta stante di cominciare a preparare la lettera di dimissioni, prima di essere licenziato. Disperato, si rese conto che anni e anni passati a leccare i piedi al suo capo erano stati annullati da un'unica improvvida azione.

La donna lasciò andare Mellberg e si girò per puntare un dito accusatore sul suo sottoposto, il quale era rimasto lì come un pecorone, con la borsetta in mano.

«This brutal man has put his hands on me! He say I steal! Oh, Bertil, you must help your poor Irina.»

Lui le fece una goffa carezza sulla spalla, il che richiese che sollevasse la mano più o meno all'altezza del proprio naso. «You go home, Irina, okay? To house. I come later. Okay?»

Il suo inglese poteva essere definito stentato, a essere generosi, ma lei capì e non apprezzò affatto.

«No, Bertil, I stay here. You talk to that man, and I stay here and see you work, okay?»

Mellberg scosse la testa, deciso, e la sospinse in modo dolce ma energico. Lei si girò, inquieta, e disse: «But Bertil, honey, Irina not steal, okay?»

Dopodiché uscì tutta impettita sui tacchi alti, rivolgendo un'ultima occhiata trionfante a Ernst, che per parte sua aveva gli occhi incollati al pavimento e non osava sostenere lo sguardo di Mellberg.

«Lundgren! Nel mio ufficio!»

Alle orecchie di Ernst quell'ordine suonò come le trombe nel giorno del giudizio. Seguì il commissario, abbacchiato. Le teste erano ancora tutte nel corridoio, con le bocche spalancate. Ora almeno si sapeva da cosa dipendevano quegli sbalzi d'umore...

«Adesso mi fai il piacere di raccontarmi cos'è successo» disse Mellberg.

Ernst annuì fiaccamente, con la fronte imperlata di sudore. E questa volta non dipendeva dal caldo.

Raccontò del tafferuglio da Hedemyrs e del tiro alla fune tra la donna e la commessa. Con voce tremante riferì anche di come aveva vuotato la borsa e del suo contenuto che consisteva in diversi articoli che non erano stati pagati. Poi tacque e attese il verdetto. Con sua grande sorpresa, Mellberg si appoggiò allo schienale sospirando profondamente.

«Già, mi sono cacciato in un bel pasticcio.» Esitò un attimo, poi si chinò, aprì un cassetto e tirò fuori qualcosa che gettò sulla scrivania.

«Questo era quello che mi aspettavo. Pagina tre.»

Incuriosito, Ernst prese quello che sembrava un annuario scolastico. Le pagine erano tappezzate di foto di donne con qualche informazione su altezza, peso, colore degli occhi e interessi. Di colpo capì chi era Irina. Una "moglie su ordinazione". Anche se, veramente, non c'erano molte somiglianze tra l'Irina della realtà e la foto e le note sul catalogo. Si era tirata giù almeno dieci anni, dieci chili, diversi etti di trucco, sembrava bella e innocente e fissava l'obiettivo con un largo sorriso. Ernst guardò bene la foto, e poi Mellberg, che spalancò le braccia: «Visto? Era QUESTO che mi aspettavo. Ci siamo scritti per un anno e non vedevo l'ora di farla arrivare qui.» Accennò con la testa al catalogo sulle ginocchia di Ernst. «E poi è arrivata.» Sospirò. «È stata una doccia fredda terribile, te lo dico io. Ed è cominciata subito: "Bertil tesoro, comprami questo e comprami quello." L'ho persino sorpresa a frugare nel mio portafoglio mentre pensava che non la vedessi. Che guaio.»

Si diede una pacchetta sull'enorme riporto che aveva in testa, ed Ernst si accorse che il Mellberg che per un periodo aveva curato il proprio aspetto più del solito non c'era più. La camicia era di nuovo macchiata e gli aloni di sudore sotto le ascelle enormi. Gli sembrò confortante, in un certo modo. Le cose erano tornate al loro ordine consueto.

«Vedi di non andare a raccontare in giro questa cosa.»

Mellberg lo stava guardando con l'indice sollevato, ed Ernst scosse energicamente la testa. Non avrebbe detto una parola. Si sentì invadere dal sollievo: nonostante tutto non sarebbe stato licenziato.

«Allora possiamo dimenticare questo piccolo incidente. Me ne occuperò io. Ecco cosa succederà: la rimetterò sul primo aereo.»

Ernst si alzò e uscì dalla stanza inchinandosi.

«A proposito, di' a quelli là fuori di smetterla di bisbigliare e di cominciare a guadagnarsi il pane, invece.»

Sentendo la voce burbera di Mellberg, Ernst fece un sorrisone. Il capo era tornato in sella.

Ammesso che Patrik avesse avuto dei dubbi sulla correttezza delle supposizioni di Annika, vennero dissipati non appena mise piede in casa. Erica gli si buttò letteralmente al collo e lui vide la stanchezza che le offuscava i lineamenti. Ancora una volta la coscienza si fece sentire. Avrebbe dovuto essere più sensibile, più ricettivo nei confronti di quello che provava Erica. E invece si era seppellito nel lavoro ancora più del solito, lasciandola andare su e giù tra quelle quattro pareti senza niente di sensato da fare.

«Dove sono?» sussurrò.

«In giardino» gli bisbigliò Erica di rimando. «Oh, Patrik, non potrei sopportarli per un'altra giornata. Sono rimasti seduti sul loro culone tutto il giorno aspettandosi che li servissi e riverissi. Non ce la faccio più!»

Si accasciò tra le sue braccia, e lui le accarezzò la testa. «Non preoccuparti, me ne occupo io. Mi dispiace, non avrei dovuto lavorare così tanto quest'ultima settimana.»

«Mi avevi chiesto se dovevi restare, e io ti ho risposto di no. E poi non avevi scelta» mormorò Erica contro la sua camicia.

Nonostante il senso di colpa, era tentato di darle ragione. Come avrebbe potuto agire diversamente sapendo che una ragazza era scomparsa e forse era tenuta prigioniera da qualche parte? Ma allo stesso tempo doveva mettere al primo posto Erica e la salute sua e del bambino.

«In realtà non sono da solo, alla stazione. Posso delegare alcuni compiti. Comunque abbiamo un problema più urgente da risolvere.»

Si sciolse dall'abbraccio di Erica, inspirò profondamente e andò in giardino.

«Ciao. Avete passato una bella giornata?»

Jörgen e Madde rivolsero verso di lui i loro nasi color evidenziatore e annuirono allegramente. Per forza, pensò lui, dato che avete scambiato questo posto per uno stramaledetto albergo.

«Sentite, ho risolto il vostro problema. Ho fatto un giro

di telefonate e al Grand Hotel hanno delle stanze libere, dato che parecchi sono andati via da Fjällbacka. Anche se ho l'impressione che non abbiate un gran budget. Forse non è la scelta migliore.»

Jörgen e Madde, che per un attimo avevano assunto un'espressione inquieta, si affrettarono a dichiararsi d'accordo. No, non era la scelta migliore.

«Però» continuò Patrik vedendo compiaciuto che sulla fronte di entrambi si disegnava una ruga di preoccupazione, «ho telefonato anche all'ostello di Valö, e indovinate un po'! Anche loro hanno posto! Una vera fortuna, vero? Bello, pulito ed economico. Non poteva andarvi meglio!»

Batté un palmo contro l'altro sfoggiando un entusiasmo esagerato e prevenne immediatamente le obiezioni che stavano prendendo forma sulle labbra dei suoi ospiti. «Quindi è meglio che cominciate a fare i bagagli subito, considerando che il traghetto parte tra un'ora da Ingrid Bergmans Torg.»

Jörgen fece per dire qualcosa, ma Patrik alzò una mano. «No, no, non dovete ringraziarmi. Non è stato affatto un disturbo. Mi è bastata qualche telefonata.»

Sfoderò un sorrisone, poi rientrò e andò in cucina. Erica era rimasta lì a origliare dalla finestra. Dovettero controllarsi per non mettersi a ridacchiare.

«Che mito» sussurrò Erica, ammirata. «Non sapevo di vivere con un uomo così astuto!»

«Sono molte le cose che non sai, amore mio» disse. «Io sono una persona dalle mille sfaccettature...»

«Ah, davvero? E io che ti avevo sempre considerato un tipo a binario unico...» Sorrise per prenderlo in giro.

«Se non fosse per quella palla che ti ritrovi lì davanti ti avrei fatto vedere io quanto sono a binario unico» flirtò

Patrik a sua volta, sentendo che, grazie a quel finto battibecco amoroso, la tensione cominciava ad allentarsi.

Poi si fece serio. «Hai sentito Anna?»

Il sorriso di Erica sparì. «No, niente. Sono scesa al pontile a guardare e non c'erano più.»

«Pensi che sia tornata a casa?»

«Non lo so. Può anche darsi che abbiano proseguito lungo la costa. Però sai una cosa? Non ho la forza di pensarci. Sono stufa marcia della sua suscettibilità e del broncio che mi mette appena dico una parola sbagliata.»

Sospirò e fece per aggiungere qualcosa, ma furono interrotti da Jörgen e Madde che con aria risentita andavano a raccogliere le loro cose.

Più tardi, dopo che Patrik ebbe accompagnato i recalcitranti vacanzieri al traghetto per Valö, si sedettero nella veranda a godersi il silenzio. Ansioso di assecondarla e ancora tormentato dalla sensazione di avere parecchio da farsi perdonare, Patrik massaggiò i piedi e i polpacci gonfi di Erica, che sospirava soddisfatta. Il pensiero delle ragazze assassinate e della scomparsa di Jenny Möller fu ricacciato in fondo alla mente. Anche lo spirito doveva pur riposare, ogni tanto.

La telefonata arrivò la mattina. Determinato a dedicare maggiori attenzioni alla compagna della sua vita, Patrik aveva deciso di andare al lavoro più tardi. Quando Pedersen chiamò stavano facendo colazione con calma in giardino. Scusandosi con un'occhiata si alzò da tavola, ma Erica lo liquidò con un sorriso. Aveva già un'aria molto più serena.

«Ciao. Hai qualcosa di interessante per me?» chiese Patrik.

«Penso proprio di sì. Tanto per cominciare, riguardo alla causa della morte di Johannes Hult la mia anticipazione era del tutto corretta. Johannes non si è impiccato. Se dici che è stato ritrovato a terra con un cappio, quel cappio gli è stato messo al collo in un secondo momento. La causa della morte è in realtà un violento colpo alla nuca inferto con un oggetto contundente dotato di uno spigolo affilato. Ha anche una lesione alla mascella che può far pensare a un altro colpo inferto frontalmente.»

«Dunque non sussiste alcun dubbio sul fatto che si tratti di omicidio?» Patrik strinse forte il ricevitore.

«No, è impossibile che si sia procurato quelle lesioni da solo.»

«E la morte a quando risale, più o meno?»

«Difficile da stabilire, è rimasto sepolto a lungo. Direi che potrebbe essere morto più o meno quando si supponeva si fosse impiccato. Quindi non è stato messo là successivamente, se è a questo che vuoi arrivare» disse Pedersen in tono divertito.

Patrik rifletté in silenzio per qualche attimo sulle informazioni ricevute. Poi gli venne in mente una cosa. «Prima hai lasciato intendere di aver scoperto qualcos'altro durante l'autopsia. Cos'è?»

«Sì, questo vi piacerà. Abbiamo qui una praticante più meticolosa che mai. Le è saltato in mente di prelevare un campione da Johannes per il test del dna e di confrontarlo con il campione dello sperma rilevato sul corpo di Tanja Schmidt.»

«E?» Patrik sentì il proprio respiro farsi affannoso per l'impazienza.

«Non ci crederai, ma che il diavolo mi porti se non c'è un legame di sangue! Chi ha ucciso Tanja Schmidt è sicuramente parente di Johannes Hult!»

Patrik non aveva mai sentito l'ipercorretto Pedersen lasciarsi andare a espressioni colorite, ma quando ci vuole ci vuole. Era veramente pazzesco. Dopo essersi ripreso dallo stupore, chiese: «Riuscite a capire anche il grado di parentela?» Il cuore gli batteva pesante nel petto.

«Sì, ci stiamo lavorando. Ma serve altro materiale di riferimento, quindi quello che devi fare adesso è raccogliere i campioni di sangue di tutti i componenti della famiglia Hult.»

«Tutti?» sbottò Patrik, sentendosi venire meno alla sola idea di come avrebbe reagito il clan a quell'intrusione nella vita privata dei suoi membri.

Ringraziò per le informazioni e tornò da Erica, ancora seduta a tavola con la camicia da notte bianca. Con quei capelli biondi sciolti e le forme generose che la facevano somigliare a una madonna, gli toglieva ancora il respiro.

«Vai.» Gli fece cenno di muoversi con la mano e lui le diede un bacio riconoscente sulla guancia.

«Hai qualcosa da fare, oggi?» le chiese.

«Un vantaggio della presenza di ospiti pieni di pretese è che poi non si vede l'ora di passare una giornata a oziare. In altre parole, ho deciso che oggi non alzerò un dito. Starò fuori a leggere e mangerò qualcosa di buono.»

«Mi sembra un buon programma. Cercherò di fare presto anche oggi. Sarò a casa per le quattro, te lo prometto.»

«Ma sì, ma sì, fai quel che puoi. Quando arrivi, arrivi. E adesso sparisci, lo vedo che hai il fuoco al sedere.»

Non dovette ripeterglielo. Patrik si affrettò a uscire.

Quando, una ventina di minuti più tardi, entrò alla stazione, gli altri erano nella saletta del personale a bere il caffè di metà mattina. Rendendosi conto di aver fatto più tardi del previsto, si sentì in colpa.

«Ciao Hedström, per caso ti sei dimenticato di puntare la sveglia?»

Ernst, che dopo la batosta del giorno prima aveva recuperato completamente la propria baldanza, aveva usato il tono più arrogante tra quelli che aveva il coraggio di sfoderare.

«Mah, più che altro mi sono preso una piccola compensazione per tutte le ore di straordinario che ho fatto. Devo prendermi cura anche della mia dolce metà» rispose Patrik facendo l'occhiolino ad Annika, che aveva lasciato il centralino per qualche minuto.

«Già, immagino che rientri fra i privilegi dei superiori, quello di farsi una dormita quando ne hanno voglia» non poté fare a meno di replicare Ernst.

«Effettivamente sono il responsabile di quest'indagine, ma non sono un superiore» gli fece notare Patrik in tono molto più mite di quanto non lo fossero le occhiate che Annika stava rivolgendo a Ernst.

Poi continuò: «E come responsabile dell'indagine ho qualche novità. E un nuovo incarico.»

Riferì quanto gli aveva detto Pedersen e per un attimo l'atmosfera fu di trionfo.

«Be', abbiamo circoscritto il campo a quattro persone» disse Gösta. «Johan, Robert, Jacob e Gabriel.»

«Sì, e non dimenticare dov'è stata vista Tanja l'ultima volta» osservò Martin.

«Secondo Johan, sì» gli ricordò Ernst. «Ricordati che è stato Johan a *dirlo*. Personalmente vorrei avere qualche altro testimone più attendibile.»

«Sì, ma anche Linda dice che hanno visto qualcuno quella sera, quindi...»

Patrik interruppe la discussione tra Ernst e Martin. «Sia come sia, non appena avremo sottoposto tutti i membri della famiglia Hult al test del dna non dovremo più perdere tempo a fare congetture. A quel punto sapremo. Mentre venivo qui ho telefonato per avere le autorizzazioni necessarie. Lo sanno tutti perché abbiamo fretta, quindi il nulla osta della procura dovrebbe arrivare da un momento all'altro.»

Si versò una tazza di caffè e si sedette in mezzo agli altri, mettendo il cellulare al centro del tavolo, con il risultato che nessuno riuscì a fare a meno di dare frequenti occhiate all'apparecchio.

«Allora, cosa ve ne è parso della sceneggiata, ieri?»

Ernst ridacchiò. Aveva dimenticato rapidamente la promessa fatta a Mellberg di non spiattellare quello che gli era stato confidato. Ormai avevano già saputo tutti della fidanzata per corrispondenza del capo, ed erano anni che non avevano materiale tanto succulento su cui spettegolare. Sicuramente se ne sarebbe parlato, fuori della portata delle orecchie di Mellberg, per un bel pezzo.

«Per la miseria» rise Gösta. «Se si è così disperati da dover ordinare una donna su un catalogo, c'è da prendersela solo con se stessi.»

«Che faccia deve aver fatto quando è andato a prenderla all'aeroporto e si è accorto che le sue aspettative erano state a dir poco disattese!» Annika si fece una bella risata. Non è bello prendersi gioco delle sfortune altrui, ma dato che il bersaglio era Mellberg non c'era motivo di sentirsi troppo ingiusti.

«Già, e non si può dire che abbia riposato sugli allori. È andata dritta da Hedemyrs a riempirsi la borsa. E neanche sembrava dare troppo peso a quello che rubava! Bastava che avesse il cartellino del prezzo...» Ernst rise. «A proposito di rubare, sentite questa. Il vecchio Persson, quello che siamo andati a trovare io e Gösta, ha raccontato che un deficiente gli rubava quel concime. Ogni volta che ne ordinava un carico, gliene sparivano due o tre sacchi. Ve lo immaginate? C'è gente così tirchia da andare a fregare la merda altrui! Certo, è merda piuttosto costosa, ma ci vuole un bel pelo sullo stomaco...» Si batté le mani sulle cosce. «Per la miseria...» aggiunse asciugandosi una lacrima. Poi si rese conto che intorno a lui regnava un silenzio di tomba.

«Cos'hai detto?» chiese Patrik con una voce che non lasciava presagire nulla di buono. Ernst l'aveva già sentita altre volte, l'ultima pochi giorni prima, e si rese conto di essersi messo di nuovo nei pasticci.

«Be', ecco... mi ha raccontato che qualcuno gli rubava qualche sacco di concime.»

«E considerando che Västergården è la fattoria più vicina non ti è venuto in mente che poteva essere un'informazione importante?»

La voce era talmente gelida che Ernst si sentì accapponare la pelle. Patrik guardò Gösta. «Lo hai sentito anche tu?»

«No, deve averlo detto mentre andavo al cesso.» Rivolse un'occhiataccia a Ernst.

«Non ci ho pensato» protestò lui. «E che cazzo! Mica ci si può sempre ricordare tutto!»

«E invece sì, porca troia. Ma ne riparliamo dopo. La domanda adesso è: cosa comporta?»

Martin alzò la mano come se fosse a scuola. «Sono solo io a pensare che stiamo sempre più circoscrivendo il campo intorno a Jacob?» Non rispose nessuno, così si spiegò meglio. «Primo, una testimonianza, per quanto di fonte dubbia, ci dice che Tanja era a Västergården subito prima di sparire. Secondo, il dna ci dice che lo sperma trovato sul corpo di Tanja è di qualcuno imparentato con Johannes. Terzo, i sacchi venivano rubati in una fattoria che è letteralmente confinante con Västergården. A me pare più che abbastanza per convocarlo a fare una chiacchierata e contemporaneamente fare un giro nella sua proprietà.»

Nessuno intervenne, e lui continuò: «Come hai detto anche tu, Patrik, abbiamo fretta. Non abbiamo niente da perdere andando a dare un'occhiata e spremendo un pochino Jacob. Solo se non facciamo niente possiamo rimetterci qualcosa. Avremo la certezza solo dopo avere fatto tutti i test del dna, ma non possiamo starcene qui a girarci i pollici nel frattempo. Dobbiamo fare qualcosa!»

Alla fine prese la parola Patrik. «Martin ha ragione. Abbiamo in mano abbastanza elementi perché valga la pena parlare con lui e dare una controllatina a Västergården. Facciamo così: io e Gösta andiamo a prelevare Jacob. Martin, tu contatti Uddevalla e chiedi rinforzi per perquisire la fattoria. Chiedi aiuto a Mellberg per ottenere il mandato, e assicurati che non si limiti alla casa ma comprenda anche gli altri edifici. In caso di necessità, facciamo tutti riferimento ad Annika. Okay? Qualcosa non è chiaro?»

«Sì, come ci comportiamo con i campioni di sangue?» chiese Martin.

«Già, me ne stavo dimenticando. Avremmo bisogno di clonarci.» Patrik rifletté un attimo. «Martin, puoi occuparti tu anche di questo, se riesci ad avere rinforzi da Uddevalla?» Il collega annuì. «Bene, allora contatta l'ambulatorio di Fjällbacka e chiedi che ti prestino qualcuno per fare i prelievi. E poi assicurati che le fiale vengano contrassegnate correttamente e portate di corsa a Pedersen. Bene, allora andiamo. E non dimenticate il motivo per cui abbiamo fretta!»

«E io cosa faccio?» chiese Ernst, intravedendo uno spiraglio.

«Tu rimani qui» ordinò Patrik, senza sprecare tempo a discutere.

Ernst borbottò qualcosa, ma capiva quando era il caso di mantenere un profilo basso. Comunque, appena questa storia si fosse conclusa avrebbe fatto una chiacchierata con Mellberg. Mica era stata poi quella gran cosa. Dopotutto era un essere umano anche lui!

Il cuore di Marita era gonfio d'orgoglio. La funzione all'aperto era stupenda come sempre, e al centro di tutto c'era il suo Jacob. Ritto, forte e sicuro, proclamava la parola di Dio. Erano stati in molti a riunirsi per l'occasione. Oltre alla maggior parte dei membri della comunità, per quanto non tutti, dato che alcuni non avevano ancora visto la luce e si rifiutavano di partecipare, c'erano anche un centinaio di altri fedeli. Seduti sull'erba, tenevano tutti lo sguardo fisso su Jacob, che si era messo al suo solito posto, sullo sperone roccioso, con le spalle al lago. Intorno a loro le betulle svettavano fitte, dando ombra quando la calura si faceva insopportabile e accompagnando la voce melodiosa di Jacob con il loro fruscio. A volte quasi non riusciva a credere alla propria fortuna. Le sembrava impossibile che l'uomo che tutti guardavano pieni d'ammirazione avesse scelto proprio lei.

Quando si erano conosciuti aveva solo diciassette anni. Lui ne aveva ventitré e aveva già fama di uomo forte nella comunità nonconformista. In parte per via del nonno paterno, la cui notorietà si estendeva anche al nipote, ma più di tutto per il suo carisma. La combinazione di mitezza e forza gli conferiva un fascino a cui non riusciva a resistere nessuno. I genitori di Marita, e di conseguenza anche lei, erano da molto tempo membri della comunità e non si perdevano mai una funzione. Preparandosi a presenziare alla prima celebrata da Jacob Hult aveva provato un formicolio allo stomaco, come un presagio che sarebbe accaduto qualcosa di grande. E così era stato. Senza riuscire a distogliere lo sguardo da lui, era rimasta lì a pendere dalle sue labbra, dalle quali la parola di Dio sgorgava come un torrente in piena. Quando gli occhi di Jacob incrociavano i suoi, sempre più spesso, lei rivolgeva a Dio mute preghiere. Proprio lei, a cui era stato inculcato che non si doveva mai chiedere nulla a Dio per se stessi, implorava qualcosa di così terreno come un uomo. Ma non riusciva a smettere. Pur sentendo il calore delle fiamme del purgatorio allungarsi verso di lei per colpire la peccatrice, aveva continuato a pregare febbrilmente, senza smettere, se non quando era stata certa che lui aveva posato il proprio sguardo su di lei compiacendosi di ciò che vedeva.

In realtà non capiva perché Jacob l'avesse scelta come moglie. Sapeva di aver sempre avuto un aspetto comune e di essere taciturna e introversa. Ma lui la voleva e il giorno in cui si erano sposati si era ripromessa di non rimuginare più sulla volontà di Dio e soprattutto di non metterla in discussione. Evidentemente il Signore aveva individuato entrambi nella moltitudine e considerato che la loro sarebbe stata una buona unione, e questo le bastava. Forse una personalità forte come Jacob aveva bisogno di una controparte debole per non essere guastata da qualcuno che le tenesse testa. Non sapeva dirlo.

Seduti a terra accanto a lei, i bambini si agitavano. Marita lì inchiodò con lo sguardo. Sapeva che sentivano formicolare le gambe per il desiderio di correre a giocare, ma ne avrebbero avuto il tempo più tardi. Ora dovevano ascoltare il padre che diffondeva la parola di Dio.

«È quando incontriamo delle difficoltà che la fede viene messa alla prova. Ma è così che si rafforza. Senza avversità la fede s'indebolisce e ci rende sazi e appagati. Dimentichiamo per quale motivo dobbiamo chiedere a Dio di mostrarci la strada, e finiamo per smarrirci. Come sapete, io stesso ho dovuto subire delle prove, in quest'ultimo periodo, e anche la mia famiglia. Il male si è attivato per mettere alla prova la nostra fede, ma fallirà nell'intento, perché la mia fede si è soltanto rafforzata. È diventata così forte che il male non ha modo di lambirmi. Sia lodato Dio, che mi infonde tanta forza!»

Alzò le mani verso il cielo e i convenuti esplosero in un alleluia, con i volti che brillavano di gioia e convinzione. Anche Marita alzò le mani e ringraziò Dio. Le parole di Jacob le avevano fatto dimenticare le difficoltà degli ultimi giorni. Si fidava di lui e si fidava del Signore, e se solo fossero rimasti uniti niente avrebbe potuto toccarli.

Quando, poco dopo, Jacob concluse la funzione, intorno a lui si raccolsero numerose persone. Tutti volevano stringergli la mano, ringraziarlo ed esprimergli il loro sostegno. Sembravano avere bisogno di toccarlo per portare a casa con sé un frammento della sua calma e della sua saldezza. Desideravano un pezzetto di lui. Marita si teneva in disparte, trionfante nella consapevolezza che Jacob apparteneva a lei. A volte si domandava, sentendosi in colpa, se fosse peccato provare un tale desiderio di possedere il proprio marito, di tenere per sé ogni fibra del suo corpo, ma respingeva sempre quel pensiero. Evidentemente era volontà di Dio che stessero insieme, quindi non poteva essere sbagliato.

Quando il capannello intorno a lui cominciò a disperdersi, prese per mano i bambini e gli si avvicinò. Lo conosceva così bene. Vedeva che l'ardore che l'aveva animato durante la funzione aveva cominciato a placarsi, sostituito dalla stanchezza che gli si leggeva negli occhi.

«Vieni, Jacob, andiamo a casa.»

«Non subito, Marita. Devo ancora sbrigare alcune cose.»

«Non è niente che tu non possa fare domani. Adesso ti porto a casa a riposare. Lo vedo che sei stanco.»

Lui sorrise e la prese per mano. «Come al solito hai ragione, mia saggia moglie. Vado a prendere le mie cose.»

Si erano appena avviati quando videro venire loro incontro due uomini. Essendo abbagliati dal sole non li riconobbero subito, ma quando furono più vicini Jacob si lasciò scappare un gemito d'esasperazione.

«E adesso cosa volete?»

Marita passò perplessa con lo sguardo da Jacob ai due nuovi arrivati, per poi rendersi conto dal tono del marito che dovevano essere poliziotti. Li guardò ostile. Erano stati loro a causare a lui e al resto della famiglia tante preoccupazioni.

«Vorremmo parlarti, Jacob.»

«Cosa mai ci può essere da dire oggi, che non sia stato detto ieri?» Sospirò. «E va bene, tanto vale che ce la sbrighiamo subito. Andiamo nel mio ufficio.»

I poliziotti restarono dov'erano. Stavano guardando i bambini, a disagio, e Marita intuì che qualcosa non andava. Istintivamente attirò a sé i figli.

«Non qui. Vorremmo parlarti alla stazione di polizia.»

Era stato il più giovane dei due a parlare. L'altro se ne stava in disparte e osservava Jacob, serio. Il terrore le conficcò i suoi artigli nel cuore. Era davvero il male a incombere su di loro, esattamente come aveva detto Jacob nel suo sermone.

Estate 1979

Sapeva che l'altra ragazza non c'era più. Dal suo angolo buio l'aveva sentita esalare l'ultimo respiro, e con le mani giunte aveva pregato febbrilmente Dio di accogliere la sua compagna di sventura. In un certo senso era invidiosa. Invidiosa del fatto che ora non soffriva più.

Quando lei era arrivata in quell'inferno, l'altra si trovava già lì. All'inizio era paralizzata dal terrore, ma le braccia della ragazza che la stringevano e il suo corpo caldo le avevano dato uno strano senso di sicurezza. Eppure non era sempre buona con lei. La lotta per la sopravvivenza le aveva costrette a stare unite, ma le aveva anche tenute separate. Lei aveva tenuto viva la speranza, ma l'altra no, e sapeva che a tratti l'aveva odiata per questo. Ma come avrebbe potuto rinunciare alla speranza? Aveva imparato che ogni situazione impossibile ha una via d'uscita, e perché questa doveva essere diversa? Con gli occhi della mente vedeva il viso di suo padre e quello di sua madre ed era fiduciosa, nella certezza che presto l'avrebbero trovata.

Poveretta, l'altra ragazza. Non aveva niente. Aveva capito chi era non appena aveva sentito il suo corpo caldo nel buio, ma nella vita lassù non si erano mai rivolte la parola, e per un tacito accordo lì sotto non si erano mai chiamate per nome. Avrebbe ricordato troppo la normalità perché potessero reggere quel peso. Però lei le aveva parlato di sua figlia. Era stata l'unica volta che la sua voce aveva preso vita.

Giungere le mani per pregare per la ragazza che non c'era più aveva richiesto uno sforzo quasi sovrumano. Le membra non le ubbidivano, ma chiamando a raccolta le ultime forze era riuscita grazie a un enorme sforzo di volontà a unire faticosamente i palmi in qualcosa che somigliava a un gesto di preghiera.

Paziente, riprese ad attendere nel buio con il suo dolore. Ormai era solo questione di tempo. Papà e mamma l'avrebbero ritrovata. Presto...

Irritato, Jacob disse: «E va bene, vengo alla stazione. Ma poi non ne voglio più sapere di questa storia, avete capito?»

Marita vide con la coda dell'occhio che Kennedy si stava avvicinando. Aveva sempre provato una certa avversione nei suoi confronti. Negli sguardi che il ragazzo rivolgeva a Jacob, alla venerazione si mescolava qualcosa che le faceva paura. Ma quando ne aveva parlato a Jacob lui l'aveva rimproverata. Kennedy era un infelice che aveva finalmente cominciato a trovare la pace dentro di sé. Ora aveva bisogno di affetto e premure, non di sospetto. Tuttavia lei non era riuscita a non provare una certa inquietudine. Un gesto di Jacob indusse Kennedy ad arretrare e a rientrare di malavoglia. È come un cane da guardia che vuole proteggere il suo padrone, pensò Marita.

Jacob si girò verso di lei e le prese il viso tra le mani. «Vai a casa con i bambini. Non è niente. I poliziotti vogliono solo gettare un altro po' di benzina sul fuoco dal quale si ritroveranno a essere consumati loro stessi.»

Sorrise come per smorzare le parole, ma lei strinse ancora più forte i bambini, che passavano inquieti con lo sguardo dalla madre al padre. Come succede a quell'età, capivano che qualcosa minacciava l'equilibrio del loro mondo.

Il più giovane dei due poliziotti prese di nuovo la parola, questa volta rivolgendosi a lei. «È meglio che non rientri con i bambini prima di stasera. Noi...» esitò «... perquisiremo la casa nel corso del pomeriggio.»

«Ma cosa credete di fare, eh?» Jacob era talmente furibondo che le parole gli si erano strozzate in gola.

Marita sentì che i figli si agitavano inquieti. Non erano abituati a sentire il padre alzare la voce.

«Te lo spiegheremo, ma alla stazione. Andiamo?»

Non volendo preoccupare ulteriormente i bambini, Jacob annuì, rassegnato. Fece una carezza sulla testa ai figli, baciò Marita sulla guancia e si avviò tra i due poliziotti.

Quando la macchina portò via Jacob, Marita la seguì con lo sguardo, inchiodata a terra. Dalla casa, anche Kennedy la stava fissando, gli occhi neri come la notte.

Alla tenuta l'atmosfera era ugualmente agitata.

«Telefonerò al mio avvocato! Questa cosa è assurda! Prelevarci un campione di sangue trattandoci come veri e propri delinquenti!»

Gabriel era talmente furibondo che la mano che stringeva la maniglia della porta tremava. Martin, sui gradini dell'ingresso, sostenne calmo lo sguardo del padrone di casa. Alle sue spalle c'era il medico di Fjällbacka, il dottor Jacobsson, che sudava copiosamente. Il suo corpaccione non si adattava particolarmente al clima torrido, ma la causa principale delle goccioline che gli colavano sulla fronte era il disagio creatogli dalla situazione.

«Prego, lo chiami pure, ma gli dica anche quali documenti abbiamo, e vedrà che le risponderà che abbiamo il pieno diritto di farlo. E se non può essere qui nel giro di un quarto d'ora, considerata l'estrema urgenza abbiamo il diritto di porre in atto il mandato anche in sua assenza.»

Martin aveva usato consapevolmente i termini più burocratici che conosceva. L'intuizione gli diceva che era il linguaggio più adatto all'interlocutore. E infatti funzionò: suo malgrado, Gabriel li fece entrare. Prese le carte che Martin gli aveva mostrato e andò dritto al telefono. Martin fece un cenno ai due poliziotti che gli erano stati mandati da Uddevalla e si preparò ad aspettare. Gabriel parlò al telefono con voce concitata, gesticolando, e qualche minuto dopo tornò da loro, ancora in piedi nell'ingresso.

«Sarà qui tra dieci minuti» annunciò secco.

«Bene. Dove sono sua moglie e sua figlia? Dobbiamo fare il prelievo anche a loro.»

«Sono nella scuderia.»

«Vai a chiamarle?» disse Martin a uno dei due agenti di Uddevalla.

«Certo. Dov'è la scuderia?»

«Dall'ala sinistra parte un viottolo. Lo segua e la troverà, a duecento metri.» Gabriel cercò di far buon viso a cattivo gioco, pur dimostrando con il linguaggio non verbale che la situazione era per lui assolutamente sgradevole. In tono spento, aggiunse: «Immagino che nell'attesa vogliate accomodarvi.»

Quando Laine e Linda entrarono, erano seduti sul bordo del divano, impacciati.

«Cos'è questa storia, Gabriel? Il poliziotto dice che il dottor Jacobsson è venuto a prelevarci un campione di sangue! È uno scherzo, vero?»

Linda, che faticava a staccare gli occhi dal giovane in divisa che era andato a chiamarle alla scuderia, era di diverso avviso: «Forte!»

«Purtroppo sembrano seri, Laine. Ma ho chiamato l'avvocato Lövgren, che arriverà da un momento all'altro. Prima che lui sia qui non si farà nessun prelievo.»

«Ma non capisco! Perché dovete fare questa cosa?» Laine era perplessa ma composta.

«Purtroppo non possiamo dirlo, per ragioni di riservatezza. Ma a tempo debito ogni cosa avrà la sua spiegazione.»

Gabriel stava studiando le carte che aveva davanti. «C'è scritto che avete il mandato per fare il prelievo anche a Solveig e ai ragazzi.»

Se l'era immaginato, o Martin aveva visto passare un'ombra sul viso di Laine? In quel momento si sentì bussare leggermente alla porta ed entrò l'avvocato di Gabriel.

Una volta sbrigate le formalità, dopo che l'avvocato ebbe spiegato alla famiglia riunita che la polizia aveva tutte le autorizzazioni necessarie venne prelevato un campione di sangue a ciascuno dei tre. Prima Gabriel. Poi Laine, che con grande stupore di Martin sembrava essere la più composta. Anche il marito la guardava, positivamente sorpreso. Per ultima Linda, che ancora non aveva staccato gli occhi dal poliziotto, il quale non pareva affatto infastidito dalla cosa. Martin lo richiamò all'ordine con uno sguardo severo.

«Bene, allora abbiamo finito.» Jacobsson si alzò faticosamente dalla sedia e raccolse le provette, ordinatamente contrassegnate con il nome, per infilarle in un contenitore frigorifero.

«Andate da Solveig, adesso?» chiese Gabriel. D'un tratto sulle labbra gli si disegnò un sorriso storto. «In questo caso vi consiglio di mettere i caschi e tenere pronti gli sfollagente, perché sarà difficile che vi molli una goccia di sangue senza opporre resistenza.»

«Vedrà che saremo in grado di gestire la situazione» disse Martin asciutto. Non gli andava affatto a genio il guizzo malevolo comparso negli occhi del padrone di casa.

«Be', poi non venite a dirmi che non vi avevo avvertito...» Rise.

Laine gli sibilò: «Gabriel, comportati da adulto, per favore.»

Sbalordito per essere stato rimproverato dalla moglie come un bambino, l'uomo smise di parlare e si sedette, guardandola come se la vedesse per la prima volta.

Martin uscì con i colleghi e il medico, e la squadra si divise sulle due auto. Mentre si dirigeva verso la casa di Solveig, telefonò Patrik.

«Ciao, come vi sono andate le cose?»

«Come ci si aspettava» rispose Martin. «Gabriel ha dato in escandescenze e ha telefonato al suo avvocato. Ma abbiamo ottenuto quello che ci serviva, quindi adesso stiamo andando da Solveig. Non penso che lì filerà altrettanto liscia...»

«No, hai ragione. Attento che la situazione non degeneri.»

«Tranquillo, sarò la diplomazia in persona. E a voi com'è andata?»

«Bene. È in macchina con noi, tra poco saremo a Tanumshede.»

«In bocca al lupo, allora.»

«Anche a voi.»

Martin chiuse la telefonata proprio nel momento in cui svoltavano nello spiazzo davanti alla misera casetta di legno di Solveig Hult. Non rimase colpito dallo stato di abbandono come l'altra volta, ma di nuovo si chiese come delle persone potessero adattarsi a vivere a quel modo. La povertà non era certo poca cosa, ma si poteva tentare di mantenere un minimo di decoro.

Fu con un certo timore che bussò alla porta, ma neanche nelle sue più sfrenate fantasie avrebbe potuto immaginare l'accoglienza che gli fu riservata. Sulla guancia destra gli arrivò uno schiaffo bruciante, e la sorpresa gli mozzò il fiato. Più che vederli, sentì i poliziotti alle sue spalle tendere i muscoli, pronti a lanciarsi in casa. Li fermò alzando una mano.

«Calma, calma. Non c'è bisogno di ricorrere alla violenza. Vero, Solveig?» disse con voce calma alla donna davanti a lui, che respirava affannosamente ma parve essere tranquillizzata dalla reazione pacata del poliziotto.

«Come osate presentarvi qui dopo aver tirato fuori Johannes dalla tomba?» Piazzando le mani sui fianchi, sbarrò loro la strada.

«Capisco che è difficile, Solveig, ma noi ci limitiamo a fare il nostro lavoro. E dobbiamo farlo anche adesso. Quindi le sarei grato se collaborasse.»

«Cosa volete adesso?» sbottò la donna.

«Se mi fa entrare un attimo, glielo spiego.»

Si girò verso i colleghi e disse: «Aspettate qui, io e la signora dobbiamo parlare un attimo.»

Diede seguito alle proprie parole entrando senza tanti complimenti e chiudendo la porta. Presa alla sprovvista, Solveig arretrò e lo lasciò fare. Martin chiamò a raccolta tutta la propria abilità diplomatica e le spiegò dettagliatamente la situazione. Dopo un po' le proteste di Solveig si affievolirono e qualche minuto più tardi aprì la porta e fece entrare gli altri.

«Dobbiamo andare a prendere anche i ragazzi, Solveig. Dove sono?»

Lei rise. «Sicuramente sono nascosti dietro casa, e ci rimarranno finché non sapranno perché siete qui. Si vede che sono stufi di vedere le vostre brutte facce pure loro.» Rise di nuovo e aprì una finestra sporchissima.

«Johan, Robert, forza, portate qui il culo. Ci sono di nuovo gli sbirri!»

Poco dopo Johan e Robert entrarono. Stando sulle loro, guardarono il gruppo di persone che affollava la stretta cucina.

«Cosa succede?»

«Vogliono prelevare il sangue anche a noi» disse Solveig, esponendo freddamente i fatti.

«Siete fuori? Io il mio sangue non ve lo do!»

«Robert, non fare casino» lo ammonì Solveig stancamente. «Io e il poliziotto qui abbiamo parlato e gli ho detto che non avremmo creato problemi. Quindi adesso sedetevi e tenete il becco chiuso. Prima ce ne liberiamo, meglio è.»

Con sollievo di Martin, i ragazzi ubbidirono. Scontrosi, permisero a Jacobsson di tirare fuori le siringhe e fare il prelievo a entrambi. Una volta eseguita l'operazione anche su Solveig, il medico mise nel contenitore frigorifero le provette e disse che per quanto lo riguardava aveva finito.

«Ma a cosa vi serve?» chiese Johan, più che altro curioso.

Martin gli ripeté la risposta che aveva dato a Gabriel. Poi si rivolse al più giovane dei due poliziotti di Uddevalla: «Vai a prendere anche il campione che c'è a Tanumshede e porta tutto a Göteborg, di corsa.»

Il giovane agente, che alla tenuta aveva flirtato un po' troppo con Linda, annuì. «Me ne occupo io. Stanno arrivando altri due colleghi da Uddevalla per...» tacque di colpo guardando incerto Solveig e i suoi figli che ascoltavano attenti il dialogo «... per l'*altra* questione. Vi verranno incontro...» altra pausa imbarazzata «... nell'*altro* posto.»

«Bene» disse Martin. Poi si rivolse a Solveig. «Allora grazie.»

Per un attimo soppesò la possibilità di rivelare la novità su Johannes, ma non osò contravvenire agli ordini di Patrik. Se per il momento non voleva che lo sapessero, era giusto che così fosse.

Una volta fuori, si fermò un attimo. Se si prescindeva dalla casetta semipericolante, dalle auto da rottamare e dalla ferraglia sparsa tutt'intorno, la posizione era davvero fantastica. Sperava soltanto che ogni tanto chi abitava in quel buco riuscisse a sollevare lo sguardo oltre quella miserabile vita per ammirare la bellezza da cui era circondato. Ne dubitava, però.

«Bene. Prossima fermata, Västergården» disse Martin, dirigendosi verso l'auto a passi decisi. Il primo compito era stato portato a termine, ma ne restava un altro. Si chiese come stessero andando le cose a Patrik e Gösta.

«Sai perché siamo qui?» chiese Patrik. Era seduto accanto a Gösta, di fronte a Jacob, nella saletta per gli interrogatori.

Lui li osservò calmo, tenendo le mani giunte davanti a sé sul tavolo. «Come faccio a saperlo? Niente di quanto avete fatto contro la nostra famiglia ha seguito una logica. Dunque non mi resta che cercare di tenere la testa fuori dall'acqua, immagino.»

«Quindi tu pensi sul serio che la polizia consideri suo compito principale quello di vessare la tua famiglia? E che motivo avremmo per farlo?» Patrik si allungò curioso in avanti.

Di nuovo la stessa risposta pacata: «Il male e il livore non hanno bisogno di motivazioni. Ma che ne so? Magari sentite di aver fatto fiasco con Johannes e adesso cercate un modo per riscattarvi ai vostri stessi occhi.»

«In che senso?» chiese Patrik.

«Voglio soltanto dire che forse pensate che, se riuscite a incastrarci per qualcosa adesso, questo dimostrerebbe che avevate ragione su Johannes allora» spiegò Jacob.

«Non ti pare una teoria un po' campata in aria?»

«Cosa devo pensare? So soltanto che vi siete attaccati a noi come zecche e che non volete mollare la presa. La mia sola consolazione è che Dio vede la verità.»

«Parli parecchio di Dio, ragazzo» disse Gösta. «Anche tuo padre è così credente?»

La domanda parve mettere in difficoltà Jacob, esattamente come era nelle intenzioni di Gösta. «La fede di mio padre è nascosta nel profondo del suo cuore. Il...» parve riflettere sulla scelta delle parole «... il complesso rapporto che aveva con suo padre ha fatto sì che la fede in Dio ne risentisse. Ma c'è.»

«Già, suo padre. Ephraim Hult. Il Predicatore. Voi due avevate un rapporto molto stretto.» Gösta lo disse più come una constatazione che come una domanda.

«Non capisco perché vi possa interessare. Comunque è così: io e mio nonno eravamo molto vicini.» Jacob strinse le labbra.

«Fu lui a salvarti la vita?» chiese Patrik.

«Sì.»

«E cosa provava tuo padre di fronte al fatto che il padre con il quale lui aveva... un rapporto complesso, come hai detto tu, ti aveva salvato la vita, mentre lui non aveva potuto farlo?» continuò Patrik.

«Ogni padre vuole essere un eroe per i propri figli, ma non credo che lui abbia guardato la cosa in questo modo. Dopotutto mio nonno mi aveva salvato la vita, e mio padre gliene è stato eternamente grato.»

«E Johannes? Com'era il suo rapporto con Ephraim, e con tuo padre?»

«Ma... non capisco cosa c'entri tutto questo. Sono passati più di vent'anni!»

«Ne siamo consapevoli, ma apprezzeremmo lo stesso che rispondessi alle nostre domande» intervenne Gösta.

La calma di Jacob dava segni di cedimento. Si passò una mano tra i capelli.

«Johannes... Be', lui e mio padre avevano qualche problema, ma Ephraim gli voleva bene. Non che avessero un rapporto molto stretto, ma per quella generazione era abbastanza normale. Le emozioni non dovevano essere esternate.»

«Tuo padre e Johannes litigavano spesso?» chiese Patrik.

«Mah, litigi non direi... Screzi, ma tra fratelli succede...»

«Veramente, a sentire quello che dice la gente, era qualcosa più di qualche screzio. Alcuni sostengono addirittura che Gabriel odiasse suo fratello» insistette Patrik.

«Odio è una parola forte, che non si deve usare a cuor leggero. No, papà non nutriva certo dei sentimenti troppo teneri nei confronti di Johannes, ma se solo avessero avuto più tempo a disposizione sono sicuro che Dio sarebbe intervenuto. Un fratello non dovrebbe mettersi contro il proprio fratello.»

«Immagino che tu ti riferisca a Caino e Abele. Interessante che ti sia venuto in mente proprio quel racconto biblico. Erano così alle strette?» chiese Patrik.

«No, assolutamente. Mio padre non ha mica fatto fuori suo fratello, no?» Jacob pareva aver ritrovato una parte della sua calma precedente e giunse di nuovo le mani davanti a sé, come in preghiera.

«Ne sei sicuro?» La voce di Gösta era densa di sottintesi.

Confuso, Jacob passò con lo sguardo da un poliziotto all'altro.

«Ma di cosa state parlando? Johannes si è impiccato, lo sanno tutti.»

«Mah, il problema è che dall'esame dei resti di Johannes abbiamo avuto una sorpresa. Johannes è stato assassinato. Non si è suicidato.»

Le mani presero a tremare in modo incontrollato. Jacob parve tentare di dire qualcosa, senza che dalle sue labbra uscisse una sola parola. Patrik e Gösta si appoggiarono allo schienale come in una coreografia concordata, e lo osservarono in silenzio. Se non altro, sembrava che per lui fosse una novità.

«Come reagì tuo padre alla notizia della morte di Johannes?»

«Io... io veramente non lo so» rispose Jacob. «Ero ancora in ospedale.» Fu colto da un sospetto improvviso: «State cercando di dire che papà avrebbe ucciso Johannes?» Quell'idea lo fece ridere. «Voi non siete mica normali. Mio padre che uccide suo fratello... No, guardate...» La risatina si trasformò in un vero e proprio sghignazzo. Né Gösta né Patrik sembravano condividere quell'ilarità.

«Trovi che faccia ridere che tuo zio Johannes sia stato assassinato? Ti sembra divertente?» chiese Patrik, sostenuto.

Jacob si zittì di colpo e chinò la testa. «No, certo che non lo è. È solo che è stato un tale shock...» Abbassò di nuovo lo sguardo. «Ma in questo caso mi spiego ancora di meno perché volete parlare con me. All'epoca avevo otto anni ed ero ricoverato in ospedale, quindi immagino che non siate qui per sostenere che *io* ho avuto a che fare con quella vicenda.» Aveva sottolineato la parola per dimostrare quanto era assurda l'idea. «È abbastanza evidente cosa è successo in realtà. Chi ha davvero assassinato Siv e Mona deve aver trovato perfetto Johannes come capro espiatorio e, perché non potesse essere scagionato, l'ha ucciso facendolo sembrare un suicidio. L'assassino sapeva come avrebbe reagito la gente di qui: l'avrebbe considerata una conferma della sua colpevolezza, tanto quanto una confessione scritta. Ed è stata sicuramente la stessa persona ad avere ucciso quella tedesca. Il ragionamento fila, no?» disse concitato, con gli occhi che brillavano.

«Una teoria piuttosto verosimile» ammise Patrik. «Non fa una grinza, se non fosse che abbiamo confrontato il dna di Johannes con quello dello sperma trovato sul cadavere di Tanja. Dall'esame è emerso che chi ha ucciso la ragazza è parente di Johannes.» Aspettò una reazione da parte di Jacob, ma non venne.

Patrik continuò: «E così oggi siamo andati a fare un prelievo a tutti i membri della famiglia e abbiamo portato a Göteborg i campioni, insieme a quello che abbiamo prelevato a te, in modo che possano essere confrontati. Siamo abbastanza sicuri che presto sapremo, nero su bianco, chi è l'assassino. Quindi non varrebbe la pena che tu ci raccontassi subito quello che sai, Jacob? Tanja è stata vista a casa tua, l'assassino è parente di Johannes... una coincidenza un po' strana, no?»

Il viso di Jacob prese a oscillare tra il pallore e un colore cupo, e Patrik vide che le mascelle si serravano ritmicamente.

«Quella testimonianza è una palla, e lo sapete anche voi. Johan voleva solo incastrarmi perché detesta la nostra famiglia. Quanto a campioni di sangue e tutto il resto, potete prelevare tutto quello che volete, ma quando avrete l'esito dovrete chiedermi scusa, com'è vero...»

«Ti garantisco che lo farei personalmente» rispose Patrik calmo, «ma fino a quel momento insisto per avere le risposte alle mie domande.»

Avrebbe preferito che Martin avesse terminato la perquisizione prima dell'interrogatorio di Jacob, ma le lancette dell'orologio non si fermavano. Di conseguenza doveva lavorare su quello che aveva. Ciò che aspettava più di tutto il resto era il risultato dell'analisi della terra di Västergården fatta per verificare se c'erano tracce di Fz-302. Sperava che Martin gli facesse sapere al più presto qualcosa anche su eventuali tracce della presenza di Tanja o di Jenny, ma l'analisi della terra non poteva essere eseguita sul posto e avrebbe dunque richiesto tempi più lunghi. Allo stesso tempo era scettico sulla possibilità di trovare qualcosa nella fattoria. Sarebbe davvero stato possibile nascondere e assassinare qualcuno senza che Marita e i bambini si accorgessero di nulla? A pelle sentiva che Jacob era perfetto nella parte di indiziato, ma proprio questo aspetto lo metteva a disagio. Come si fa a nascondere un essere umano nella fattoria in cui si abita, senza che nessuno della famiglia sospetti qualcosa?

Quasi gli avesse letto nel pensiero, Jacob disse: «Mi auguro che non mettiate sottosopra la casa. Marita sarà furiosa se rientrando troverà tutto all'aria.»

«Sono sicuro che gli uomini staranno attenti» lo rassicurò Gösta.

Patrik guardò il telefono, augurandosi che Martin chiamasse.

Johan si era rifugiato nel silenzio del capanno. La reazione di Solveig prima alla riesumazione e poi alla storia degli esami del sangue gli aveva fatto accapponare la pelle. Non riusciva a gestire tutte quelle emozioni, aveva bisogno di starsene da solo per un po' a riflettere su tutto quanto era accaduto. Il pavimento di cemento su cui era seduto era duro, ma piacevolmente fresco. Cinse le gambe con le braccia e appoggiò una guancia sul ginocchio. In quel momento sentiva come non mai la mancanza di Linda, ma era una nostalgia mista a collera. Forse non sarebbe mai stato diverso. Se non altro, aveva rinunciato a una parte della sua ingenuità e aveva ripreso il controllo che non avrebbe mai dovuto perdere. Lei era stata come un veleno nell'anima, per lui. Il suo corpo giovane e sodo l'aveva trasformato in un ebete fatto e finito. Era arrabbiato con se stesso per aver lasciato che una donna prendesse possesso di lui a quel modo.

Sapeva di essere un sognatore. Per questo si era lasciato travolgere a quel modo da Linda sebbene fosse troppo giovane, troppo sicura di sé, troppo egoista. Era consapevole del fatto che non si sarebbe mai fermata a Fjällbacka e che loro due non avevano neanche l'ombra della possibilità di un futuro insieme, ma il sognatore che era in lui faticava ad accettarlo. Adesso era rinsavito.

Johan promise a se stesso di migliorare. Avrebbe cercato di diventare più simile a suo fratello: duro, coriaceo, invincibile. Robert cadeva sempre in piedi, sembrava non ci fosse nulla in grado di turbarlo. Lo invidiava.

Un rumore alle sue spalle lo indusse a girarsi, certo che fosse stato il fratello a entrare. Un braccio gli serrò la gola, togliendogli il respiro.

«Non muoverti, altrimenti ti torco il collo.»

Johan riconobbe la voce, ma non riuscì a collegarla a un volto. Quando la morsa intorno si allentò, venne scaraventato contro la parete, e l'aria gli defluì dal petto.

«Che cazzo fai?» Johan cercò di voltarsi, ma qualcuno lo stringeva premendogli il viso contro la fredda parete di cemento.

«Chiudi il becco.» La voce era spietata. Johan pensò di chiamare aiuto, ma le sue grida non si sarebbero sentite su in casa.

«... cazzo... vuoi...» Era difficile formare le parole, con metà faccia premuta contro il muro.

«Cosa voglio? Ah, se è per questo lo saprai tra poco.»

Quando l'aggressore espose la sua richiesta, all'inizio Johan non ci capì niente. Ma nel momento in cui venne voltato e si ritrovò faccia a faccia con chi l'aveva attaccato, tutte le tessere del puzzle andarono al loro posto. Un pugno in pieno viso gli confermò che l'uomo faceva sul serio, ma risvegliò in lui anche un istinto di ribellione.

«Fanculo» biascicò. La bocca si stava lentamente riempiendo di un liquido che non poteva che essere sangue. I pensieri si stavano offuscando, ma non voleva mollare.

«Devi fare come dico io.»

«No» farfugliò.

Poi cominciarono a piovere i colpi, ritmati e regolari, finché si sentì avvolgere da un'immensa oscurità.

Mentre si accingeva a compiere quell'intrusione nella vita privata di Jacob e della sua famiglia, Martin non poté fare a meno di notare quanto fosse splendido il posto. I colori nella casa erano tenui e le stanze, improntate a un'atmosfera rurale, con le tovaglie di lino bianco e le tende leggere e fluttuanti, irradiavano serenità. Gli sarebbe piaciuto avere una casa come quella. E adesso erano costretti a turbare quella pace. Passarono scrupolosamente al setaccio tutto, palmo a palmo. Nessuno diceva niente, preferendo lavorare in silenzio. Martin si concentrò sul soggiorno. Era frustrante non sapere cosa stavano cercando. Anche se si fossero imbattuti in qualche traccia del passaggio delle ragazze, temeva che non sarebbero stati in grado di ricondurla a loro.

Per la prima volta da quando aveva sostenuto a spada tratta che Jacob era quello che stavano cercando, cominciò a dubitare. Era impossibile immaginare che una persona che viveva immersa in quella pace potesse togliere la vita a qualcuno.

«Come va?» chiese ad alta voce ai colleghi che stavano lavorando al piano superiore.

«Niente, per il momento» rispose uno di loro. Martin sospirò e tornò a svuotare cassetti e a rivoltare ogni oggetto.

«Vado nel fienile» disse poi al collega di Uddevalla che era con lui al pianterreno.

Il grande fienile era misericordiosamente fresco. Capiva perché Linda e Johan l'avessero scelto come luogo d'incontro. L'odore di fieno solleticava le narici portando con sé ricordi delle estati dell'infanzia. Si arrampicò sulla scala e guardò fuori attraverso le fessure tra le tavole di legno. Già, da lì si aveva un'ottima visuale su tutta la fattoria, esattamente come aveva detto Johan. Non sarebbe stato un problema riconoscere qualcuno.

Martin scese di nuovo. Se non si contavano i mucchi di fieno e alcuni vecchi attrezzi agricoli mezzi sgretolati dalla ruggine, il fienile era vuoto. Non pensava che avrebbero trovato qualcosa, lì dentro, ma avrebbe comunque chiesto a qualcuno degli uomini di dare un'occhiata. Uscì e si guardò intorno. C'erano ancora da perquisire solo la scuderia, il capanno degli attrezzi e la casetta dei giochi, e Martin non nutriva certo speranze di trovarci qualcuno. Erano entrambi troppo piccoli per ospitare un essere umano, ma per sicurezza avrebbero controllato anche lì.

Il sole gli batteva sulla testa, e la fronte gli si stava imperlando di sudore. Tornò alla casa padronale per aiutare i colleghi, ma l'entusiasmo provato all'inizio della giornata stava scemando. Il cuore gli si fece pesante nel petto. Da qualche parte Jenny Möller doveva pur essere. Ma non lì.

Anche Patrik cominciava a perdere la fiducia. Dopo diverse ore, con Jacob non erano ancora arrivati a nulla. Sembrava sinceramente scioccato dalla notizia che Johannes era stato assassinato, e si rifiutava ostinatamente di dire qualcosa di diverso dalle solite rimostranze. Patrik si sorprendeva una volta dopo l'altra a guardare il telefono che restava ostinatamente muto sul tavolo davanti a lui. Aveva un disperato bisogno di buone notizie. Le analisi del sangue non avrebbero dato risultati fino alla mattina successiva, lo sapeva, quindi le sue speranze al momento erano riposte in Martin e nella squadra che stava setacciando Västergården. E invece, niente. Solo poco dopo le quattro il cellulare squillò, e Martin riferì scoraggiato che non avevano trovato nulla e stavano per interrompere le ricerche. Patrik fece cenno a Gösta di uscire con lui dalla stanza.

«Era Martin. Non hanno trovato niente.»

Negli occhi di Gösta si spense la speranza. «Niente?»

«No, niente di niente. Quindi non abbiamo altra scelta che lasciarlo andare. Fanculo!» Patrik batté la mano contro la parete, ma si ricompose subito. «Comunque è solo per poco. Domani mi aspetto di avere il rapporto sulle analisi dei campioni di sangue, e allora forse potremo prelevarlo e tenerlo dentro.»

«Sì, ma pensa cosa potrebbe fare da adesso ad allora. Ormai sa che gli stiamo addosso, e se lo rilasciamo può andare dritto a far fuori la ragazza.»

«Già, e allora secondo te cosa dovremmo fare?» La frustrazione di Patrik si trasformò in rabbia, ma si rese conto che era ingiusto prendersela con Gösta e gli chiese subito scusa.

«Faccio solo un ultimo tentativo con Göteborg, prima di lasciarlo andare. Magari hanno già trovato qualcosa che ci può tornare utile. Sanno perché è così urgente, questa cosa deve passare davanti a tutto il resto.»

Patrik andò nel suo ufficio e, dal telefono fisso, chiamò l'unità di medicina legale. Ormai conosceva a memoria il numero. Fuori, sotto il sole estivo, il traffico era intenso come al solito, e per un attimo Patrik invidiò gli ignari vacanzieri che passavano nelle loro auto stracariche. Sarebbe piaciuto anche a lui essere beatamente all'oscuro di tutto.

«Ciao Pedersen, sono Hedström. Volevo solo sentire se avete già qualcosa, prima di rilasciare un sospetto.»

«Mi sembrava di averti detto che non avremmo avuto in mano niente prima di domani mattina, e sappi che stasera dedicheremo a questa cosa un buon numero di ore di straordinario.» Pedersen era stressato e irritato.

«Sì, lo so, ma ho voluto comunque sentire se avevate scoperto qualcosa.»

Un lungo silenzio gli fece capire che Pedersen stava conducendo una battaglia interiore. Si rizzò sulla sedia.

«È venuto fuori qualcosa, vero?»

«Solo provvisoriamente. Prima di dichiarare alcunché dobbiamo fare verifiche su verifiche, altrimenti le conseguenze potrebbero essere catastrofiche. Inoltre i test devono essere ripetuti al laboratorio centrale: le nostre attrezzature non sono altrettanto sofisticate e...»

«Sì sì» lo interruppe Patrik, «lo so, ma è in gioco la vita di una ragazza di diciassette anni, quindi se c'è una situazione in cui puoi allentare un attimo le regole, è proprio questa.» Trattenne il respiro e aspettò.

«Va bene, ma cerca di gestire con attenzione le informazioni che ti do, perché non hai idea di quello che può capitarmi se...» Pedersen non concluse la frase.

«Parola d'onore. Ma adesso dimmi quello che sai.» Sotto la sua stretta convulsa, il ricevitore era bagnato di sudore.

«Naturalmente abbiamo analizzato per primo il campione di sangue di Jacob Hult. E i risultati sono interessanti. Provvisoriamente, com'è ovvio» lo ammonì di nuovo Pedersen.

«Sì?»

«A un primo esame, quello di Jacob non corrisponde al dna dello sperma rilevato sulla vittima.»

Patrik espirò lentamente. Non si era neanche accorto di aver trattenuto il fiato.

«Che margine di sicurezza abbiamo?»

«Come ti ho detto, dobbiamo ripetere il test più volte per essere sicuri, ma in realtà è solo una formalità giuridica. Vedrai che i risultati successivi corrisponderanno» rispose Pedersen.

«Maledizione, certo questo cambia le cose.» Patrik non riuscì a nascondere la delusione. Si rese conto di essere stato certissimo che Jacob fosse la persona che stavano cercando. Adesso erano tornati al punto di partenza. Be', non proprio, ma quasi.

«E facendo gli altri esami non avete trovato alcuna corrispondenza?»

«Non ci siamo ancora arrivati. Abbiamo dato per scontato che voleste che ci concentrassimo su Jacob Hult, ed è stato quanto abbiamo fatto. Oltre al suo, siamo riusciti ad analizzare solo un altro campione. Ma domani mattina dovrei poterti dire qualcosa anche sugli altri.»

«Sì, e nel frattempo io devo far uscire una persona dalla saletta per gli interrogatori. Chiedendole scusa» sospirò Patrik.

«Ah, c'è un'altra cosa.»

«Sì?»

Pedersen esitò. «Il secondo campione che abbiamo analizzato è quello di Gabriel Hult. E...»

«E?» chiese Patrik, impaziente.

«Ecco, sulla base dell'analisi delle rispettive strutture del dna, è impossibile che Gabriel sia il padre di Jacob.»

Patrik rimase immobile sulla sedia, in silenzio.

«Sei ancora lì?»

«Sì, sono ancora qui. Non era quello che mi aspettavo. Ne sei sicuro?» Poi anticipò Pedersen: «È solo un risultato provvisorio e farete altri test eccetera eccetera, lo so: non c'è bisogno che tu mi rifaccia tutta la tirata.»

«Può avere importanza per l'indagine?»

«In questo momento tutto ha importanza, quindi ci tornerà sicuramente utile. Grazie mille.»

Patrik rimase per un po' a pensare, con i piedi sulla scrivania, senza sapere che pesci pigliare. L'esito negativo del test su Jacob li costringeva a ragionare in un modo completamente diverso. Restava ancora il fatto che l'assassino di Tanja era imparentato con Johannes, e con Jacob fuori gioco rimanevano solo Gabriel, Johan e Robert. Fuori uno, dentro ancora tre. Ma, anche se Jacob non era il colpevole, Patrik avrebbe scommesso che sapeva qualcosa. Per tutta la durata dell'interrogatorio aveva percepito in lui un che di sfuggente, trattenuto sotto la superficie. Forse l'informazione appena ricevuta da Pedersen poteva fornirgli il vantaggio che gli serviva per scuoterlo e indurlo a parlare. Tirò giù i piedi dal tavolo e si alzò. Riferì brevemente a Gösta, poi rientrarono insieme nella saletta, dove Jacob, annoiato, si stava tormentando le unghie. Si erano accordati rapidamente sulla tattica da usare.

«Quanto dovrò stare qui?»

«Abbiamo il diritto di trattenerti per sei ore ma, come ti

abbiamo già detto, puoi convocare un avvocato quando lo desideri. Vuoi farlo ora?»

«No, non è necessario» rispose Jacob. «Chi è innocente non ha bisogno di altre difese oltre alla fede nel fatto che Dio provvederà a lui.»

«Be', allora non dovresti aver problemi, visto che con Dio sembri essere così» commentò Patrik accostando indice e medio.

«Diciamo che abbiamo un rapporto stretto» rispose Jacob in tono sostenuto. «E chi è senza Dio è da compatire.»

«Quindi tu ci compatisci, è questo che intendi dire?» chiese Gösta in tono divertito.

«Parlare con voi è tempo perso. Avete chiuso i vostri cuori.»

Patrik si allungò verso Jacob. «Interessante, questa cosa di Dio e del diavolo e del peccato. E i tuoi genitori come si pongono nei confronti di tutto questo? Vivono rispettando i comandamenti?»

«Mio padre può anche aver fatto un passo indietro rispetto alla comunità, ma la sua fede è intatta e sia lui che mia madre sono persone timorate di Dio.»

«Ne sei sicuro? Voglio dire, sai veramente come si comportano?»

«Cosa intendi dire? Li conoscerò i miei genitori, no? Cos'avete fatto? Vi siete inventati qualcos'altro per gettare fango su di loro?»

Jacob aveva le mani che tremavano e Patrik provò una certa soddisfazione vedendo che erano riusciti a far breccia nella sua calma stoica.

«Intendo soltanto dire che è impossibile sapere cosa accade nella vita degli altri. I tuoi genitori possono avere sulla coscienza dei peccati di cui tu non hai idea, no?»

Jacob si alzò e si diresse alla porta. «Eh no, adesso basta.

O mi mettete in stato di fermo oppure mi rilasciate, perché non ho più intenzione di stare qui ad ascoltare le vostre calunnie!»

«Per esempio, sai che Gabriel non è tuo padre?»

Jacob si fermò a metà di un gesto, la mano tesa verso la maniglia. Si girò lentamente. «Cos'hai detto?»

«Ti ho chiesto se sei al corrente del fatto che Gabriel non è tuo padre. Ho appena parlato con chi si sta occupando delle analisi dei campioni che vi sono stati prelevati e non ci sono dubbi. Gabriel non è tuo padre.»

Dal viso di Jacob era defluito ogni colore. Quella notizia per lui era davvero una sorpresa. «Hanno eseguito l'analisi sul mio sangue?» domandò con voce tremante.

«Sì, e tra l'altro avevo promesso di scusarmi se avesse dimostrato che mi sbagliavo.»

Jacob lo guardò senza parlare.

«Ti chiedo scusa» continuò Patrik. «Il tuo dna non corrisponde a quello dello sperma rilevato sulla vittima.»

Jacob si afflosciò come un palloncino bucato e si sedette di nuovo. «Quindi adesso cosa succede?»

«Sei depennato dalla lista dei sospettati dell'omicidio di Tanja Schmidt, ma sono ancora convinto che tu ci nasconda qualcosa. Hai la possibilità di dirci quello che sai. Credo che tu debba coglierla, Jacob.»

Lui scosse la testa. «Non so niente. Non so più niente. Per favore, lasciatemi andare.»

«Non ancora. Vogliamo parlare con tua madre prima che lo faccia tu. Perché immagino che tu abbia un paio di cosine da chiederle, giusto?»

Jacob annuì muto. «Ma perché volete parlarle? Non ha niente a che vedere con la vostra indagine, no?»

Patrik ripeté la stessa risposta che aveva dato a Pedersen. «In questo momento tutto ha a che vedere con il caso.

Voi nascondete qualcosa, ci scommetterei lo stipendio di un mese. E abbiamo intenzione di scoprire cosa, con ogni mezzo necessario.»

Era come se Jacob avesse perso tutto il suo spirito battagliero: non riuscì a far altro che annuire rassegnato. Sembrava fosse sotto shock.

«Gösta, puoi andare a prendere Laine?»

«Ma non abbiamo il mandato» rispose Gösta brusco.

«Avrà sicuramente saputo che abbiamo convocato Jacob per interrogarlo, quindi vedrai che non sarà troppo difficile farla venire qui spontaneamente.»

Patrik si rivolse a Jacob. «Ti farò portare qualcosa da mangiare e da bere, poi starai qui per un po' mentre noi parleremo con tua madre, dopodiché potrai avere anche tu un colloquio con lei. Va bene?»

Jacob annuì, apatico. Sembrava profondamente immerso nei suoi pensieri.

Fu con emozioni contrastanti che Anna inserì la chiave nella serratura, a Stoccolma. Stare via per qualche giorno era stato bellissimo, sia per lei che per i bambini, ma aveva anche fatto scemare un po' l'entusiasmo nei confronti di Gustav. Per essere del tutto sincera, la vacanza in barca a vela con lui e con la sua pedanteria l'aveva messa abbastanza a dura prova. Inoltre c'era qualcosa nel tono di Lucas, l'ultima volta che si erano parlati, che l'aveva preoccupata. Nonostante tutti i maltrattamenti che le aveva inflitto, aveva sempre dato l'impressione di avere il pieno controllo di sé e della situazione. Ora invece, per la prima volta, le era sembrato di percepire nella sua voce una nota di panico. Come se avesse intuito che potevano accadere dei fatti senza la sua regia. Un conoscente le aveva riferito di aver sentito dire che al lavoro le cose non gli andavano troppo bene. Si era innervosito durante una riunione interna, aveva offeso un cliente, e in generale la sua facciata cominciava a mostrare delle crepe. E questo la spaventava. La spaventava a morte.

La serratura aveva qualcosa che non andava. La chiave non girava nel verso giusto. Dopo un po' si rese conto che dipendeva dal fatto che la porta non era chiusa a chiave. Era sicurissima di aver dato una doppia mandata quando, una settimana prima, era partita. Disse ai bambini di restare dov'erano e aprì circospetta. Boccheggiò. Il primo appartamento completamente suo, di cui andava tanto orgogliosa, era distrutto. Non restava neanche un mobile intero. Era tutto a pezzi e sulle pareti qualcuno aveva tracciato una scritta con lo spray, come un graffito. PUTTANA si leggeva a grandi lettere sul muro del soggiorno. Anna si coprì la bocca con la mano mentre gli occhi le si riempivano di lacrime. Non dovette neanche chiedersi chi le avesse fatto questo. Il pensiero che l'aveva tormentata in un angolo della coscienza da quando aveva parlato al telefono con Lucas era ora diventato certezza. La situazione gli stava sfuggendo di mano. Ormai l'odio e la furia, sempre rimasti celati, avevano sgretolato la facciata.

Anna arretrò sul pianerottolo. Prese i bambini e li strinse forte a sé. Il primo impulso fu di telefonare a Erica. Poi decise di cavarsela da sola.

Era così contenta della sua nuova vita, si era sentita forte. Per la prima volta da quando era nata, aveva potuto dire di appartenere a se stessa. Non era la sorella minore di Erica, né la moglie di Lucas. Solo se stessa. E adesso era tutto finito.

Sapeva cosa sarebbe stata costretta a fare. Il gatto aveva vinto. Ormai al topo era rimasto un solo posto in cui rifugiarsi. Pur di non perdere i bambini, era disposta a tutto.

Una cosa, però, era certa. Gli consegnava se stessa. Poteva fare di lei quello che voleva. Ma se avesse di nuovo toccato uno dei bambini, lo avrebbe ucciso. Senza esitare.

Non era stata una buona giornata. Gabriel era talmente sconvolto che si era chiuso nel suo studio, rifiutandosi di uscire. Linda era tornata dai suoi cavalli e Laine, lasciata sola, era seduta sul divano in soggiorno con gli occhi fissi sulla parete. Il pensiero di Jacob sotto interrogatorio alla stazione di polizia le fece salire agli occhi lacrime di umiliazione. Era il suo istinto di madre a spingerla a proteggerlo da ogni male. Che fosse bambino o adulto, pur sapendo che non ne aveva il controllo, davanti a lui si sentiva comunque come se avesse fallito. Nel silenzio echeggiava il ticchettio di un orologio, e quel rumore monotono l'aveva quasi fatta sprofondare in una sorta di trance. Per questo quando qualcuno bussò alla porta d'ingresso il rumore le fece fare un salto. Fu con grande timore che andò ad aprire. Ormai ogni volta che sentiva bussare temeva una sorpresa sgradita. Non rimase quindi particolarmente stupita quando Gösta si presentò.

«E adesso cosa volete?»

Il poliziotto spostò il peso da un piede all'altro, a disagio. «Ci servirebbe il suo aiuto. Alla stazione.» Si interruppe, aspettandosi una cascata di proteste, ma Laine si limitò ad annuire e lo seguì fuori.

«Non vuole dire a suo marito dove sta andando?» chiese Gösta, sorpreso.

«No» tagliò corto la donna, e lui la osservò. Per un breve attimo si chiese se non avessero esagerato facendo pressione sulla famiglia Hult fino a quel punto. Poi gli venne in mente che da qualche parte, negli intricati meandri delle loro relazioni, si nascondevano un assassino e una ragazza scomparsa. La pesante porta di quercia si richiuse alle loro spalle e la donna lo seguì tenendosi a qualche passo di distanza, come una moglie giapponese. Ognuno sulla propria auto, percorsero rimuginando il tragitto fino alla stazione di polizia. Ormai era pomeriggio inoltrato e il sole aveva già cominciato a tingere di rosso i campi, ma nessuno dei due prestò una grande attenzione al paesaggio.

Quando li vide entrare, Patrik sembrò sollevato. Mentre Gösta era da Laine, lui aveva ammazzato il tempo passeggiando nervosamente su e giù nel corridoio davanti alla saletta per gli interrogatori, desiderando ardentemente di riuscire a leggere nel pensiero di Jacob.

«Buongiorno» la salutò brevemente. Non gli sembrava il caso di presentarsi di nuovo, e considerando le circostanze una stretta di mano avrebbe dato l'impressione di un'eccessiva cordialità. Non erano lì per scambiarsi salamelecchi. Si era chiesto come Laine avrebbe affrontato la situazione. Gli era sembrata una donna fragile, delicata, con i nervi a fior di pelle, ma vedendola camminare alle spalle di Gösta si accorse rapidamente che non era il caso di preoccuparsi: aveva l'aria rassegnata, ma era calma e composta.

Dato che la stazione di polizia di Tanumshede aveva una sola saletta per gli interrogatori, andarono a sedersi in quella del personale. Laine declinò l'offerta di un caffè. Sia Patrik che Gösta ne sentivano invece il bisogno. Sapeva di metallo, ma lo bevvero lo stesso, facendo qualche smorfia. Nessuno dei due aveva idea di come cominciare, e con loro grande sorpresa fu Laine stessa a prevenirli.

«Mi pareva che aveste qualche domanda da farmi» esordì accennando con la testa a Gösta.

«Sì, in effetti» rispose Patrik, esitante. «Abbiamo avuto

un'informazione che non sappiamo esattamente come inquadrare. Ci chiediamo che ruolo potrebbe avere nell'indagine. Forse nessuno, ma in questo momento non c'è il tempo per indossare i guanti di velluto. Di conseguenza, ho intenzione di andare dritto al punto.» Patrik inspirò profondamente. Laine continuava a fissarlo negli occhi con aria indifferente, ma guardandole le mani, allacciate sul tavolo, lui notò che le nocche le si erano sbiancate.

«Abbiamo avuto un primo risultato delle analisi eseguite sui vostri campioni di sangue.» A questo punto si accorse che le mani avevano preso a tremarle e si chiese per quanto tempo sarebbe riuscita a mantenere quella calma apparente. «Per prima cosa, posso dirle che il dna di Jacob non corrisponde a quello rilevato sulla vittima.»

Laine si afflosciò sotto i loro occhi. Le mani ora tremavano in modo incontrollato, e Patrik si rese conto che era venuta alla stazione preparata a sentirsi dire che suo figlio era stato arrestato per omicidio. Il sollievo le illuminava il viso, e dovette deglutire più volte per ricacciare in gola il pianto. Non disse niente, così Patrik continuò: «Abbiamo però riscontrato un particolare degno di nota nel confronto tra il sangue di Gabriel e quello di Jacob: dimostra chiaramente che Jacob non può essere figlio di Gabriel...» Aveva dato alla frase l'intonazione di una domanda, e aspettò la reazione. Ma il sollievo per Jacob pareva averle tolto un macigno dal petto, e dopo solo un attimo di esitazione Laine disse: «Sì, è così. Gabriel non è il padre di Jacob.»

«E chi è il padre, invece?»

«Non capisco cos'abbia a che vedere con gli omicidi, soprattutto adesso che è stato chiarito che Jacob non è colpevole.»

«Come ho già detto, al momento non abbiamo il tempo

necessario per approfondire questa valutazione, quindi apprezzerei che rispondesse alla mia domanda.»

«Naturalmente non possiamo costringerla» intervenne Gösta, «ma una ragazza è scomparsa, e abbiamo bisogno di tutte le informazioni su cui possiamo mettere le mani, anche se sembrano non pertinenti.»

«Mio marito verrà a saperlo?»

Patrik esitò. «Non posso prometterle niente, ma non vedo alcuna ragione per cui dovremmo dirglielo. Però...» indugiò un attimo «... Jacob lo sa.»

Laine trasalì e le mani ripresero a tremarle. «Cos'ha detto?» La voce era ridotta a un sussurro.

«Non voglio mentirle. È rimasto turbato. E naturalmente si chiede anche lui chi sia il suo vero padre.»

Intorno al tavolo il silenzio si fece compatto, ma Gösta e Patrik le diedero tempo. Dopo un po' arrivò la risposta, ancora sotto forma di sussurro: «Johannes.» La voce si fece più forte. «Il padre di Jacob è Johannes.»

Sembrò sorpresa di aver pronunciato quella frase ad alta voce senza che un fulmine la centrasse lì dov'era. Il segreto doveva essere diventato più pesante e difficile da portare sulle spalle ogni anno che passava, e a quel punto sembrò quasi che lasciar uscire quelle parole dalla bocca avesse rappresentato un sollievo. Riprese a parlare, veloce.

«Abbiamo avuto una breve relazione. Non ero riuscita a resistere. Era come una forza della natura, che arrivava e prendeva quello che voleva. E Gabriel era così... diverso.» Laine aveva esitato nella scelta del termine, ma Patrik e Gösta non ebbero difficoltà a riempirlo di significato.

«Gabriel e io tentavamo di avere figli da un po', e quando rimasi incinta ne fu felicissimo. Sapevo che il bambino poteva essere suo o di Johannes ma, anche se avrebbe comportato grosse complicazioni, desideravo fortemente che fosse di Johannes. Un figlio suo poteva essere... magnifico! Era così vivo, così bello, così... vibrante.»

Negli occhi le comparve un baluginio che le stravolse i lineamenti, facendola sembrare di colpo più giovane di una decina d'anni. Non c'erano dubbi sul fatto che fosse stata innamorata di Johannes. Il pensiero della loro breve storia di tanti anni prima la faceva ancora arrossire.

«Cosa le aveva fatto capire, allora, chi fosse il vero padre del bambino?»

«Me ne sono resa conto appena l'ho visto, nell'istante stesso in cui mi è stato appoggiato sul petto.»

«E Johannes? Lui sapeva che Jacob era figlio suo e non di Gabriel?» domandò Patrik.

«Eccome. E lo amava. Io lo sapevo di non essere stata altro che uno svago occasionale, per Johannes, per quanto desiderassi il contrario, ma con Jacob era diverso. Johannes veniva spesso di nascosto, quando Gabriel era via, per guardarlo e giocare con lui. Ma solo finché Jacob era abbastanza piccolo da non poterlo raccontare. Poi dovette smettere» raccontò Laine in tono triste. «Detestava vedere il fratello allevare il suo primogenito, ma non era disposto a rinunciare alla vita che conduceva. E neanche a Solveig» riconobbe Laine controvoglia.

«E com'è stata la vita per lei?» chiese Patrik, toccato. Lei alzò le spalle.

«All'inizio, un inferno. Abitare così vicino a Johannes e Solveig, essere lì quando ebbero i loro figli, i fratelli di Jacob... Ma avevo mio figlio, e dopo, molti anni più tardi, anche Linda. Può sembrare incredibile, ma con gli anni ho effettivamente imparato ad amare Gabriel. Non come amavo Johannes, ma forse in modo più realistico. Johannes non era un uomo da amare da vicino senza soccombere. Il mio amore nei confronti di Gabriel è più noioso, ma anche più facile» spiegò Laine.

«Non ha avuto paura di essere scoperta, quando Jacob si ammalò?» chiese Patrik.

«No: in quel momento erano altre le cose di cui avere paura» rispose Laine affilata. «Se Jacob fosse morto niente avrebbe più avuto importanza, e meno di tutto chi fosse suo padre.» La voce si addolcì. «Johannes era preoccupatissimo. Lo disperava sapere che Jacob era malato e che lui non era in grado di aiutarlo. Non poteva neanche mostrare pubblicamente la sua paura, né sedere al suo capezzale in ospedale. Fu un periodo difficile per lui.» Laine si perse in un'epoca ormai lontana, ma poi si riscosse e si costrinse a tornare al presente.

Gösta si alzò per riempirsi nuovamente la tazza e sollevò con aria interrogativa il termos verso Patrik, che annuì. Dopo essersi riseduto, Gösta chiese: «Davvero non c'era nessuno che avesse dei sospetti, o addirittura sapesse? Non si è mai confidata con anima viva?»

Negli occhi di Laine comparve un'ombra di amarezza. «Sì, in un momento di debolezza Johannes raccontò a Solveig di Jacob. Finché è vissuto lui, non ha mai osato fare niente. Ma dopo la sua morte ha cominciato prima a fare qualche insinuazione, poi ad avanzare vere e proprie pretese, a mano a mano che le sue casse si prosciugavano.»

«La ricattava?» chiese Gösta.

Laine annuì. «Sì. È più di vent'anni che la pago.»

«E come è riuscita a farlo senza che Gabriel se ne accorgesse? Perché immagino che fossero cifre consistenti, no?»

Altro cenno affermativo. «Non è stato facile. Ma, anche se Gabriel è pignolo quando si tratta dei conti della tenuta, con me non è mai stato avaro. Ho sempre avuto i soldi che chiedevo, per le spese e per la casa. Per pagare Solveig ho tirato la cinghia, dandole quasi tutto.» Il tono era amareggiato, ma sotto si percepiva qualcosa di ancora più forte. «Immagino di non avere altra scelta che raccontare tutto a Gabriel. Per cui, se non altro, da oggi non avrò più il problema di Solveig.»

Fece un sorrisino storto ma tornò subito seria e guardò Patrik dritto negli occhi. «Se in tutto questo c'è qualcosa di buono, è proprio che non m'importa ciò che dirà Gabriel, anche se è una cosa che mi tormenta da trentacinque anni. Per me contano solo Jacob e Linda, e ora il fatto che Jacob sia stato scagionato. Perché è così, no?» chiese in un tono che non ammetteva repliche, trafiggendoli entrambi con lo sguardo.

«Sì, pare di sì.»

«Allora perché lo trattenete? Posso andare, adesso, e portarlo via con me?»

«Sì» rispose Patrik calmo. «Ma vorremmo chiederle un favore. Jacob sa qualcosa di tutta questa faccenda e per il suo stesso bene è importante che sia sincero con noi. Si prenda il tempo che le serve per parlargli, ma cerchi di convincerlo che non può tenersi dentro quello che sa.»

Laine sbuffò. «Sinceramente lo capisco. Perché dovrebbe aiutarvi, dopo tutto quello che avete fatto a lui e alla nostra famiglia?»

«Perché prima risolviamo questo caso, prima potrete riprendere tutti la vostra vita normale.»

Era difficile per Patrik suonare convincente, però preferiva non rivelare il risultato delle analisi che indicava che lo stupratore, pur non essendo Jacob, era comunque parente di Johannes. Quello sì che era un asso, e non lo avrebbe giocato fino a quando non fosse stato assolutamente indispensabile. Sperava che Laine gli credesse lo stesso e seguisse il suo ragionamento. Dopo qualche istante di attesa, ottenne quello che voleva: Laine annuì.

«Farò quello che posso. Ma non sono certa che lei abbia ragione. Non penso che Jacob sappia qualcosa più di chiunque altro.»

«Prima o poi lo scopriremo» fu la sua secca risposta. «Vuole seguirmi?»

La donna si avviò verso la saletta per gli interrogatori a passi esitanti. Gösta si rivolse a Patrik con una ruga tra le sopracciglia: «Perché non le hai detto che Johannes è stato assassinato?»

Patrik alzò le spalle. «Non lo so, ma ho la sensazione che più riusciamo a farli andare in confusione, meglio è. Jacob lo riferirà a Laine, e forse questo la smuoverà, e magari si apriranno con noi.»

«Pensi che anche Laine nasconda qualcosa?» chiese Gösta.

«Non lo so» ripeté Patrik, «ma hai visto la sua espressione quando le abbiamo detto che Jacob era stato depennato dalla lista dei sospetti? Era sorpresa.»

«Spero che tu abbia ragione» disse Gösta, passandosi stancamente una mano sul viso. Era stata una lunga giornata.

«Aspettiamo che quei due finiscano di parlare, lì dentro, e poi andiamo a casa a mettere qualcosa sotto i denti e a farci una dormita. Non serviamo a niente, se siamo distrutti.»

Si sedettero ad aspettare.

Le sembrò di udire qualcosa fuori. Poi però tornò il silenzio. Solveig alzò le spalle e tornò a concentrarsi sui suoi album. Dopo tutte le tempeste emotive degli ultimi giorni era piacevole lasciarsi trasportare dalla serenità che le infondevano quelle foto consunte. Non cambiavano mai, quelle. Al massimo, con gli anni, sbiadivano e ingiallivano un po'.

Guardò l'orologio della cucina. I ragazzi andavano e venivano come pareva a loro, ma quella sera avevano promesso di cenare a casa. Robert avrebbe comprato la pizza al Kapten Falck. Solveig si accorse che la fame cominciava a farle brontolare la pancia. Poco dopo sentì dei passi sulla ghiaia e si alzò faticosamente per tirare fuori bicchieri e posate. I piatti non servivano: avrebbero mangiato direttamente dai cartoni.

«Dov'è Johan?» Robert mise le pizze sul piano di lavoro della cucina e si guardò intorno.

«Pensavo che lo sapessi tu. Non lo vedo da ore» rispose la madre.

«Sarà nel capanno. Vado a cercarlo.»

«Digli di darsi una mossa! Non ho intenzione di aspettarlo!» gli gridò dietro Solveig, aprendo avidamente i cartoni per trovare la sua pizza.

«Johan!» Robert cominciò a chiamare il fratello prima ancora di raggiungere il capanno, ma non ottenne risposta. Be', non voleva dire niente. A volte, quando se ne stava lì dentro, Johan diventava cieco e sordo.

«Johan?» gridò più forte, ma nel silenzio sentì solo la propria voce.

Scocciato, spalancò la porta, pronto a sgridare il fratello perché se ne stava lì a fantasticare, ma se ne dimenticò in fretta.

«Johan!»

Suo fratello era steso a terra con una specie di grande aureola rossa intorno alla testa. Robert impiegò qualche secondo a capire che era sangue. Johan non si muoveva.

«Johan!» La voce si fece lamentosa e dal petto gli risalì

un singhiozzo. Si accasciò in ginocchio di fianco al corpo martoriato e lo toccò, senza sapere cosa fare. Voleva aiutarlo ma non sapeva come, aveva paura di peggiorare le cose. Un gemito del fratello lo indusse ad agire. Si alzò, con le ginocchia macchiate di sangue, e corse verso casa.

«Ma'! Ma'!»

Solveig aprì la porta e socchiuse gli occhi. Aveva le dita e la bocca unte, era chiaro che aveva cominciato a mangiare e che l'interruzione l'aveva irritata.

«Cosa urli?» Poi vide le macchie sui vestiti di Robert. Sapeva che non poteva essere vernice. «Cos'è successo? Johan?»

Si mise a correre verso il capanno alla massima velocità consentita dalla massa informe del suo corpo, ma Robert la fermò prima che ci arrivasse.

«Non entrare. È vivo, ma qualcuno gliele ha date di santa ragione. È messo male, dobbiamo chiamare un'ambulanza!»

«Chi...?» singhiozzò lei, accasciandosi come una bambola tra le braccia del figlio. Lui si divincolò, seccato, e la tirò su.

«Chi se ne frega, adesso. Prima dobbiamo chiamare aiuto! Vai a casa e telefona, io torno da lui. Chiama anche la guardia medica. L'ambulanza arriva da Uddevalla!»

Impartì quegli ordini con l'autorevolezza di un generale, e Solveig reagì immediatamente. Tornò a casa di corsa e Robert, sicuro che i soccorsi sarebbero arrivati presto, si affrettò a raggiungere il fratello.

Quando il dottor Jacobsson arrivò, nessuno di loro pensò alle circostanze in cui si erano visti quella stessa mattina. Robert arretrò, grato del fatto che ora ad assumere il controllo della situazione fosse una persona che sapeva quel che faceva, e aspettò teso la sentenza.

«È vivo, ma bisogna portarlo in ospedale al più presto. L'ambulanza sta arrivando, vero?»

«Sì» rispose Robert con un filo di voce.

«Vai dentro a prendere una coperta.»

Robert non era così stupido da non capire che la richiesta del medico era dettata più dall'esigenza di dargli qualcosa da fare che da un reale bisogno di coprire Johan, ma era ben contento di avere un compito pratico da svolgere e ubbidì all'istante. Dovette passare di fianco a Solveig che, sulla soglia del capanno, piangeva silenziosamente, scossa dai singulti, ma non aveva la forza di consolarla. Bastava dover tenere insieme se stesso, e lei avrebbe dovuto cavarsela da sola. In lontananza sentì una sirena. Non aveva mai provato un tale sollievo vedendo avvicinarsi tra gli alberi un lampeggiante blu.

Laine rimase con Jacob per mezz'ora. Patrik avrebbe voluto tenere l'orecchio incollato alla parete, ma doveva avere pazienza. Solo il piede che scattava ritmicamente rivelava l'ansia che provava. Sia lui che Gösta erano andati nei rispettivi uffici per cercare di combinare qualcosa, ma con scarsi risultati. Patrik avrebbe voluto sapere con esattezza cosa si aspettava di ottenere, ma dovette rinunciare. Sperava soltanto che in qualche modo Laine riuscisse a trovare il tasto giusto per indurre Jacob ad aprirsi, ma forse tutta quella manovra avrebbe solo fatto sì che si chiudesse ancora di più in se stesso. Non lo sapeva, ed era proprio quello il punto. Mettendo rischi e risultati sui due piatti della bilancia, si finiva per agire in un modo che a posteriori diventava impossibile spiegare logicamente.

L'altra cosa che lo irritava era dover aspettare fino alla mattina dopo per avere gli esiti delle analisi del sangue. Avrebbe dedicato volentieri la notte a battere una pista che lo potesse portare a Jenny, se solo ce ne fosse stata una. Invece i campioni di sangue erano l'unico indizio su cui basarsi, e probabilmente le speranze che aveva riposto nella possibilità che il dna corrispondesse a quello di Jacob erano davvero troppe. Ora che quella teoria era andata in briciole, era di nuovo al punto di partenza. Lei era ancora da qualche parte, e lui aveva l'impressione di saperne ancora meno di prima. L'unico risultato concreto, fino a quel momento, era che forse avevano mandato in pezzi una famiglia, oltre ad aver accertato un omicidio risalente a ventiquattro anni prima. A parte questo, niente di niente.

Per la centesima volta guardò l'orologio e fece rimbalzare la penna sulla scrivania in un assolo per batteria. Forse in quel momento Jacob stava raccontando a sua madre dei particolari che avrebbero permesso di risolvere il caso di colpo. Forse...

Un quarto d'ora dopo seppe che anche quella battaglia era persa. Quando sentì aprirsi la porta della saletta, saltò su dalla sedia e andò incontro a madre e figlio, ritrovandosi davanti due volti chiusi. Occhi duri come sassolini lo guardavano con aria di sfida, e in quel momento Patrik si rese conto che, qualsiasi cosa nascondesse Jacob, non avrebbe svelato nulla di sua volontà.

«Avete detto che potevo portarlo via con me» disse Laine con voce gelida come ghiaccio.

«Sì» rispose Patrik. Non c'era altro da aggiungere.

Era ora di mettere in pratica quanto aveva detto a Gösta mezz'ora prima: andare a casa, per mangiare e dormire un po'. Sperava di riprendere a lavorare con rinnovata energia la mattina dopo.

Estate 1979

Era in pensiero per sua madre, malata. Come avrebbe fatto suo padre a prendersi cura di lei, da solo? La speranza di essere ritrovata si consumava a poco a poco nel terrore della solitudine, lì al buio. Senza la pelle morbida dell'altra, le tenebre erano, se possibile, ancora più nere.

Anche l'odore la tormentava. L'odore dolciastro e nauseante della morte ne scacciava ogni altro, coprendo perfino quello dei loro escrementi, e l'aveva fatta vomitare più volte: rigurgiti acidi di bile, in mancanza di cibo nello stomaco. Ormai cominciava a desiderare la morte, e questo la spaventava più di ogni altra cosa. La corteggiava, le sussurrava all'orecchio che avrebbe cancellato la sofferenza.

Stava continuamente in ascolto. I passi là sopra. La botola che veniva aperta. Le assi che venivano spostate e poi di nuovo i passi, lenti, lungo la scala. Sapeva che la prossima volta che li avesse sentiti sarebbe stata l'ultima. Il suo corpo non poteva sopportare altro dolore e come l'altra ragazza anche lei avrebbe ceduto alle lusinghe della morte.

Come se li avesse evocati, udì i rumori che temeva. Con il cuore traboccante di dolore si preparò a morire.

Era stato bellissimo avere Patrik a casa un po' prima, la sera precedente, ma allo stesso tempo non si aspettava che succedesse anche quel giorno, date le circostanze. Con un bambino nella pancia, Erica capiva per la prima volta cos'era la preoccupazione per un figlio, e soffriva con i genitori di Jenny Möller.

D'un tratto avvertì un vago senso di colpa per essersi sentita appagata e contenta tutta la giornata. Da quando erano andati via gli ospiti sulla casa era scesa la pace, il che le aveva consentito di fare delle belle chiacchieratine con il piccolino che tirava calci lì dentro e di starsene stesa a recuperare le forze e a leggere un buon libro. Aveva anche risalito ansimando Galärbacken per andare a fare un po' di spesa. Tra l'altro aveva comprato un sacchettino di caramelle, acquisto per il quale si sentiva un pochino in colpa. L'ostetrica le aveva detto severa che non sono consigliabili per una donna incinta e che in quantità eccessive possono produrre un drogato di zuccheri in miniatura. Aveva anche aggiunto che per arrivare a quello bisogna mangiarne davvero tante, ma Erica non riusciva lo stesso a togliersi dalla testa quell'ammonizione. Considerando il lungo elenco di cibi da evitare attaccato al frigorifero, a volte le sembrava impossibile poter mettere al mondo un bambino in salute. Certi pesci, per esempio, non andavano mangiati affatto, mentre altri erano ammessi ma solo una volta alla settimana, e poi dipendeva dalla provenienza: laghi o mare... Per non parlare del dilemma dei formaggi. Erica adorava il formaggio in ogni sua forma e aveva memorizzato quali poteva o non poteva mangiare: con suo grande dispiacere gli erborinati erano sulla lista nera. Sognava già la scorpacciata di formaggi e vino rosso che si sarebbe fatta appena finito di allattare.

Era così immersa nelle sue orgiastiche fantasie culinarie che non sentì neanche entrare Patrik. Senza volerlo, la spaventò al punto che il cuore prese a batterle all'impazzata e le ci volle parecchio per calmarsi.

«Santo cielo, che paura!»

«Scusa, non l'ho fatto apposta. Pensavo che mi avessi sentito arrivare.»

Si sedette sul divano del soggiorno, accanto a lei. Quando Erica si accorse della faccia che aveva, trasalì.

«Patrik, hai la faccia grigia! È successo qualcosa?» Poi, un dubbio atroce: «L'avete ritrovata?» Sentì una stretta gelida al cuore.

Patrik scosse la testa. «No.»

Non disse altro, e lei aspettò. Dopo un po' sembrò in grado di continuare.

«No, non l'abbiamo trovata. E ho la sensazione di aver fatto due passi indietro, oggi, invece di andare avanti.»

Di colpo si chinò e nascose il viso tra le mani. Erica gli si avvicinò, sentendosi ingombrante, lo circondò con le braccia e gli appoggiò una guancia sulla spalla. Più che udirlo, capì dai lievi sussulti che stava piangendo.

«Cazzo, ha diciassette anni! Lo capisci? Diciassette anni, e un figlio di puttana con la testa andata pensa di poterle fare quello che vuole. Chissà cosa deve subire mentre noi scorrazziamo in giro come deficienti senza sapere cosa facciamo? Come abbiamo potuto pensare di riuscire a risolvere un caso come questo? Proprio noi che non ci occupiamo d'altro che di furti di biciclette! Chi è stato quell'idiota che ci ha permesso... anzi, che *mi* ha permesso, di condurre questa stramaledetta indagine?» Spalancò le braccia.

«Nessuno avrebbe potuto farlo meglio, Patrik! Come credi che sarebbe andata se avessero mandato una squadra da Göteborg, o qualsiasi altra cosa tu stia pensando? Chi viene da fuori non conosce né il territorio né le persone. Non avrebbero affatto saputo lavorare meglio. Più probabilmente, sarebbe andata peggio. E poi non credo che siate proprio soli, in questa indagine, anche se capisco che tu ti possa sentire così. Non dimenticare che ci sono alcuni uomini di Uddevalla che lavorano con voi e hanno organizzato le ricerche e altro. Solo l'altra sera eri tu stesso a dirmi che la collaborazione funzionava molto bene. Te ne sei dimenticato?»

Erica gli parlava come a un bambino, ma senza la minima condiscendenza. Voleva solo che il suo messaggio fosse chiaro, e in effetti parve funzionare, perché Patrik si calmò. Erica sentì che il suo corpo si rilassava lentamente.

«Sì, hai ragione» riconobbe Patrik a malincuore. «Abbiamo fatto tutto quello che potevamo, ma la situazione sembra davvero senza sbocchi. Il tempo corre e io me ne sto qui a casa mentre Jenny forse sta morendo, in questo preciso istante.»

Il panico tornò a fargli impennare la voce ed Erica gli strinse la spalla.

«Shh... Non puoi permetterti di ragionare in questo modo» lo ammonì in tono leggermente più duro. «Non puoi crollare adesso. Se c'è qualcosa che devi a lei e ai suoi, è proprio rimanere lucido e continuare a lavorare.»

Patrik non rispose, ma si capiva che la stava ascoltando.

«I suoi mi hanno telefonato tre volte, oggi. Ieri quattro. Pensi che si stiano rassegnando?»

«No, non credo» rispose Erica. «Secondo me confidano nel fatto che voi sapete fare il vostro lavoro. E in questo momento il tuo consiste nel recuperare le forze in vista di un'altra giornata impegnativa. Non ci guadagnate niente a esaurirvi del tutto.»

Patrik abbozzò un sorriso sentendo riecheggiare nelle parole di Erica le stesse che aveva detto lui a Gösta. Forse, ogni tanto non parlava del tutto a vanvera.

Si fidò. Pur senza gustarlo mangiò quello che gli mise davanti e poi dormì un sonno leggero e tormentato. Nei sogni una ragazzina bionda gli correva davanti, sfuggendo ogni volta alla sua presa. Riusciva continuamente ad arrivarle così vicino da sfiorarla, ma quando allungava la mano per afferrarla lei scoppiava in una risata canzonatoria e scappava.

Al trillo della sveglia aprì gli occhi sentendosi stanco e coperto di sudore freddo.

Accanto a lui, Erica aveva dedicato gran parte delle ore insonni di quella notte a rimuginare su Anna. Con la stessa determinazione con la quale fino a quel momento era stata certa che non toccasse a lei fare il primo passo, aveva deciso di telefonarle non appena avesse fatto giorno. Qualcosa non andava. Lo sentiva.

L'ospedale la spaventava. C'era qualcosa di definitivo in quell'odore asettico, in quelle pareti incolori e in quei quadri squallidi. Dopo una notte insonne, le sembrava che intorno a lei tutti si muovessero al rallentatore. Il fruscio dei camici del personale era talmente amplificato da risultare alle orecchie di Solveig più forte del brusio tutt'intorno. Si aspettava che il mondo le crollasse addosso da un momento all'altro. La vita di Johan era appesa a un filo molto sottile, le aveva detto serio il medico all'alba, e lei aveva già cominciato a prepararsi al lutto. Cos'altro doveva fare? Tutto ciò che la vita le aveva dato le era scivolato tra le dita, finendo per essere spazzato via dal vento. Non le era rimasto niente di tutto quello che aveva cercato di trattenere. Johannes, Västergården, il futuro dei suoi figli... tutto era sbiadito riducendosi a nulla e sospingendola in un mondo solo suo.

Ma adesso non poteva più fuggire. Non mentre la realtà le premeva addosso sotto forma di percezioni visive, uditive e olfattive. La realtà consistente nel fatto che in quel momento il corpo di Johan veniva inciso da un bisturi era troppo concreta perché la si potesse evitare.

Erano anni che aveva rotto con Dio, ma in quel momento si mise a pregare come non aveva mai fatto. Snocciolò tutte le parole che riusciva a ricordare dalla fede dell'infanzia, fece promesse che non avrebbe mai mantenuto, sperando che la buona volontà bastasse almeno a concedere a Johan quel piccolo appiglio che gli avrebbe consentito di restare attaccato alla vita. Seduto accanto a lei, Robert aveva la stessa espressione scioccata della sera prima, rimasta intatta per tutta la notte. Non desiderava altro che allungarsi verso di lui per toccarlo, consolarlo, fare la madre. Ma erano passati troppi anni, aveva perso troppe occasioni. E così erano lì seduti uno accanto all'altra come due estranei, uniti solo dall'amore per colui che giaceva là dentro, entrambi immersi nel silenzio della consapevolezza che era il migliore dei tre.

Una sagoma familiare si profilò in fondo al corridoio. Linda camminava vicino al muro, incerta sull'accoglienza che le sarebbe stata riservata da Solveig e Robert. Ma la loro litigiosità era stata spazzata via dai colpi grandinati sul figlio e fratello. In silenzio, la ragazza si sedette di fianco a Robert e aspettò qualche istante prima di trovare il coraggio di chiedere: «Come sta? Papà mi ha detto che gli hai telefonato stamattina per dirgli cos'era successo.»

«Sì, mi sembrava giusto chc Gabriel lo sapesse» rispose Solveig, ancora con lo sguardo perso nel nulla. «Nonostante tutto, il sangue non è acqua. Volevo solo che lo sapesse...» Sembrò smarrirsi di nuovo e Linda si limitò ad annuire.

Solveig riprese a parlare: «Lo stanno ancora operando. Non sappiamo altro se non che... che può morire.»

«Ma chi è stato?» chiese Linda, decisa a non lasciare che la zia si rinchiudesse nel silenzio prima di dare una risposta alla sua domanda.

«Non lo sappiamo» rispose Robert, «ma chiunque sia, me la pagherà cara!»

Batté forte la mano sul bracciolo della sedia e per un attimo parve risvegliarsi dallo stato di shock. Solveig non disse niente.

«Che ci fai tu qui, comunque?» chiese poi Robert, rendendosi conto solo in quel momento del fatto che la cugina che non avevano mai frequentato si trovava lì all'ospedale.

«Io... noi... io...» balbettò Linda cercando le parole per descrivere il rapporto che c'era tra lei e Johan. Era sorpresa che Robert non sapesse niente. Johan le aveva detto di non aver raccontato nulla a suo fratello, ma lei era comunque convinta che si fosse lasciato scappare qualcosa. Il fatto che avesse tenuto segreta la loro storia dimostrava che per lui era importante, e improvvisamente Linda si vergognò.

«Noi... ci siamo frequentati parecchio, Johan e io.» Esaminò con attenzione le unghie curate.

«In che senso, frequentati?» Robert la stava guardando perplesso. Poi capì. «Ah... quindi avete... okay...» Fece una risatina. «Guarda un po'. Il fratellino. Che canaglia.» Poi la risata gli si spense in gola: gli era tornato in mente il motivo per cui si trovava lì, e l'espressione scioccata tornò a irrigidirgli il volto.

Mentre le ore passavano lente, rimasero in silenzio tutti e tre, seduti nella squallida sala d'attesa. Ogni rumore di passi li induceva a scrutare ansiosamente il corridoio in cerca di un medico in camice bianco pronto a dare loro il verdetto finale. Senza sapere che anche gli altri due facevano lo stesso, ognuno di loro pregava.

Quando, quella mattina presto, Solveig gli aveva telefonato, si era sorpreso del dispiacere che aveva provato. La faida familiare era in atto da tanto di quel tempo che l'ostilità era diventata come una seconda natura, ma quando aveva saputo delle condizioni di Johan i vecchi rancori erano stati spazzati via. Il ragazzo era il figlio di suo fratello, sangue del suo stesso sangue, e questa era l'unica cosa che contava. Eppure era restio all'idea di fargli visita all'ospedale. Gli sembrava un gesto ipocrita, e quando Linda aveva detto di volerci andare le era stato riconoscente. Le aveva addirittura pagato il taxi fino a Uddevalla, per quanto normalmente considerasse il ricorso ai taxi il massimo della stravaganza.

Seduto alla sua grande scrivania, si sentiva confuso. Il mondo intero sembrava essersi capovolto e la situazione non faceva che peggiorare. L'impressione era che nelle ultime ventiquattr'ore fosse degenerata. Jacob che veniva convocato per un interrogatorio, la perquisizione a Västergården, i campioni di sangue prelevati a tutta la famiglia e adesso Johan in ospedale, in bilico tra la vita e la morte.

Aveva dedicato tutta la vita a costruirsi delle difese che ora stavano per essere rase al suolo sotto i suoi occhi.

Nello specchio che aveva di fronte guardò il proprio viso come se fosse la prima volta. E in un certo senso lo era davvero. Lo vedeva da sé quanto era invecchiato negli ultimi giorni. Lo sguardo era spento, il volto solcato dalle preoccupazioni, i capelli solitamente impeccabili erano spettinati e opachi. Gabriel dovette riconoscere di essere deluso di sé. Si era sempre considerato un uomo che sapeva sfruttare le avversità per maturare e su cui il prossimo poteva fare affidamento nei momenti difficili. E invece era stata Laine a emergere come la più forte dei due. Forse l'aveva sempre saputo. Forse l'aveva sempre saputo anche lei, ma gli aveva lasciato quell'illusione perché sapeva che sarebbe stato più felice così. Si sentì invadere da una sensazione di calore. Un amore pacato, rimasto sepolto in profondità sotto il suo sprezzo egocentrico, aveva finalmente la possibilità di tornare in superficie. Forse anche da quel marasma poteva nascere qualcosa di buono.

Fu interrotto da alcuni colpi alla porta.

«Avanti.»

Laine entrò silenziosamente e Gabriel notò ancora una volta la trasformazione subita dalla moglie. Non c'era più traccia in lei dell'espressione ansiosa e delle mani che si torcevano irrequiete. Sembrava addirittura più alta, ora che teneva la schiena dritta.

«Buongiorno, cara. Hai dormito bene?»

Lei annuì e si sedette su una delle due sedie per i visitatori. Gabriel la scrutò. Le occhiaie contraddicevano la risposta affermativa. Eppure aveva dormito per più di dodici ore. La sera prima, quando era tornata dalla stazione di polizia, non era riuscito a scambiare nemmeno una parola con lei. Aveva mormorato che era stanca ed era andata in camera sua. Qualcosa bolliva in pentola, lo sentiva. Da quando aveva messo piede nella stanza non aveva alzato gli occhi su di lui neanche una volta, tenendoli ostinatamente fissi sulle proprie scarpe. Sentì montare l'inquietudine, ma prima di tutto doveva dirle di Johan. Laine reagì con sorpresa e dispiacere, ma sembrava che le parole non l'avessero davvero raggiunta. I suoi pensieri erano talmente concentrati su qualcosa che neanche la notizia del pestaggio di Johan poteva distrarla. A quel punto le luci d'emergenza lampeggiavano tutte insieme.

«È successo qualcosa? Ieri, alla stazione di polizia? Ho parlato con Marita, mi ha detto che Jacob è stato rilasciato, quindi è impossibile che la polizia...» Non sapeva come continuare. I pensieri gli si accavallavano nella mente, e le spiegazioni che gli si presentavano venivano scartate una dopo l'altra.

«Infatti, Jacob è completamente scagionato» disse Laine.

«Davvero? Ma è fantastico!» Gabriel s'illuminò. «Come... Cos'è che non...?»

Ancora la stessa espressione contrita e lo sguardo basso.

«Prima di parlare di questo, c'è un'altra cosa che è bene che tu sappia.» Esitò. «Vedi... Johannes...»

Gabriel si agitò spazientito sulla sedia. «Sì? Cosa c'entra Johannes? Si tratta di quella malaugurata riesumazione?»

«Sì, così si può dire.» Un'altra pausa fece venire voglia a Gabriel di scuoterla per farle sputare il rospo. Poi Laine inspirò profondamente e le parole le sgorgarono di bocca a una velocità tale da risultargli quasi incomprensibili.

«Hanno detto a Jacob che hanno esaminato i resti di Johannes e hanno scoperto che non si è suicidato. È stato assassinato.»

La penna che Gabriel aveva in mano cadde sulla scrivania. Guardò Laine come se avesse smarrito la ragione. Lei continuò: «Sì, lo so che sembra una follia, ma pare che ne siano assolutamente sicuri. Qualcuno ha ucciso Johannes.»

«Sanno chi è stato?» fu l'unica cosa che gli venne in mente di dire.

«Certo che no» sbottò Laine. «L'hanno appena scoperto e dopo tutti questi anni...» Spalancò le braccia.

«Be', è una grossa novità, non c'è che dire. Ma dimmi di Jacob. Gli hanno chiesto scusa?» domandò Gabriel brusco.

«Te l'ho detto, non è più indiziato. Sono riusciti a dimostrare quello che noi già sapevamo» rispose Laine.

«Certo, non è una sorpresa. Era solo questione di tempo. Ma come...»

«I campioni di sangue che ci hanno prelevato ieri. Prima hanno confrontato il suo con del materiale lasciato dall'assassino, e non corrispondeva.»

«Be', questo glielo avrei potuto dire subito io. Cosa che ho fatto, se non ricordo male!» esclamò Gabriel enfaticamente, sentendo sciogliersi un grosso nodo. «Ma allora c'è solo da brindare a champagne! Non capisco il perché di quell'aria avvilita.»

A quel punto lei alzò il viso e lo fissò dritto negli occhi. «Hanno confrontato anche il tuo.»

«E anche quello non corrispondeva» commentò Gabriel, ridendo.

«No, non con quello dell'assassino. Il fatto è che... non corrispondeva con quello di Jacob.»

«Cosa? In che senso non corrispondeva?»

«Hanno scoperto che non sei il padre di Jacob.»

Il silenzio che seguì fu come un'esplosione. Gabriel colse di nuovo uno scorcio del proprio viso nello specchio e questa volta non si riconobbe. Quello che lo fissava era un estraneo con la bocca spalancata e gli occhi sbarrati. Non riuscì a sopportarne la vista e distolse lo sguardo.

Laine aveva l'aria di chi si è liberato del peso del dolore del mondo: i lineamenti si erano come illuminati. Gabriel si accorse che era sollevata. Per un attimo si rese conto di quanto doveva esserle pesato quel segreto, per tutti quegli anni, ma poi la rabbia si scatenò in tutta la sua violenza.

«Cosa stai dicendo?» urlò, facendola sobbalzare.

«Hanno ragione. Jacob non è tuo figlio.»

«E di chi è figlio, allora?»

Silenzio. Lentamente, la verità prese forma dentro di lui. Ricadendo contro lo schienale, sussurrò: «Johannes.»

Laine non ebbe bisogno di confermarlo. D'un tratto gli fu tutto chiarissimo, e maledì la propria stupidità. Possibile che non se ne fosse accorto prima? Gli sguardi furtivi, la sensazione che qualcuno fosse stato in casa in sua assenza, la somiglianza a tratti quasi irreale di Jacob con suo fratello.

«Ma perché...»

«Perché ho avuto una storia con Johannes, vuoi dire?» La voce di Laine aveva assunto un timbro freddo, quasi metallico. «Perché lui era tutto ciò che tu non eri. Per te io ero una seconda scelta, una moglie presa per ragioni pratiche, una persona che doveva stare al suo posto e fare in modo che la tua vita fosse come avevi programmato producendo il minimo attrito possibile. Doveva essere tutto organizzato, logico, razionale... senza vita!» La voce le si ammorbidì. «Johannes non faceva nulla che non avesse scelto di fare. Amava quando voleva, odiava quando voleva, viveva quando voleva... Stare con lui era come farsi travolgere dalla forza della natura. Lui mi vedeva sul serio, mi *vedeva*, non mi passava davanti e basta per andare alla riunione di lavoro successiva. Ogni incontro con lui era come morire e rinascere.»

Gabriel tremava davanti alla passione che percepiva nella voce di Laine. Quando smise di parlare lei lo fissò sobria.

«Mi dispiace veramente di averti ingannato per tutti questi anni riguardo a Jacob. Credimi, è così, e ti chiedo scusa con tutto il cuore. Però... non ho intenzione di scusarmi per aver amato Johannes.»

Si allungò in avanti di scatto e mise le mani sopra quelle del marito. Gabriel soffocò l'impulso di ritirare le proprie, e le lasciò passivamente dov'erano.

«Tu avevi tante possibilità, Gabriel. Io lo so che anche dentro di te ci sono molti dei tratti di Johannes, ma tu non li lasci emergere. Avremmo potuto vivere dei begli anni insieme, e io ti avrei amato. In un certo modo sono arrivata a farlo lo stesso, nonostante tutto, ma ti conosco a sufficienza per sapere che ora tu non mi permetterai di continuare a farlo.»

Gabriel non rispose. Sapeva che lei aveva ragione. Per tutta la vita aveva lottato contro il destino che lo teneva all'ombra di suo fratello, e il tradimento di Laine l'aveva colpito nel punto più vulnerabile.

Gli tornarono in mente le notti trascorse con lei a vegliare il figlio malato. In quei momenti desiderava essere l'unica persona accanto a Jacob, per dimostrargli quanto insignificanti fossero tutti gli altri, compresa Laine. Nel mondo di Gabriel, lui era l'unico di cui Jacob avesse bisogno. Loro due, contro tutti gli altri. Pensarci adesso era ridicolo: nella realtà era lui quello che non c'entrava niente. Johannes avrebbe avuto il diritto di sedere di fianco a Jacob, tenergli la mano, dirgli che si sarebbe sistemato tutto. E poi Ephraim, che gli aveva salvato la vita. Ephraim e Johannes. L'eterna unione in cui Gabriel non era mai riuscito a fare breccia. In quel momento gli parve inattaccabile.

«E Linda?» Conosceva la risposta, ma non poteva non chiederlo. Se non altro per punzecchiare Laine. Lei si limitò a sbuffare.

«Linda è figlia tua. Non c'è il minimo dubbio. Johannes è l'unico uomo che io abbia avuto da quando ci siamo sposati. Comunque sono pronta ad assumermene le conseguenze.»

Ma c'era un'altra domanda che lo tormentava molto di più.

«Jacob lo sa?»

«Jacob lo sa.»

Laine si alzò. Guardò Gabriel con espressione addolorata e disse piano: «Farò le valigie oggi stesso. Prima di sera me ne sarò andata.»

Non le chiese dove avesse intenzione di andare. Non aveva importanza. Nulla aveva più importanza.

Avevano cancellato ogni traccia del loro passaggio. Sia lei che i bambini quasi non si erano accorti del fatto che la polizia era stata lì. Eppure era come se fosse cambiato qualcosa. La sensazione, inafferrabile, era che la casa non fosse più il luogo sicuro che era sempre stata. Ogni oggetto era stato toccato da mani estranee che lo avevano girato e guardato. Avevano cercato il male... in casa loro! Effettivamente la polizia svedese era piuttosto rispettosa, ma per la prima volta le sembrava di capire cosa doveva significare vivere in una delle dittature o in uno degli stati di polizia di cui aveva sentito parlare alla televisione. Vedendo quei servizi aveva scosso la testa, provando dispiacere per le persone che si trovavano sotto la costante minaccia di intrusioni in casa propria, senza però capire davvero quanto ci si sentisse sporchi dopo e quanto fosse grande la paura delle conseguenze.

Quella notte, a letto, aveva sentito la mancanza di Jacob. L'avrebbe voluto accanto, con la mano nella sua a garanzia che tutto sarebbe tornato come prima. Ma quando, la sera prima, aveva chiamato la stazione di polizia le avevano detto che era andata a prenderlo sua madre, quindi dava per scontato che si fosse fermato da lei a dormire. Avrebbe potuto chiamarla, ma nel momento stesso in cui concepì quell'idea si rimproverò dicendosi che era presuntuosa. Jacob faceva sempre ciò che era meglio per loro e, se lei era turbata dalla perquisizione, non poteva neanche lontanamente immaginare cosa doveva aver significato per lui il fuoco di fila dell'interrogatorio.

Marita sparecchiò lentamente la tavola della colazione dei bambini. Poi, esitando, sollevò la cornetta e fece per comporre il numero dei suoceri, ma a metà cambiò idea e riattaccò. Sicuramente stava ancora dormendo, e non voleva disturbarlo. Nell'attimo stesso in cui riagganciò, il telefono squillò, facendola trasalire per la sorpresa. Sul display lesse il numero della tenuta e si affrettò a rispondere, convinta che fosse Jacob.

«Ciao Marita, sono Gabriel.»

Aggrottò la fronte. Quasi non riconosceva la voce del suocero. Sembrava quella di un vecchio.

«Ciao Gabriel. Come state?»

Il tono allegro cercava di mascherare l'inquietudine, ma in realtà aspettava tesa il seguito. D'un tratto temette che fosse successo qualcosa a Jacob, ma prima di fare in tempo a formulare la domanda si sentì chiedere: «Mi potresti passare Jacob, per favore?»

«Jacob? Ma è andata Laine a prenderlo, ieri. Ero sicura che avesse dormito da voi.»

«No, non è stato qui. Laine l'ha lasciato davanti a casa vostra.» Il panico che avvertiva nella voce del suocero corrispondeva a quello che provava lei.

«Santo cielo, dov'è allora?» Marita si portò una mano sulla bocca e lottò per non farsi sopraffare dall'angoscia.

«Deve aver... dev'essere...» Gabriel non riusciva a completare le frasi, il che non faceva altro che aumentare l'agitazione. Se non era a casa sua e non era da loro, non c'era alternativa. Gli venne un orribile sospetto.

«Johan è in ospedale. Ieri è stato pestato a sangue.»

«Oddio. Come sta?»

«Non sanno se sopravviverà. Linda è in ospedale, ha detto che ci chiamerà appena le daranno altre notizie.»

Marita si sedette pesantemente su una sedia della cucina. Un crampo al petto le rese difficile respirare. Aveva la gola chiusa.

«Pensi che...»

La voce di Gabriel si percepiva appena. «No, non può essere. Chi potrebbe...»

Poi si resero conto entrambi, contemporaneamente, che la loro ansia dipendeva dal fatto che c'era in circolazione un assassino. Il silenzio che seguì era echeggiante.

«Chiama la polizia, Marita. Arrivo subito.» Poi riagganciò.

Patrik era di nuovo seduto alla sua scrivania, incapace di trovare un'occupazione sensata. Si costrinse a cercarsene una per evitare di stare tutto il tempo con gli occhi incollati al telefono. Il desiderio di avere gli esiti delle analisi era talmente intenso che ne avvertiva il sapore in bocca. Le lancette si muovevano con una lentezza esasperante. Decise di sbrigare qualche pratica amministrativa e tirò fuori le carte. Mezz'ora più tardi non ne aveva evasa neanche una: era rimasto seduto tutto il tempo con lo sguardo perso nel vuoto. La stanchezza derivante dalla notte quasi insonne cominciava a farsi sentire. Bevve un sorso di caffè dalla tazza che aveva davanti, e fece una smorfia. Si era raffreddato. La prese e si alzò per andare a riempirla di nuovo, ma in quel momento squillò il telefono. Si gettò sull'apparecchio con una foga tale che una parte del caffè traboccò sulla scrivania.

«Patrik Hedström.»

«Jacob è scomparso!»

Convinto com'era che a chiamare fosse il medico legale, gli ci volle un attimo a ricollegare il cervello.

«Prego?»

«Sono Marita Hult. Mio marito è scomparso da ieri sera!»

«Scomparso?» Ancora non riusciva a inquadrare la situazione. La stanchezza gli rallentava i pensieri.

«Non è mai arrivato a casa, ieri. E non ha neanche dormito dai suoi. E sapendo quello che è successo a Johan...»

No, proprio non c'era con la testa.

«Calma, calma. Cos'è successo a Johan?»

«È ricoverato in ospedale a Uddevalla! È stato pestato a sangue e non si sa ancora se ce la farà. E se la stessa persona se la fosse presa con Jacob? Magari è stato abbandonato da qualche parte ferito...»

Il panico le stava facendo impennare la voce. Finalmente il cervello di Patrik reagì. Lui però non era informato del pestaggio di Johan Hult, forse la denuncia era stata raccolta dai colleghi di Uddevalla. Doveva mettersi immediatamente in contatto con loro, ma prima doveva calmare la moglie di Jacob.

«Marita, sono sicuro che a tuo marito non è successo niente. Però ti mando qualcuno, e poi sento i colleghi di Uddevalla per capire cosa sanno. Non sto prendendo alla leggera quello che mi hai detto, ma non penso ci sia motivo di preoccuparsi, per il momento. A volte succede che una persona, per un motivo o per l'altro, scelga di restare fuori casa per qualche notte. Forse Jacob era turbato e aveva bisogno di stare solo, no?»

Impaziente, Marita rispose: «Jacob non si fermerebbe mai fuori casa senza avvertirmi. È troppo premuroso.»

«Ti credo, e ti garantisco che ce ne occuperemo subito. Verrà qualcuno lì da voi, okay? Nel frattempo riesci a rintracciare i tuoi suoceri in modo che possano venire anche loro a casa tua e che noi possiamo parlare con tutti?»

«È più semplice se vado io da loro» rispose Marita, che sembrava comunque sollevata all'idea di dover fare qualcosa di concreto.

«Va bene» disse Patrik e, dopo che Marita gli ebbe assicurato che si sarebbe sforzata di non pensare al peggio, riattaccò.

L'inerzia di poco prima era stata spazzata via. Nonostante quanto aveva appena detto a Marita, era anche lui propenso a credere che Jacob non fosse scomparso volontariamente. Oltretutto, Johan aveva subito un pestaggio, un tentato omicidio o quello che era, dunque c'era davvero di che preoccuparsi. Cominciò telefonando ai colleghi di Uddevalla.

Poco dopo sapeva tutto anche lui sull'aggressione, ma non era poi molto. Il giorno prima qualcuno aveva picchiato Johan a sangue, con il risultato che adesso si trovava in bilico tra la vita e la morte. Johan non era naturalmente in grado di dire chi l'aveva picchiato, e la polizia non aveva nessuna pista da seguire. Né Solveig né Robert avevano visto qualcuno aggirarsi nei dintorni della casetta. Per un attimo Patrik aveva pensato a Jacob, ma aveva capito rapidamente che l'idea non stava in piedi. Il pestaggio era avvenuto mentre si trovava lì alla stazione.

Si chiese come procedere. Aveva due compiti da assegnare: qualcuno doveva andare a Uddevalla a parlare con Solveig e Robert per verificare se davvero non sapevano niente, e qualcun altro doveva andare alla tenuta a parlare con i familiari di Jacob. Dopo una breve esitazione decise di recarsi di persona a Uddevalla e di spedire Martin e Gösta alla tenuta. Ma proprio mentre si alzava il telefono squillò di nuovo. Questa volta era il medico legale.

Si preparò timoroso ad ascoltare: forse avrebbero finalmente avuto in mano la tessera mancante. Ma neanche nelle sue fantasie più sfrenate avrebbe potuto immaginare quello che si sentì dire.

Quando arrivarono alla tenuta, Martin e Gösta avevano appena finito di discutere su ciò che Patrik aveva riferito loro poco prima. Non riuscivano a capire neanche loro. Ma il poco tempo a disposizione impedì loro di perdersi in complicate elucubrazioni. A quel punto non potevano fare altro che abbassare la testa e andare avanti senza esitazioni.

Davanti alla scala dell'ingresso principale dovettero scansare un paio di grandi valigie. Incuriosito, Martin si chiese chi fosse in partenza. Sembrava un bagaglio eccessivo per un semplice viaggio di lavoro, e oltretutto c'era un qualcosa di femminile che lo faceva pensare più a Laine che a Gabriel.

Vennero fatti passare per un lungo corridoio e accompagnati dall'altra parte della casa, in cucina. Era una stanza in cui Martin si trovò subito a suo agio. Anche il salone era molto bello, ma vagamente impersonale. La cucina invece era accogliente e la sua semplicità rurale contrastava con l'eleganza che incombeva come una soffocante nebbia sulla casa padronale. Nel salone Martin si era sentito una specie di bifolco, mentre lì gli veniva voglia di rimboccarsi le maniche e mettersi a mescolare il contenuto fumante di qualche pentolone.

Seduta a un'enorme tavola c'era Marita, incuneata in un angolino. Sembrava che cercasse di ripararsi da una situazione paurosa e inaspettata. In lontananza Martin sentì dei bambini che giocavano e allungando il collo per guardare dalla finestra che dava sul giardino vide i figli di Jacob che correvano sul grande prato.

Tutti si salutarono con un cenno del capo. Poi Gösta e Martin si sedettero intorno alla tavola. Martin ebbe l'impressione che ci fosse un'atmosfera strana, ma non riuscì a mettere il dito su qualcosa in particolare. Gabriel e Laine avevano preso posto il più lontano possibile l'uno dall'altra e Martin notò che evitavano di guardarsi. Pensò alle valigie davanti alla casa e capì che Laine doveva aver detto a Gabriel della relazione avuta con Johannes, e del frutto che ne era nato. Non c'era da meravigliarsi se il clima non era dei migliori. E anche le valigie trovavano così la loro spiegazione. L'unica cosa che tratteneva Laine alla tenuta era la comune preoccupazione per la scomparsa di Jacob.

«Partiamo dal principio» disse. «Chi di voi ha visto Jacob per ultimo?»

Laine agitò debolmente una mano. «Io.»

«E che ora era?» intervenne Gösta.

«Le otto circa. Quando sono venuta a prenderlo da voi» specificò facendo un cenno con la testa in direzione dei due poliziotti di fronte a lei.

«E dove l'ha lasciato?» chiese Martin.

«All'ingresso di Västergården. Volevo portarlo davanti a casa, ma mi ha detto che non era il caso. È un po' complicato girare l'auto se si arriva fino in fondo, e sono solo duecento metri da fare a piedi. Così non ho insistito.»

«Di che umore era?» continuò Martin.

Laine rivolse un'occhiata cauta al marito. Sapevano tutti e due di cosa si stava parlando, ma nessuno voleva ammetterlo, probabilmente perché Marita era ancora all'oscuro della novità sui rapporti di parentela. In quel momento però non potevano tenerne conto: dovevano fare chiarezza, non potevano permettersi tanti giri di parole.

«Era...» Laine cercò l'espressione giusta «... pensoso. Credo di poter dire che era sotto shock.»

Confusa, Marita guardò prima Laine e poi i poliziotti. «Di cosa state parlando? Perché avrebbe dovuto essere sotto shock? Cosa gli avete fatto? Gabriel mi ha detto che Jacob non era più indiziato, e allora cosa significa che era sotto shock?»

Un guizzo leggero sul viso di Laine fu l'unico segnale della tempesta emotiva che si stava svolgendo dentro di lei, dopodiché posò calma una mano su quella di Marita.

«Ieri Jacob ha ricevuto una notizia che l'ha molto turbato, cara. Moltissimi anni fa ho fatto qualcosa che mi tengo dentro da allora. E grazie alla polizia...» rivolse un'occhiata astiosa a Martin e Gösta «... Jacob l'ha saputo ieri sera. Avevo intenzione di dirglielo io, ma gli anni sono passati così veloci. Aspettavo l'occasione giusta, immagino.»

«L'occasione giusta per cosa?» domandò Marita.

«Per dirgli che suo padre era Johannes.»

Gabriel contrasse il viso, trasalendo, come se ogni parola di quella frase fosse una coltellata al petto. Ma l'espressione sbigottita non c'era più. La sua mente aveva già cominciato a elaborare la novità, sentire quelle parole era già meno penoso.

«Ma cosa dici?» Marita guardò con gli occhi sbarrati prima Laine e poi Gabriel. Poi abbassò le spalle. «Oddio, deve averlo distrutto.»

Laine sobbalzò come se avesse ricevuto uno schiaffo. «Ormai quel che è fatto è fatto» disse. «Adesso l'essenziale è trovare Jacob, poi...» esitò «... poi affronteremo il resto.»

«Laine ha ragione. Qualsiasi risultato abbia dato il test,

Jacob è mio figlio, qui» Gabriel si portò una mano al cuore, «e dobbiamo trovarlo.»

«Lo troveremo» disse Gösta. «Forse non è così strano che abbia voluto stare un po' da solo a riflettere.»

Martin era riconoscente del senso di sicurezza che Gösta, forse anche grazie all'età matura, riusciva a trasmettere quando ci si metteva d'impegno. In quel momento era ciò che serviva per tranquillizzare i presenti e continuare con le domande: «Dunque non è mai arrivato a casa?»

«No» rispose Marita. «Laine aveva telefonato, quando sono partiti dalla stazione, quindi sapevo che stava tornando da lì. Poi, quando non l'ho visto rientrare, mi sono detta che sicuramente era andato a casa con lei. In effetti non era da lui, ma tutta la famiglia era stata messa talmente sotto pressione negli ultimi tempi che ho pensato che magari avesse bisogno di stare con i suoi genitori.»

Pronunciando quell'ultima parola rivolse un'occhiata imbarazzata a Gabriel, ma lui le rispose con un pallido sorriso. Avevano bisogno di tempo per riuscire a darle un nuovo significato.

«Come avete saputo quello che era successo a Johan?» chiese Martin.

«Mi ha chiamato Solveig stamattina presto.»

«Pensavo che foste... in rotta» osservò Martin, con tatto.

«Sì, in effetti si può dire che lo siamo. Ma quando si arriva al dunque la famiglia è sempre la famiglia, quindi...» Gabriel lasciò a metà la frase. «Linda è lì, adesso. Lei e Johan erano più intimi di quanto immaginassimo.» Gabriel fece una buffa risatina amareggiata.

«Non avete avuto altre notizie?» chiese Laine.

Gösta scosse la testa. «No, l'ultimo aggiornamento è che la situazione è stabile. Ma Patrik Hedström sta andando a Uddevalla, sentiremo cos'ha da dirci. Comunque, se qualcosa cambierà, in una direzione o nell'altra, lo saprete anche voi altrettanto rapidamente, Linda chiamerà subito.»

Martin si alzò. «Bene, a questo punto abbiamo tutti i dati che ci servono.»

«Pensate che possa essere stato l'assassino della tedesca a cercare di uccidere anche Johan?» Il labbro inferiore di Marita tremava leggermente. La vera domanda era sottintesa.

«Non c'è motivo di pensarlo» rispose Martin in tono gentile. «Sono certo che presto scopriremo cos'è successo. Johan e Robert hanno frequentato cerchie poco raccomandabili, quindi è più che probabile che ci sia dietro qualcosa del genere.»

«E ora cosa facciamo per cercare Jacob?» insistette Marita. «Organizzerete delle battute nei dintorni?»

«No, non credo. Sono davvero convinto che sia da qualche parte a riflettere sulla... situazione, e che si farà vivo al più presto. Quindi la cosa migliore che tu possa fare è stare a casa e chiamarci appena torna, va bene?»

Nessuno disse altro, e lui lo prese per un sì. D'altra parte non si poteva fare granché. Martin dovette però riconoscere che non era così sicuro del fatto suo come aveva cercato di mostrare alla famiglia di Jacob. Era una strana coincidenza che fosse scomparso la stessa sera in cui suo cugino, o fratello, o come lo si voleva chiamare, veniva pestato a sangue.

Fu proprio ciò che disse in macchina a Gösta, che annuì. Anche lui sentiva che qualcosa non andava. Nella realtà le strane coincidenze sono abbastanza rare, e un poliziotto non può farci troppo affidamento. Speravano che Patrik scoprisse qualcosa in più.

Estate 2003

Jenny si svegliò con un mal di testa pulsante e una sensazione appiccicosa in bocca. Non capiva dov'era. L'ultimo ricordo risaliva all'istante in cui era salita a bordo dell'auto per un passaggio, e adesso si ritrovava catapultata in una strana realtà fatta di tenebre. All'inizio non aveva neanche avuto paura. Le sembrava che dovesse essere solo un sogno e che da un momento all'altro si sarebbe svegliata nella roulotte dei suoi genitori.

Dopo un po' prese forma la consapevolezza: quello era un sogno da cui non ci si svegliava. In preda al panico, cominciò a muoversi tastoni nel buio e all'altezza della parete sentì sotto le dita delle assi di legno. Una scala. Si mise a salire, un gradino alla volta, ma quasi subito batté forte la testa. Un soffitto l'aveva bloccata, e il senso di chiuso s'intensificò. Si rese conto di poter stare in piedi a malapena, tanto basso era quell'ambiente. Anche il tentativo di tastare le pareti era durato poco: la distanza tra l'una e l'altra non superava i due metri. Spinse disperatamente verso l'alto le assi all'estremità della scala e sentì che s'imbarcavano un po', ma erano ben lungi dal cedere. Udì sferragliare qualcosa e capì che dall'altra parte probabilmente c'era un lucchetto.

Dopo qualche altro tentativo di aprire la botola tornò giù, delusa, e si sedette sul pavimento di terra battuta con le braccia intorno alle gambe piegate. Un rumore di passi sopra di lei la indusse a rintanarsi istintivamente nell'angolo più lontano dalla scala.

Quando l'uomo scese, sebbene non ci fosse luce, rivide davanti a sé il suo viso. L'aveva visto quando le aveva dato il passaggio, e questo la spaventò. Era in grado di riconoscere sia lui che l'auto: non l'avrebbe mai lasciata andare viva.

Jenny si mise a gridare, ma lui le appoggiò una mano sulla bocca e le parlò dolcemente. Quando fu certo che non avrebbe più gridato, tolse la mano e si mise a svestirla, con delicatezza. Le tastò le articolazioni, con piacere, quasi con amore. Lei si accorse che il respiro gli si era fatto pesante e strinse forte gli occhi per tenere lontano il pensiero di quello che sarebbe avvenuto.

Poi lui le chiese scusa. E dopo venne il dolore.

Il traffico estivo era veramente da incubo. L'irritazione di Patrik era aumentata con l'accumularsi dei chilometri, e quando svoltò nel parcheggio dell'ospedale di Uddevalla si costrinse a inspirare profondamente più volte per calmarsi. Era raro che perdesse la pazienza per le roulotte che occupavano tutta la strada o i turisti che procedevano lenti indicando tutto quello che vedevano e fregandosene della coda che si formava dietro di loro, ma la delusione per il risultato delle analisi aveva contribuito ad abbassare in modo significativo la sua soglia di tolleranza.

Quasi non aveva creduto alle sue orecchie. Nessuno dei campioni corrispondeva. Era talmente convinto che, una volta ottenuti gli esiti degli esami, avrebbero avuto in mano il nome dell'assassino, che ancora non si era riavuto dalla sorpresa. Un parente di Johannes Hult aveva assassinato Tanja, e da lì non si scappava. Ma non era nessuno dei familiari.

Compose impaziente il numero della stazione di polizia. Annika era arrivata un po' più tardi del solito, e lui aveva provato e riprovato a chiamarla, friggendo.

«Ciao, sono Patrik. Senti, scusa se ti stresso, ma potresti cercare di scoprire il più rapidamente possibile se ci sono altri membri della famiglia Hult nella zona? In particolare eventuali figli illegittimi di Johannes.»

La sentì prendere nota e tenne le dita incrociate. Ormai quella era l'ultima possibilità. Sperava con tutto il cuore che Annika scoprisse qualcosa. In caso contrario non sarebbe rimasto altro da fare che grattarsi la testa.

Doveva riconoscere che quello che gli era venuto in mente solo poco prima gli sembrava plausibile. Johannes poteva benissimo avere un figlio di cui nessuno era a conoscenza. Considerando quello che avevano saputo di lui, non era affatto impossibile, anzi, a pensarci bene era quasi probabile. Potrebbe anche essere il movente dell'omicidio di Johannes, pensò Patrik senza sapere davvero come annodare quei due fili. La gelosia è un ottimo movente per un assassinio e anche il modo in cui era stato commesso era compatibile con quell'interpretazione dei fatti. Un omicidio d'impulso, non pianificato. Un attacco di rabbia, di gelosia, sfociato nella morte di Johannes.

Ma allora qual era il nesso con Siv e Mona? Era quella la tessera del puzzle che ancora non era riuscito a sistemare, ma forse i risultati delle ricerche di Annika avrebbero potuto aiutarli a procedere anche su quella pista.

Chiuse la portiera con un colpo secco e si diresse verso l'ingresso principale. Con la collaborazione del personale individuò finalmente il reparto giusto. Nella sala d'attesa trovò le tre persone che cercava. Erano sedute una di fianco all'altra come gli uccelli sui cavi del telefono, senza parole, lo sguardo fisso davanti a sé. Tuttavia, si accorse che negli occhi di Solveig si era acceso un guizzo. La donna si alzò faticosamente e gli andò incontro. Sembrava non aver chiuso occhio per tutta la notte, e probabilmente era così. I vestiti spiegazzati diffondevano un odore acre di sudore. I capelli unti erano raccolti e intorno agli occhi si vedevano nitidi cerchi scuri. Anche Robert aveva l'aria altrettanto stanca, ma non l'aspetto trasandato della madre.

Solo Linda sembrava lucida, lo sguardo limpido e l'aspetto curato. Era ancora ignara del fatto che la sua famiglia si stava sgretolando.

«L'avete preso?» Solveig gli strattonò leggermente il braccio.

«Purtroppo non abbiamo novità. I medici vi hanno detto qualcosa?»

Robert scosse la testa. «No, lo stanno ancora operando. È qualcosa che ha a che fare con la pressione nel cervello, mi sa che gli stanno aprendo il cranio. Ma mi sorprenderebbe che ci trovassero dentro qualcosa.»

«Robert!»

Solveig si era voltata, rabbiosa, per rivolgergli un'occhiataccia, ma Patrik capiva cosa stava tentando di fare Robert: nascondere la propria ansia e allentare la tensione scherzandoci sopra. Era un metodo che spesso funzionava anche con lui.

Si sedette su un raccordo tra una sedia e l'altra. Anche Solveig riprese il suo posto.

«Chi può aver fatto questo al mio bambino?» Si cullava avanti e indietro sulla sedia. «Ho visto com'era conciato quando l'hanno portato fuori... sembrava un altro. C'era solo sangue, dappertutto.»

Linda fece una smorfia. Robert non batté ciglio. Guardandogli meglio i jeans neri e la maglietta, Patrik vide che sui vestiti aveva ancora grandi chiazze di sangue.

«Non avete sentito né visto niente, ieri sera?»

«No» rispose Robert irritato. «L'abbiamo già detto agli altri poliziotti. Quante volte dobbiamo ripeterlo?»

«Vi chiedo scusa, davvero, ma sono domande che devo fare. Abbiate pazienza ancora per qualche istante, per favore.»

La compassione nella sua voce era autentica. A volte fare il poliziotto era difficile. Per esempio quando, in casi come quello, era necessario intromettersi nella vita di persone che avevano cose ben più importanti a cui pensare. Ma inaspettatamente gli venne in aiuto Solveig.

«Cerca di collaborare, Robert. Dobbiamo fare tutto quello che possiamo per aiutarli a trovare chi ha fatto questo a Johan. Lo capisci, no?» Poi si rivolse a Patrik.

«Mi è sembrato di sentire dei rumori un po' prima che Robert mi chiamasse. Ma non abbiamo visto nessuno, né prima né dopo.»

Patrik annuì. Poi disse a Linda: «E tu per caso hai visto Jacob ieri sera?»

«No» rispose Linda, perplessa. «Ho dormito alla tenuta. Sarà stato a Västergården, immagino. Perché me lo chiede?»

«Pare che ieri sera non sia rientrato.»

«No, non l'ho visto. Ma provi a sentire i miei.»

«Già fatto. Neanche loro l'hanno visto. Non ti viene in mente un altro posto in cui potrebbe essere?»

Linda cominciava a sembrare preoccupata. «Dove potrebbe essere?» Poi sembrò colpita da un'idea improvvisa. «E se fosse andato a dormire a Bullaren? Non l'ha mai fatto, però...»

Patrik si diede un pugno sulla coscia. Che idiozia da parte loro non pensare a Bullaren. Si scusò e telefonò a Martin, che promise di andare subito a controllare.

Quando Patrik tornò nella sala d'attesa, l'atmosfera era cambiata. Mentre lui parlava con Martin, Linda aveva chiamato i genitori, e ora lo guardava con l'atteggiamento di sfida tipico degli adolescenti.

«Cosa sta succedendo? Papà mi ha detto che Marita vi ha telefonato denunciando la scomparsa di Jacob e che altri due poliziotti sono andati da loro a fare un sacco di domande. Era preoccupatissimo.» Si era piazzata davanti a Patrik, con le mani sui fianchi.

«Non c'è motivo di preoccuparsi» disse lui, ripetendo il solito mantra. «Probabilmente tuo fratello vuole solo starsene in pace per un po', ma noi dobbiamo prendere sul serio ogni denuncia di scomparsa.»

Linda lo osservò sospettosa, ma sembrò accontentarsi della risposta. Poi, a bassa voce, disse: «Papà mi ha detto anche di Johannes. Quando pensate di dirlo a loro?»

Accennò con la testa in direzione di Robert e Solveig. Patrik non poté fare a meno di osservare incantato il semicerchio tracciato nell'aria dai lunghi capelli biondi. Poi ricordò a se stesso l'età della ragazza e inorridì al pensiero che lo scombussolamento dovuto al fatto che stava mettendo su famiglia potesse aver scatenato in lui istinti da vecchio bavoso.

Le rispose con lo stesso tono sommesso: «Aspettiamo un po'. Date le condizioni di Johan, non mi pare il momento.»

«Si sbaglia» rispose Linda, calma. «Se ci sono momenti in cui si ha bisogno di notizie positive, sono proprio questi. E mi creda, conosco Johan a sufficienza per essere certa che la notizia che Johannes non si è suicidato verrà accolta molto positivamente. Quindi, se non lo fa lei, lo faccio io.»

Che razza di arroganza. D'altra parte, Patrik era tentato di darle ragione. Forse aveva già aspettato troppo. In realtà, avevano il diritto di sapere.

Rivolse a Linda un cenno di assenso, si sedette e si schiarì la voce.

«Solveig, Robert. So che eravate contrari alla riesumazione del corpo di Johannes.»

Robert saltò su dalla sedia. «Maledizione! Tu non sei

normale. Ti sembra il momento? Non abbiamo già abbastanza problemi?»

«Siediti, Robert!» gli intimò Linda. «Io so cosa sta per dirvi e credimi, lo volete sapere.»

Sconvolto dal fatto che la sua fragile cuginetta gli impartisse degli ordini, Robert si sedette, in silenzio. Patrik riprese a parlare sotto lo sguardo sospettoso di Solveig e del figlio, ai quali bruciava ancora l'umiliazione della riesumazione.

«Un patologo ha esaminato... i resti, e ha fatto una scoperta interessante.»

«Interessante?» sbuffò Solveig. «Le sembra la parola più adatta?»

«Dovete scusarmi, ma non esiste un modo giusto per dire questa cosa. Johannes non si è suicidato. È stato ucciso.»

Solveig boccheggiò. Robert rimase impietrito, incapace di muoversi.

«Ma cosa sta dicendo?» Solveig cercò la mano del figlio, che gliela lasciò stringere.

«Esattamente quello che ho detto: Johannes è stato assassinato, non si è ucciso.»

Dagli occhi di Solveig, già arrossati dal pianto, ripresero a scorrere le lacrime. Poi tutto il suo corpo prese a tremare e Linda guardò Patrik, trionfante. Erano lacrime di gioia.

«Lo sapevo» disse Solveig. «Sapevo che non avrebbe mai fatto una cosa del genere. E tutti che dicevano che si era suicidato perché era stato lui a uccidere le ragazze. Adesso dovranno rimangiarsi quelle parole. Sicuramente sarà stata la stessa persona che le ha uccise ad avere assassinato il mio Johannes. Dovranno chiederci scusa in ginocchio! Tutti questi anni...»

«Smettila, mamma!» sbottò Robert. Non sembrava aver capito davvero quello che aveva detto Patrik. Probabilmente aveva bisogno di più tempo per assimilare il tutto.

«Cosa farete adesso?» chiese Solveig, infervorata.

Patrik si sistemò sulla sedia. «Be', sono passati molti anni e non sono rimasti molti indizi. Ma naturalmente tenteremo, facendo tutto quello che è in nostro potere. Al momento non posso promettere altro.»

Solveig sbuffò. «Già, me lo immagino! Se vi impegnerete come avete fatto per cercare di incastrarlo, non ci saranno problemi. E adesso da voi voglio doppie scuse!»

Gli stava agitando l'indice davanti alla faccia, e Patrik capì che era meglio andare via prima che la situazione degenerasse. Scambiò un'occhiata con Linda, che gli fece un cenno discreto con la mano per suggerirgli di battersela. Lui le rivolse un'ultima raccomandazione: «Linda, se senti Jacob, prometti di chiamarci subito. Però penso che tu abbia ragione. Sarà sicuramente a Bullaren.»

Linda annuì, ma le si leggeva la preoccupazione negli occhi.

Quando Patrik telefonò, stavano entrando nel parcheggio della stazione di polizia. Tornarono subito sulla strada, in direzione di Bullaren. Dopo una mattinata misericordiosamente fresca, il termometro aveva preso a risalire, e Martin alzò il climatizzatore. Gösta si sistemò il colletto della camicia a maniche corte.

«Se almeno questo dannato caldo la smettesse di tormentarci, una buona volta!»

«Quando sei in campo non ti lamenti, però!» rise Martin.

«Questo non c'entra niente» borbottò Gösta, piccato. Nel suo mondo, sul golf e sulla religione non si scherzava. Per un breve attimo rimpianse il lavoro in coppia con

Ernst. Girare con Martin era più produttivo, ma i ritmi rilassati di Lundgren gli andavano a genio più di quanto non credesse in passato. Certo, Ernst aveva i suoi difetti, però bisognava ammettere che non protestava mai se se la batteva per un'ora o due per fare qualche buca.

Subito, però, rivide davanti a sé la foto di Jenny Möller e fu colto da un bruciante senso di colpa. In uno sprazzo di lucidità si rese conto di essere diventato un vecchio amareggiato dalla vita, spaventosamente simile a com'era suo padre nell'ultimo periodo. Di questo passo prima o poi si sarebbe ritrovato solo, in una casa di riposo, a brontolare su presunti torti subiti, esattamente come lui. Con la differenza che non avrebbe avuto figli ligi al dovere che ogni tanto facevano un salto a trovarlo.

«Cosa dici, sarà lì?» chiese per interrompere quella sgradevole concatenazione di pensieri.

Martin ci pensò un attimo e poi rispose: «Se così fosse ne rimarrei molto sorpreso. Però vale lo stesso la pena controllare.»

Entrando in auto nello spiazzo, Martin si stupì ancora una volta del quadretto idilliaco. La fattoria sembrava eternamente immersa in una mite luce dorata che faceva risaltare il rosso falun dell'edificio principale contro l'azzurro del lago sullo sfondo. C'era la solita moltitudine di adolescenti, tutti presi dalle loro occupazioni e in veloce movimento da un punto all'altro. Nella mente di Martin presero forma parole come ordinato, sano, utile, pulito, svedese, e la combinazione di quei termini gli diede un vago senso di disagio. L'esperienza gli aveva insegnato che se qualcosa aveva un aspetto *troppo* perfetto probabilmente era...

«Sa un po' di Hitler-Jugend, non trovi?» disse Gösta, dando una definizione al disagio di Martin.

«Mah, può darsi. Ma è un termine un po' forte, non usarlo troppo alla leggera» rispose secco Martin.

Gösta assunse un'espressione offesa. «Oh, scusa tanto» brontolò immusonito. «Non sapevo che fossi della polizia linguistica. Comunque, se fosse un campo nazista, non ci sarebbe gente come Kennedy.»

Martin ignorò l'osservazione e si diresse verso la porta d'ingresso. Fu una delle operatrici ad aprire.

«Sì? Cosa volete?»

Evidentemente il risentimento di Jacob nei confronti della polizia era contagioso.

«Cerchiamo Jacob.» Gösta aveva ancora il muso, così toccò a Martin assumere il comando.

«Non c'è. Provate a casa sua.»

«È sicura che non sia qui? Vorremmo controllare di persona, per favore.»

La donna si spostò controvoglia e li lasciò passare entrambi. «Kennedy, c'è la polizia. Vogliono vedere l'ufficio di Jacob.»

«Conosco la strada, grazie» disse Martin.

La donna lo ignorò. Kennedy venne loro incontro a passi decisi. Martin si chiese se avesse un qualche ruolo nella comunità. O forse gli piaceva semplicemente accompagnare le persone dove voleva lui.

In silenzio, li precedette lungo il corridoio fino all'ufficio di Jacob. Lo ringraziarono educatamente e aprirono la porta. Neanche l'ombra di Jacob. Entrarono e cercarono accuratamente tracce di un suo eventuale passaggio durante la notte: una coperta sul divano, una sveglia, qualsiasi cosa. Non c'era nulla. Delusi, uscirono. Fuori, Kennedy li aspettava calmo. Sollevò una mano per scostarsi la frangia dagli occhi e Martin notò lo sguardo cupo e insondabile.

«Niente. Proprio un bel niente» sbottò Martin quando l'auto ripartì in direzione di Tanumshede.

«Già» rispose telegraficamente Gösta. Martin alzò gli occhi al cielo. Evidentemente era ancora offeso. Be', che se ne stesse nel suo brodo.

In realtà Gösta stava riflettendo. Durante la visita alla comunità aveva visto qualcosa, ma continuava a sfuggirgli. Cercò di non pensarci per consentire all'inconscio di lavorare liberamente, ma era impossibile come smettere di preoccuparsi di un granellino di sabbia incastrato sotto una palpebra. C'era qualcosa che aveva visto e che avrebbe dovuto ricordare.

«Com'è andata, Annika? Hai trovato qualcosa?»

La segretaria scosse la testa. Patrik aveva un aspetto che non le piaceva per niente. L'insonnia, i pasti irregolari e un eccesso di stress gli avevano portato via quel che restava dell'abbronzatura, lasciando solo un pallore grigio. Aveva le spalle curve, come sotto un peso, e non ci voleva un genio per capire in cosa consistesse quel fardello. Avrebbe voluto dirgli di tenere distinte le emozioni dal lavoro, ma non lo fece. Sentiva anche lei la pressione, e l'ultima cosa che vedeva davanti a sé prima di chiudere gli occhi la sera era l'espressione disperata sul volto dei genitori di Jenny Möller venuti a denunciare la scomparsa della figlia.

«Come stai?» si limitò a chiedergli, guardandolo da sopra gli occhiali.

«Mah, come si può stare, in queste condizioni?» Si passò impaziente le mani nei capelli, riuscendo a lasciarli tutti per aria, come quelli di un professore pazzo.

«Di merda, immagino» rispose Annika schiettamente. Non era mai stata capace di esprimersi diversamente. Se qualcosa va di merda, puzza di merda anche se lo si profuma: questo era il suo motto.

Patrik sorrise. «Sì, direi che hai fatto centro. Ma lasciamo perdere. Non hai trovato niente nei registri anagrafici?»

«Purtroppo no. Non risultano altri figli di Johannes Hult, e non ci sono molti altri posti in cui cercare.»

«Potrebbero esserci ugualmente dei figli, non registrati?»

Annika lo guardò come se fosse leggermente ritardato e sbuffò: «Grazie a Dio non esiste una legge che costringa la madre a dichiarare chi è il padre di suo figlio, quindi è ovvio che possono esserci dei figli registrati con la dicitura "padre ignoto".»

«E... fammi indovinare... ce ne sono una quantità...»

«Non necessariamente. Dipende da quanto vuoi che venga ampliata la ricerca. In questa zona il grado di rispettabilità è piuttosto alto. E poi ricordati che non stiamo parlando degli anni quaranta: Johannes dovrebbe essere stato attivo soprattutto negli anni sessanta e settanta, e a quell'epoca non era più riprovevole avere un figlio al di fuori del matrimonio. Negli anni sessanta era quasi considerato un vanto.»

Patrik rise. «Se è dell'era di Woodstock che stai parlando, dubito che i concetti di *flower power* e di libero amore siano mai arrivati a Fjällbacka.»

«Non dirlo! Lo sai che l'acqua cheta...» disse Annika, contenta di essere riuscita ad alleggerire un pochino l'atmosfera. Negli ultimi giorni alla stazione di polizia regnava un clima da agenzia di pompe funebri. Ma Patrik tornò rapidamente serio.

«Quindi, a livello puramente teorico, saresti in grado di preparare un elenco dei bambini nati... diciamo... nel comune, per i quali non è stato registrato il nome del padre?»

«Sì, e non solo a livello teorico. Solo che ci vorrà un po'» lo avvisò Annika.

«Allora fallo, nel minor tempo possibile.»

«Come farai a scoprire chi potrebbe essere figlio di Johannes?»

«Comincerò con un giro di telefonate. Se non basta, mi inventerò qualcos'altro.»

La porta della stazione si aprì ed entrarono Martin e Gösta. Patrik ringraziò Annika e andò loro incontro in corridoio. Martin si fermò, mentre Gösta puntò verso il proprio ufficio con gli occhi bassi.

«Non chiedermi niente» disse Martin, scuotendo la testa.

Patrik aggrottò la fronte. Gli screzi tra colleghi erano l'ultima cosa che ci voleva in quel momento. Bastavano i casini già combinati da Ernst. Martin gli lesse nel pensiero.

«Niente di grave, non preoccuparti.»

«Okay. Prendiamo un caffè e facciamo il punto?»

Martin annuì e insieme entrarono nella saletta del personale, riempirono le tazze e poi si sedettero uno di fronte all'altro a un tavolino. Patrik chiese: «Avete trovato qualche traccia di Jacob a Bullaren?»

«No, niente. Pare che non ci sia proprio stato. E a te com'è andata?»

Patrik riferì brevemente della visita in ospedale.

«Ma tu riesci a capire perché le analisi hanno dato quei risultati? Sappiamo che la persona a cui stiamo dando la caccia è parente di Johannes, ma non si tratta né di Jacob, né di Gabriel, né di Johan, né di Robert. E le donne ovviamente sono da escludere. Hai qualche idea?»

«Sì, ho chiesto ad Annika di rintracciare eventuali altri figli di Johannes nei dintorni.»

«Mi sembra sensato. Visto il tipo, sembrerebbe improbabile che *non* avesse altri figli illegittimi sparsi qua e là.»

«Cosa pensi dell'ipotesi che sia stata la stessa persona a prendersela con Johan e anche con Jacob?» Patrik bevve cauto un sorso di caffè. Era appena stato fatto e scottava da morire.

«Innegabilmente è una strana coincidenza. Tu che ne pensi?»

«Quello che hai appena detto: che se non si tratta della stessa persona è una coincidenza davvero strana. Sembra che sia scomparso dalla faccia della terra. Non lo ha visto anima viva da ieri sera. Devo ammettere che sono preoccupato.»

«Tu te lo sentivi fin dall'inizio che Jacob nascondeva qualcosa. Può essere per questo che è scomparso» disse Martin, dubbioso. «Magari qualcuno ha saputo della sua convocazione qui e ha pensato che avrebbe potuto tirare fuori qualcosa che non doveva venire fuori.»

«Può darsi» rispose Patrik. «Ma il problema è proprio questo. Al momento è tutto possibile, non abbiamo in mano altro che ipotesi.» Si mise a contare sulle dita. «Abbiamo Siv e Mona, uccise nel '79, e Johannes, anche lui fatto fuori nello stesso anno, e Tanja, uccisa adesso, cioè ventiquattro anni dopo, e Jenny Möller, rapita, probabilmente mentre faceva l'autostop, e Johan che ieri sera è stato pestato a sangue e forse addirittura ammazzato, a seconda di come evolverà la sua situazione, e infine Jacob, che è scomparso senza lasciare traccia. La famiglia Hult sembra essere il denominatore comune, ma abbiamo la prova che nessuno dei suoi membri è responsabile della morte di Tanja. E tutto lascia pensare che chi ha ucciso Tanja abbia ucciso anche Siv e Mona.» Spalancò le braccia, impotente. «È un casino assurdo, ecco cos'è. E noi ci siamo nel mezzo e non siamo capaci di cavare un ragno dal buco.»

«No, guarda, mi sa che hai letto un po' troppi articoli contro la polizia» sorrise Martin.

«Sì, ma cosa facciamo adesso?» chiese Patrik. «Io non ho più idee. Presto anche per Jenny Möller il tempo sarà scaduto, se non è già successo.» Cambiò bruscamente argomento per evitare l'autocommiserazione. «Senti, l'hai poi invitata a uscire quella ragazza?»

«Quale ragazza?» chiese Martin, cercando di mantenere un'espressione neutra.

«Non ci provare. Sai benissimo di chi parlo.»

«Se ti riferisci a Pia, non c'è niente del genere. Ci ha solo dato una mano come interprete.»

«Ci ha solo dato una mano come interprete» lo imitò Patrik in falsetto, inclinando la testa a destra e a sinistra. «Dai, piantala e buttati, no? Si sente da come ne parli che non riesci a togliertela dalla testa. Anche se magari non è proprio il tuo tipo. Nel senso che non è già impegnata, come quelle che piacciono a te di solito.» Patrik sorrise per fargli capire che era una presa in giro bonaria.

Martin si stava preparando a rispondergli per le rime quando il cellulare di Patrik squillò.

Tendendo le orecchie, Martin cercò di capire chi lo chiamava. Si trattava delle analisi del sangue, questo era chiaro, e doveva essere uno del laboratorio, ma dalle brevi risposte di Patrik non si intuiva granché.

«Cosa ci sarebbe di strano?» «Ah.» «Capisco.» «Ma cosa stai dicendo? Come può...» «Okay.» «Sì.»

Martin dovette trattenersi dal cacciare un urlo. L'espressione di Patrik lasciava capire che stava accadendo qualcosa di grosso, ma le sue risposte erano indecifrabili.

«Quindi quello che mi stai dicendo è che avete fatto una

mappatura precisa dei rapporti di parentela che intercorrono tra i vari membri della famiglia.» Patrik fece cenno a Martin che stava cercando di fargli capire qualcosa.

«Ma ancora non mi tornano i conti...» «No, è assolutamente impossibile. È morto. Dev'esserci un'altra spiegazione.» «No, ma che cavolo, sei tu l'esperto! Adesso ascolta quello che ti dico e rifletti. *Deve* esserci un'altra spiegazione.»

Patrik ascoltava teso. Martin sussurrò: «Cosa succede?» Patrik alzò un dito per zittirlo.

«Non è affatto campato in aria. Anzi, è più che plausibile.»

Era come se il viso gli si fosse illuminato. Martin vide che, simile a un'ondata, il sollievo si diffondeva nel corpo del collega, mentre lui stava praticamente grattando il tavolino con le unghie per l'impazienza.

«Grazie! Grazie mille!» Patrik chiuse lo sportellino del telefono e si rivolse a Martin.

«Sappiamo chi tiene prigioniera Jenny Möller! E quando sentirai questa storia non crederai alle tue orecchie!»

L'intervento chirurgico era finito. Johan era stato trasferito in rianimazione, pieno di tubi, perso nel suo mondo di tenebre. Robert, seduto accanto a lui, gli teneva la mano. Solveig li aveva lasciati controvoglia per andare in bagno, così ora lui aveva il fratello tutto per sé, dato che Linda non era stata fatta entrare. Non volevano che il paziente avesse attorno troppe persone in una volta.

Il tubicino che entrava in bocca a Johan era collegato a un apparecchio che emetteva ritmicamente un sibilo. Robert dovette fare uno sforzo per non mettersi a respirare allo stesso ritmo. Era come se cercasse di aiutare Johan a farlo: qualsiasi cosa, pur di scacciare il senso di impotenza che minacciava di sopraffarlo.

Passò il pollice sul palmo della mano del fratello. Gli venne in mente di controllare com'era la linea della vita, ma si arenò subito accorgendosi di non sapere quale dei tre solchi fosse quello giusto. Johan ne aveva due lunghi e uno corto, e Robert sperò che, piuttosto, fosse quello dell'amore a interrompersi prematuramente.

L'idea di un mondo senza Johan gli appariva vertiginosa nella sua enormità. Sapeva che spesso sembrava lui il più forte dei due, il trascinatore. Ma la verità era che, senza Johan, non era altro che una cacchetta. In suo fratello c'era una mitezza che a lui era indispensabile per mantenere un minimo di umanità. Gran parte della dolcezza del suo carattere era stata spazzata via quando aveva trovato il padre morto, e senza Johan il suo lato più spietato avrebbe preso il sopravvento.

Lì seduto accanto al fratello, continuava a fare promesse. Se a Johan fosse stato concesso di restare con lui, sarebbe cambiato tutto. Promise di non rubare più, di trovarsi un lavoro, di usare la propria vita per fare qualcosa di buono, perfino di tagliarsi i capelli.

L'ultima promessa fu concepita con timore, ma sorprendentemente fu quella a fare la differenza. Un fremito leggerissimo della mano, un movimento appena accennato dell'indice, come se anche Johan tentasse a sua volta di accarezzare la mano di Robert. Non era molto, ma a lui bastava. Aspettò impaziente il ritorno della madre. Non vedeva l'ora di poterle dire che Johan sarebbe tornato a stare bene.

«Martin, c'è al telefono un tizio che dice di avere delle informazioni sul pestaggio subito da Johan Hult.» La testa di Annika spuntò dalla porta. Martin si fermò e girò sui tacchi.

«Merda, non ho tempo.»

«Gli dico di richiamare?» chiese Annika, sorpresa.

«No, passamelo.» Martin si precipitò al tavolo di Annika e le prese la cornetta di mano. Dopo aver ascoltato e fatto qualche domanda, riattaccò.

«Annika, io e Patrik dobbiamo andare. Mi cerchi Gösta e gli chiedi di chiamarmi immediatamente sul cellulare? E dov'è Ernst?»

«Gösta ed Ernst sono andati a pranzare insieme, ma li chiamo subito.»

«Bene.» Corse via, per essere sostituito un attimo dopo da Patrik.

«Sei riuscita a parlare con Uddevalla, Annika?»

Lei alzò il pollice. «Tutto okay, i rinforzi sono già partiti!»

«Perfetto!» Fece dietrofront, ma si bloccò subito. «A proposito, lascia pur perdere l'elenco dei figli di padre ignoto.»

Annika lo guardò avviarsi a passo veloce lungo il corridoio. L'energia che si era sprigionata poco prima all'interno della stazione era aumentata fino a risultare fisicamente palpabile. Patrik le aveva rapidamente riassunto cosa stava succedendo, e ora anche lei sentiva un formicolio a mani e gambe. Era liberatorio riuscire finalmente a ottenere qualche risultato, e ormai ogni minuto era importante. Salutò con la mano Patrik e Martin che passavano davanti al vetro del suo ufficio. «In bocca al lupo!» gridò, ma non era sicura che l'avessero sentita. Poi si affrettò a comporre il numero di Gösta.

«Sì, è un vero schifo, Gösta. Io e te ci ritroviamo relegati qui mentre i galletti imperversano.» Ernst si era lanciato nel suo argomento preferito e Gösta dovette ammettere tra sé e sé che cominciava a essere davvero stancante. Anche lui poco prima se l'era presa con Martin, ma era stato soprattutto per l'amarezza di essere rimproverato da uno che non aveva neanche la metà dei suoi anni. A posteriori, non era poi quella grande offesa.

Avevano preso la macchina per andare a Grebbestad e ora stavano pranzando al Telegrafen. A Tanumshede i locali non erano molti, di conseguenza ci si stancava rapidamente. Inoltre, Grebbestad distava solo dieci minuti.

D'un tratto il cellulare di Gösta, appoggiato sul tavolo, prese a squillare, ed entrambi lessero sul display che era il centralino della stazione.

«E che cazzo, lascia perdere. Avrai diritto anche tu a mangiare tranquillo, no?» Ernst allungò la mano per chiudere la chiamata, ma un'occhiata del collega lo dissuase.

Il locale era affollato di clienti, che rivolsero sguardi scocciati a chi era così maleducato da rispondere a una telefonata a tavola. Proprio per questo Gösta restituì le occhiatacce e parlò intenzionalmente a voce più alta del solito. Chiusa la conversazione, mise una banconota sul tavolo, si alzò e disse a Ernst di seguirlo.

«C'è del lavoro da fare.»

«Non può aspettare? Non ho neanche bevuto il caffè...» protestò Ernst.

«Lo berrai alla stazione. Adesso dobbiamo andare.»

Per la seconda volta in quel giorno, un'auto della polizia partì in direzione di Bullaren. Gösta, che ora era al volante, seguendo le istruzioni di Annika chiamò subito Martin sul cellulare. Poi aggiornò anche Ernst. Quando, dopo mezz'ora, arrivarono a destinazione, trovarono come previsto un ragazzo ad aspettarli lungo la strada, a una certa distanza dalla comunità.

Fermarono l'auto e scesero.

«Sei tu Lelle?» chiese Gösta.

Il ragazzo annuì. Era alto e robusto, collo da lottatore e mani enormi. Un buttafuori nato, pensò Gösta. Oppure uno scagnozzo. Uno scagnozzo dotato di una coscienza, però, o almeno così pareva.

«Ci hai telefonato tu, dunque parla» continuò Gösta.

«Sì, è meglio per te se sputi subito il rospo» intervenne Ernst con aria combattiva, e Gösta lo ammonì con un'occhiata. In quel frangente non era necessaria una dimostrazione di forza da parte sua.

«Ecco, come dicevo alla tipa della stazione, ieri io e Kennedy abbiamo fatto una cazzata.»

Una cazzata, pensò Gösta. Be', era uno che parlava per eufemismi.

«Cioè?» lo incalzò.

«Abbiamo dato qualche sberla a quello... quello là che è parente di Jacob.»

«Johan Hult?»

«Sì, si chiama Johan, credo.» La voce si fece stridula. «Lo giuro, non pensavo che Kennedy gliele dava così forte. Diceva che voleva solo parlargli, minacciarlo un po'. Niente di più.»

«E invece non è stato così.» Gösta tentò di assumere un tono paterno, ma non gli riuscì molto bene.

«No, è uscito di testa. Continuava a ripetere che Jacob era un tipo in gamba e che Johan l'aveva messo nei casini raccontando palle su qualcosa. Kennedy voleva fargliele rimangiare, e quando Johan si è rifiutato lui è andato in tilt e ha cominciato a menarlo di brutto.»

Dovette fermarsi a prendere fiato. Gösta pensava di essere riuscito a seguirlo, ma non ne era del tutto sicuro. Possibile che i ragazzi non sapessero più parlare correttamente?

«E tu nel frattempo cosa facevi? Davi una sistematina al

giardino?» disse Ernst sarcastico. Nuova occhiata di ammonizione da parte di Gösta.

«Lo tenevo» bisbigliò Lelle. «Lo tenevo per le braccia perché così non poteva difendersi, ma non sapevo che Kennedy usciva di testa. Come facevo a saperlo, eh?» Passò con lo sguardo da Gösta a Ernst. «E adesso cosa succede? Non potrò più restare in comunità? Finirò dentro?»

Quel ragazzone tutto muscoli era sull'orlo delle lacrime. Sembrava un bambino impaurito e Gösta non dovette più sforzarsi di mantenere un tono paterno, perché gli venne naturale.

«Di questo parleremo più avanti. Ma vedrai che risolveremo tutto. Adesso l'essenziale è che chiariamo le cose con Kennedy. Puoi scegliere: o aspetti qui mentre andiamo a prenderlo, o rimani in macchina. Vedi tu.»

«Rimango in macchina» rispose Lelle a bassa voce. «Tanto gli altri verranno a sapere comunque che sono stato io a fare la spia.»

«Va bene.»

Percorsero gli ultimi cento metri. Furono accolti dalla stessa donna che la mattina aveva aperto a Gösta e Martin. La sua irritazione era aumentata.

«E adesso cosa volete? Tra un po' dovremo mettere una porta da saloon per la polizia. Non si è mai vista una cosa del genere. E pensare che in tutti questi anni abbiamo sempre collaborato...»

Gösta la interruppe alzando una mano. Con espressione serissima disse: «Non c'è tempo per questo, adesso. Dobbiamo parlare con Kennedy. Subito.»

La donna percepì la gravità della situazione nel tono del poliziotto e chiamò il ragazzo. Quando parlò di nuovo, la voce si era ammorbidita.

«Cosa volete da Kennedy? Ha fatto qualcosa?»

«I particolari più avanti» rispose Ernst secco. «Per il momento portiamo il ragazzo alla stazione di polizia. E anche quel tipo grande e grosso, Lelle.»

Kennedy emerse dall'ombra. Con i pantaloni scuri, la camicia bianca e i capelli ben pettinati sembrava un allievo di un college inglese, non un poco di buono da riformatorio. L'unico dettaglio contrastante erano le evidenti escoriazioni sulle nocche. Gösta imprecò tra sé e sé. Era quello il particolare che aveva visto senza registrarlo.

«Come posso aiutarvi?» La voce era ben modulata, ma forse un po' in eccesso. Si vedeva che si sforzava di parlare in maniera elaborata, il che smorzava l'effetto.

«Abbiamo parlato con Lelle. Come capirai, devi venire con noi alla stazione.»

Kennedy chinò il capo, senza una parola. Se c'era una cosa che Jacob gli aveva insegnato era che per poter essere degni agli occhi di Dio bisognava accettare le conseguenze delle proprie azioni.

Si guardò intorno un'ultima volta, dispiaciuto. Avrebbe sentito la mancanza di quel posto.

Erano seduti in silenzio uno di fronte all'altra. Marita con i bambini era tornata a Västergården ad aspettare Jacob. Fuori cinguettavano gli uccellini, ma in casa regnava il silenzio. In fondo alla scalinata esterna le valigie aspettavano. Laine non poteva partire prima di sapere che Jacob era sano e salvo.

«Hai sentito Linda?» chiese con voce insicura, impaurita all'idea di turbare il fragile armistizio tra lei e il marito.

«No, non ancora» rispose Gabriel.

«Povera Solveig» aggiunse poi.

Laine pensò a tutti quegli anni di ricatti, ma era d'accordo lo stesso. Una madre non può fare a meno di soffrire insieme a un'altra madre il cui figlio è in pericolo.

«Credi che anche Jacob...» Le parole le si bloccarono in gola.

Con un gesto inaspettato, Gabriel mise una mano sulla sua. «No, non credo. Hai sentito anche tu quello che ha detto la polizia: sicuramente è da qualche parte a riflettere su tutto quanto. Ne ha parecchie di cose a cui pensare.»

«Sì, su questo non c'è dubbio» disse Laine, amareggiata.

Gabriel non fece commenti, ma lasciò la mano sulla sua. Era un conforto sorprendente, e d'un tratto Laine si rese conto che era la prima volta, in tutti quegli anni, che Gabriel le riservava un gesto così tenero. Si sentì pervadere il corpo da un senso di calore, che però si mescolò al dolore dell'addio. Non era lei a desiderare di lasciarlo. Aveva preso l'iniziativa per evitargli l'umiliazione di buttarla fuori di casa, ma d'un tratto si chiese se avesse fatto bene. Poi lui tolse la mano e l'attimo passò.

«Sai, a posteriori posso dire di aver sempre sentito che Jacob somigliava più a Johannes che a me. Lo consideravo come uno scherzo del destino. Si poteva pensare che Ephraim fosse più vicino a me che a Johannes. Abitavamo qui con lui, l'eredità è andata a me. Ma non era così. I loro continui litigi dipendevano dal fatto che si somigliavano tanto. A volte era come se Ephraim e Johannes fossero la stessa persona. E io ero sempre escluso. Così, quando è nato Jacob e io ho ritrovato in lui tanti tratti di mio padre e di mio fratello, è stato come se mi venisse data la possibilità di entrare in quel mondo. Avevo l'impressione che, se fossi riuscito a creare un legame forte con mio figlio, conoscendolo a fondo, avrei potuto imparare a conoscere anche Ephraim e Johannes. Sarei entrato a far parte del loro mondo.»

«Lo so» disse Laine dolcemente, ma era come se Gabriel non la sentisse. Lo sguardo perso fuori dalla finestra, continuò: «Io invidiavo Johannes, che credeva davvero alla menzogna di mio padre sulla nostra capacità di guarire. Pensa che forza doveva essere insita in quella convinzione! Vivere nella consapevolezza che le proprie mani erano uno strumento di Dio. Vedere gli storpi alzarsi e camminare, i ciechi recuperare la vista, essendone stato l'artefice. Io sapevo che era tutta una sceneggiata. Osservavo mio padre dietro le quinte, intento a organizzare e registrare, e lo detestavo. Johannes vedeva solo gli infermi davanti a sé, il tramite che lo portava a Dio. Che dolore deve aver provato, quando è finito tutto. E io non gli ho mai dimostrato alcuna solidarietà. Ero fuori di me dalla gioia: finalmente saremmo diventati ragazzi normali. Finalmente potevamo somigliarci. Ma non è mai stato così. Johannes ha continuato a incantare tutti, mentre io, io...» La voce gli si incrinò.

«Tu hai tutto ciò che aveva Johannes, Gabriel. Ma non hai mai osato. È questa la differenza tra voi due. Ma credimi, nel profondo di te stesso c'è tutto.»

Per la prima volta in tutti quegli anni passati insieme, vide riempirsi di lacrime gli occhi del marito. Nemmeno quando Jacob stava attraversando i momenti peggiori della malattia aveva avuto il coraggio di lasciarsi andare. Gli prese la mano, e lui la strinse forte.

Gabriel disse: «Non posso prometterti di riuscire a perdonare. Ma posso prometterti di provarci.»

«Lo so. Credimi, Gabriel, lo so.» Appoggiò la mano di lui sulla propria guancia.

L'inquietudine di Erica aumentava di ora in ora, trasformandosi in un fastidioso dolore lombare. Si mise a massaggiarsi la schiena con i polpastrelli, assente. Era tutta la mattina che cercava di chiamare Anna, a casa e sul cellulare, ma lei non rispondeva. Aveva chiesto alle informazioni telefoniche il numero di cellulare di Gustav, ma lui aveva saputo dirle solo che aveva accompagnato in barca Anna e i bambini a Uddevalla e che poi loro avevano proseguito in treno per arrivare a Stoccolma in serata. Erica fu infastidita dal fatto che non sembrasse affatto preoccupato. Aveva tirato fuori una quantità di spiegazioni logiche: erano stanchi e avevano staccato il telefono, il cellulare era scarico. O magari Anna non aveva pagato la bolletta, aveva aggiunto ridendo. L'ultima battuta mandò in bestia Erica, che riattaccò. Se non era in pensiero prima, adesso lo era di sicuro.

Cercò di telefonare a Patrik per chiedergli consiglio, o almeno per essere tranquillizzata, ma non rispondeva né sul cellulare né sul diretto. Chiamò il centralino e Annika le disse che era uscito e che non sapeva quando sarebbe rientrato.

Erica continuò a telefonare freneticamente. Quella sensazione angosciante non voleva passare. Proprio quando stava per rinunciare, al cellulare di Anna rispose qualcuno.

«Pronto?» Una voce infantile. Emma.

«Ciao, tesoro, sono la zia. Senti, dove siete?»

«A Stoccolma» rispose Emma. «È arrivato il cuginetto?»

Erica sorrise. «No, non ancora. Senti, Emma, mi passeresti mamma?»

La bambina ignorò la domanda. Le era capitata l'incredibile fortuna di sottrarre il cellulare e rispondere a una chiamata, e non aveva certo intenzione di mollare tanto facilmente.

«Sai una cosa?» chiese.

«No, non la so» rispose Erica, «però, tesoro, me la dici

dopo, va bene? Adesso vorrei proprio parlare con mamma.» Stava cominciando a perdere la pazienza.

«Ma la sai una cosa?» insistette Emma.

«No, me la dici?» sospirò stancamente Erica.

«Abbiamo cambiato casa!»

«Sì, lo so, ma è già da un po'.»

«No, oggi!» esclamò Emma trionfante.

«Oggi?»

«Sì, siamo tornati da papà!» annunciò la bambina.

Erica si sentì girare intorno la stanza. Prima di riuscire ad aggiungere qualcos'altro, sentì Emma dire: «Be', ciao, adesso vado a giocare.» Poi il telefono rimase muto.

Erica riabbassò il ricevitore sentendo che il cuore le precipitava nel petto.

Patrik bussò deciso alla porta di Västergården. Fu Marita ad aprire.

«Buongiorno. Abbiamo un ordine di perquisizione.»

«Ma come, siete già stati qui una volta!» esclamò lei, con aria perplessa.

«Abbiamo avuto altre informazioni. Ho con me una squadra, ma ho chiesto ai colleghi di aspettare a una certa distanza per permetterti di portare via i bambini. Non è il caso che si spaventino.»

La donna annuì, muta. La preoccupazione per Jacob le aveva prosciugato ogni energia, e non trovò neanche la forza di protestare. Si girò per andare a prendere i figli, ma Patrik la bloccò con un'altra domanda: «Nella proprietà ci sono altri edifici, oltre a quelli che si vedono qui intorno?»

Lei scosse la testa. «No. Solo la casa, la scuderia, il fienile, il capanno degli attrezzi e la casetta dei giochi. Tutto qui.»

Patrik annuì e la lasciò andare.

Un quarto d'ora dopo la casa era vuota. Potevano cominciare a cercare. Patrik impartì alcuni brevi ordini in soggiorno.

«Siamo già stati qui senza trovare niente, ma questa volta cercheremo con più metodo. Frugate dappertutto, e intendo veramente dappertutto. Se dovete rompere delle assi dei pavimenti o delle pareti, fatelo. Se dovete smontare i mobili, fatelo. Intesi?»

Annuirono tutti. L'atmosfera era grave, ma carica di energia. Prima di entrare, Patrik li aveva brevemente aggiornati sugli ultimi sviluppi, e ora volevano tutti cominciare a darsi da fare.

Dopo un'ora di ricerche senza risultati, sembrava che sulla casa fosse passato un uragano. Tutto era stato aperto e messo a nudo, senza però che fosse stato trovato niente che potesse portarli oltre. Patrik stava aiutando in soggiorno quando dalla porta entrarono Gösta ed Ernst, facendo tanto d'occhi.

«Cosa state combinando qua dentro?» sbottò Ernst.

Patrik ignorò la domanda. «Tutto bene con Kennedy?»

«Sì, ha confessato senza tanti giri di parole e adesso è dietro le sbarre. Maledetto moccioso.»

Patrik annuì, stressato.

«Ma qui cosa sta succedendo? Sembra che siamo i soli a non sapere. Annika non ha voluto spiegarci niente: ci ha solo detto di venire a Västergården, e che ci avresti aggiornati tu.»

«Adesso non ho tempo» rispose Patrik, impaziente. «Per il momento dovete accontentarvi di sapere che tutto sta a indicare che sia stato Jacob a prendere Jenny Möller. Dobbiamo trovare qualcosa che ci faccia capire dove la tiene.»

«Ma non è stato lui a uccidere la tedesca» obiettò Gösta.

«L'ha dimostrato l'esame del sangue, no?» Sembrava confuso.

Sempre più irritato, Patrik sbottò: «Invece sì, probabilmente è stato lui.»

«Ma le altre due, allora? Era troppo piccolo, all'epoca...»

«Infatti lui non c'entra. Ma ve lo spiego dopo. Adesso date una mano.»

«E cosa dobbiamo cercare?» chiese Ernst.

«L'ordine di perquisizione è sul tavolo della cucina. C'è la descrizione di tutti gli oggetti che ci interessano.» Poi Patrik si girò e riprese a esaminare la libreria.

Passò un'altra ora senza che saltasse fuori niente di utile, Patrik cominciava a scoraggiarsi. E se non avessero trovato niente? Dal soggiorno era passato allo studio, inutilmente. Con le mani sui fianchi si costrinse a inspirare profondamente più volte, poi fece scorrere lo sguardo sulla stanza. Lo studio era piccolo, ma ordinato. Sulle mensole i raccoglitori e i fascicoli erano accuratamente contrassegnati da etichette. Sul grande secrétaire antico non c'erano fogli sparsi e nei cassetti era tutto al suo posto. Pensoso, Patrik tornò con lo sguardo al secrétaire. Tra le sopracciglia gli si era formata una ruga. Un secrétaire antico. Non si era perso nemmeno una puntata di *Antikrundan*, il programma televisivo sui pezzi d'epoca sparsi per il paese, e il pensiero gli corse immediatamente agli scomparti nascosti. Come aveva fatto a non pensarci? Cominciò con la parte sopra la ribaltina, quella con tutti i cassetti. Li estrasse uno dopo l'altro e tastò con le dita negli scomparti vuoti. Arrivato all'ultimo, sentì qualcosa. Un gancetto metallico che spuntava e che, quando lo tirò, scattò. Il fondo si spostò e mostrò uno scomparto segreto. Patrik, trionfante, sentì il battito accelerare. Dentro c'era un vecchio taccuino rilegato in pelle nera. Infilò i guanti di gomma che aveva in tasca e lo estrasse delicatamente. Con terrore crescente iniziò a leggere. Dovevano trovare Jenny al più presto.

Ricordò un foglio che aveva visto mentre frugava nei cassetti del secrétaire. Lo recuperò. Il logo della regione in un angolo chiariva l'identità del mittente. Patrik scorse rapidamente le poche righe e lesse il nome in basso. Poi prese il cellulare e chiamò la stazione di polizia.

«Annika, sono Patrik. Senti, dovresti controllare una cosa.» Rapidamente le spiegò. «Dottor Zoltan Czaba. Oncologia, sì. Richiamami appena sai qualcosa.»

Le giornate trascorrevano con una lentezza esasperante. Avevano telefonato alla stazione di polizia più volte al giorno, nella speranza di avere notizie, invano. Quando sulle locandine era comparso il viso di Jenny, i cellulari avevano cominciato a squillare ininterrottamente. Amici, parenti e conoscenti. Erano tutti sconvolti, ma cercavano di instillare un po' di speranza in Kerstin e Bo. Alcuni erano anche disponibili a raggiungerli a Grebbestad, però loro, cortesi ma determinati, declinavano ogni offerta di compagnia. In quel modo sarebbe diventato ancora più palpabile che qualcosa era andato storto. Se invece fossero rimasti lì nella roulotte ad aspettare, seduti uno di fronte all'altra al tavolino da pranzo, prima o poi Jenny sarebbe entrata dalla porta e tutto sarebbe tornato alla normalità.

E così se ne stavano lì, chiusi nella loro preoccupazione. Quel giorno era stato, se possibile, ancora peggiore degli altri. Kerstin si era agitata tutta la notte. Sudata, si era girata da una parte all'altra nel sonno, mentre sotto le palpebre scorrevano immagini difficilmente interpretabili. Aveva visto Jenny, più volte. Soprattutto da piccola. Sul prato davanti a casa. Sulla spiaggia di un campeggio. Ma a quelle immagini se ne sovrapponevano altre, scure, che non riusciva a comprendere. Faceva freddo ed era buio e ai margini incombeva qualcosa che non riusciva ad afferrare, per quanto nel sogno cercasse di allungarsi verso l'ombra.

Quando si svegliò, la mattina, aveva nel petto un senso di vuoto. Mentre, con il passare delle ore, nella roulotte aumentava la temperatura, seduta in silenzio davanti a Bo cercava disperatamente di richiamare la sensazione del peso di Jenny tra le braccia, ma, come nel sogno, restava appena al di fuori della sua portata. Ricordava di averla provata, forte, più volte da quando Jenny era scomparsa, ma ora non riusciva più a evocarla. Lentamente, capì. Alzò gli occhi verso il marito, poi disse: «Se n'è andata.»

Lui non mise in discussione quelle parole. Non appena lei le ebbe pronunciate, capì dentro di sé che erano vere.

Estate 2003

Le giornate si stemperavano una nell'altra come nella nebbia. Il tormento che provava era più di quanto avesse mai ritenuto possibile. Non faceva altro che maledirsi. Se solo non fosse stata così stupida da fare l'autostop, non sarebbe mai successo. Mamma e papà le avevano ripetuto un'infinità di volte che non si doveva salire sulle auto di sconosciuti, ma lei si sentiva invulnerabile.

Le sembrava che fosse passato tanto tempo da allora. Jenny tentò di rievocare quella sensazione per goderne anche solo un momento. La sensazione che niente al mondo potesse condizionarla, che le cose brutte succedessero ad altri ma non a lei. Comunque fosse andata a finire, non l'avrebbe mai più provata.

Stesa sul fianco, grattava con la mano nella terra. L'altro braccio era inutilizzabile. Si costringeva a muovere quello relativamente sano per stimolare la circolazione. Sognava di gettarsi su di lui come l'eroina di un film, di avere la meglio e di lasciarlo a terra svenuto per poi scappare e raggiungere la folla di persone che l'avevano aspettata e cercata dappertutto. Ma era un sogno impossibile, per quanto bellissimo. Le gambe non la reggevano più.

La vita la stava lasciando lentamente e Jenny la immaginò scorrere nella terra sotto di lei e dare nutrimento ad altri organismi. Vermi e larve che assorbivano avidamente la sua energia vitale.

Quando le ultime forze l'abbandonarono, pensò che non avrebbe mai avuto la possibilità di chiedere scusa per essere stata così insopportabile nelle ultime settimane. Sperò che lo capissero lo stesso.

Era rimasto seduto tutta la notte stringendola tra le braccia, sentendola diventare a mano a mano più fredda. Intorno a loro il buio era compatto. Sperava che l'avesse trovato accogliente e confortante come era per lui. Una specie di grande coperta nera che lo avvolgeva.

Per un attimo vide davanti a sé i bambini, ma era un'immagine che gli ricordava troppo la realtà, e la scacciò dalla mente.

Johannes gli aveva mostrato la strada. Lui, Johannes ed Ephraim. Insieme costituivano una trinità, lo aveva sempre saputo. Condividevano un dono che Gabriel non aveva mai posseduto. Per questo non era in grado di capire. Lui, Johannes ed Ephraim. Unici. E vicini a Dio più di chiunque altro. Speciali. Lo aveva scritto Johannes, nel suo taccuino.

Non era per caso che aveva trovato il taccuino nero. Qualcosa lo aveva condotto lì, attirandolo come una calamita verso quella che considerava l'eredità di Johannes. Era commosso dal sacrificio che era stato pronto a fare per salvargli la vita. Se c'era qualcuno in grado di capire che obiettivo aveva voluto raggiungere, era lui. Che ironia della sorte, che dovesse accadere invano. Era stato nonno Ephraim a salvarlo. Lo addolorava che Johannes avesse fallito. Era un peccato che le ragazze fossero dovute morire. Ma lui aveva più tempo a disposizione di Johannes. Non avrebbe fallito. Avrebbe tentato, una volta dopo l'altra, finché non avesse trovato la chiave della propria luce interiore, quella che nonno Ephraim gli aveva detto che possedeva, nascosta nel suo cuore. Esattamente come Johannes, suo padre.

Accarezzò affranto il braccio freddo della ragazza. Non che non piangesse la sua morte, ma era solo un essere umano qualsiasi e Dio le avrebbe concesso un posto speciale perché si era sacrificata per lui: era una degli eletti. D'un tratto nella sua mente prese forma una domanda: forse Dio pretendeva un certo numero di sacrifici prima di permettergli di trovare la chiave? Forse era stato così anche per Johannes. Non avevano fallito, solo che il Signore aspettava altre prove della loro fede prima di indicare la strada giusta.

Quell'idea lo confortò. Doveva essere così. Lui stesso aveva sempre creduto di più al Dio dell'Antico Testamento. Un Dio che pretendeva sacrifici di sangue.

Un dubbio gli tormentava la coscienza. Quanto sarebbe stato incline al perdono, Dio, sapendo che lui non aveva resistito ai richiami della carne? Johannes era stato più forte. Non si era mai lasciato tentare, e Jacob lo ammirava per questo. Lui invece, a contatto con quella pelle morbida, aveva sentito risvegliarsi qualcosa nel profondo. Per un breve istante il diavolo si era impossessato di lui senza che riuscisse a opporre resistenza. Ma dopo se n'era pentito amaramente, e Dio doveva pur essersene accorto, no? Lui che sapeva vedergli dritto nel cuore doveva aver capito che il suo pentimento era sincero e averlo assolto dai suoi peccati.

Cullò la ragazza tra le braccia, scostandole una ciocca di

capelli che le era ricaduta sul viso. Era bella. Non appena l'aveva vista per strada, con il pollice in su a chiedere un passaggio, aveva capito che era quella giusta. La prima era stata il segno che aspettava. Per anni aveva letto le parole di Johannes sul taccuino, affascinato, e quando la ragazza si era presentata alla sua porta chiedendo della madre, lo stesso giorno in cui lui aveva ricevuto il verdetto, si era reso conto che era un segno.

Non si era abbattuto accorgendosi di non trovare l'energia risanatrice, con lei. Neanche Johannes era riuscito nell'intento, con sua madre. L'importante era aver imboccato, con lei, la strada che era stata segnata per lui: seguire le orme di suo padre.

Metterle insieme, a Kungsklyftan, era stato un modo per renderlo manifesto al mondo. Una proclamazione dell'intenzione di portare avanti l'opera iniziata da Johannes. Non contava sul fatto che qualcun altro lo capisse. Bastava che lo capisse Dio, e trovasse che era cosa buona.

Se mai aveva avuto bisogno di una prova definitiva, l'aveva avuta la sera prima. Quando avevano cominciato a parlare degli esiti delle analisi del sangue, era sicuro, sicurissimo, che sarebbe stato rinchiuso come un delinquente. D'altra parte era stato il diavolo a indurlo a lasciare delle tracce sul corpo della prima ragazza.

E invece aveva potuto ridere in faccia anche a lui. Con sua grande sorpresa, i poliziotti gli avevano comunicato che l'esame lo scagionava. Ecco la prova definitiva di cui aveva bisogno per convincersi che era sulla strada giusta e che nulla avrebbe potuto fermarlo. Era speciale. Era protetto. Era benedetto.

Lentamente, accarezzò di nuovo i capelli della ragazza. Ora sarebbe stato costretto a trovarne un'altra.

Ci vollero solo dieci minuti perché Annika richiamasse.

«Era come pensavi. Jacob ha di nuovo il cancro. Questa volta però non si tratta di leucemia, ma di un tumore al cervello. E non si può fare niente, è troppo avanzato.»

«Quando gliel'hanno detto?»

Annika controllò gli appunti. «Lo stesso giorno della scomparsa di Tanja.»

Patrik si sedette pesantemente sul divano del soggiorno. Lo sapeva, eppure faticava a crederci. Quella casa irradiava una tale atmosfera di pace, di tranquillità. Non c'era traccia della malvagità di cui aveva in mano le prove. Solo ingannevole normalità. Fiori in vaso, giocattoli sparsi per le stanze, un libro a metà sul tavolino del salotto. Niente teschi, niente abiti macchiati di sangue, niente candele nere accese.

Anzi, sopra il camino era appeso un quadro che raffigurava l'ascensione di Gesù al cielo dopo la resurrezione: lui con l'aureola intorno alla testa e, sotto, la folla in preghiera con lo sguardo rivolto verso l'alto.

Come si poteva credere che la più malvagia delle azioni avesse l'approvazione divina? Ma forse non era poi così strano. Nel corso dei secoli milioni di persone erano state uccise nel nome di Dio. In quel potere c'era qualcosa di seducente, che inebriava l'essere umano fuorviandolo.

Patrik abbandonò quelle riflessioni teologiche quando si accorse che la squadra era in attesa di ulteriori istruzioni. Aveva mostrato a tutti quello che aveva trovato e ciascuno di loro stava lottando con se stesso per non pensare alle torture che forse Jenny stava subendo proprio in quell'istante.

Il problema era che non avevano idea di dove si trovasse. Nel tempo passato ad aspettare che Annika richiamasse avevano continuato a cercare, ancora più febbrilmente, in tutta la casa, e lui aveva telefonato alla tenuta per chiedere a Marita, Gabriel e Laine se sapevano di un posto in cui Jacob potesse trovarsi, liquidando bruscamente le loro domande. Non c'era tempo.

Si scompigliò i capelli, già spettinati. «Dove diavolo può essersi cacciato? Non possiamo cercare in tutta la zona palmo a palmo. E poi potrebbe anche averla portata dalle parti della comunità, a Bullaren, o essersi fermato lungo la strada! Cosa facciamo?» esclamò frustrato.

Martin, che provava lo stesso senso d'impotenza, non rispose. In realtà quella di Patrik non era una domanda. Poi gli venne un'idea: «Dev'essere qui intorno. Pensa ai residui di concime. Secondo me Jacob ha usato lo stesso nascondiglio di Johannes, e cosa c'è di più pratico di un posto vicino a casa?»

«Hai ragione, ma sia Marita che i suoi suoceri dicono che nella proprietà non ci sono altri edifici. Certo potrebbe trattarsi di una grotta o di qualcosa del genere, ma hai idea di quanto sia estesa la proprietà? È come cercare un ago in un pagliaio!»

«Solveig e i ragazzi? Hai chiesto anche a loro? Una volta vivevano qui, magari sanno qualcosa che Marita non sa.»

«Questa sì che è una buona idea. C'è una rubrica accanto al telefono in cucina. Linda ha con sé il cellulare, forse riesco a raggiungerli chiamando lei.»

Martin andò a controllare e tornò con una rubrica su cui era annotato il nome di Linda, in bella scrittura. Impaziente, Patrik ascoltò squillare l'apparecchio. Dopo quella che gli parve un'eternità, finalmente la ragazza rispose.

«Linda, sono Patrik Hedström. Ho bisogno di parlare con Solveig o Robert.»

«Sono tutti e due con Johan. Si è svegliato!» esclamò

Linda, gioiosa. Patrik pensò tristemente che quella gioia sarebbe presto stata spazzata via dalla sua voce.

«Vai a chiamare uno dei due, è importante!»

«Okay. Chi preferisce?»

Ci pensò su un attimo. Chi meglio di un bambino poteva conoscere la zona in cui abitava? La scelta fu facile. «Robert.»

La sentì appoggiare il cellulare per andare a chiamarlo. È vietato portarli in rianimazione perché interferiscono con le apparecchiature, fece in tempo a pensare prima di sentire la voce di Robert.

«Sì? Sono Robert.»

«Patrik Hedström. Mi serve il tuo aiuto. È importantissimo» si affrettò a dire.

«Mm, okay, spara» rispose Robert, incerto.

«Sai di qualche edificio intorno a Västergården, oltre a quelli nelle immediate vicinanze della casa padronale? Anche non una costruzione vera e propria ma solo un buon nascondiglio. Non so se mi sono spiegato. Qualcosa che possa ospitare più di una persona.»

Percepì i punti interrogativi che si affollavano nella mente di Robert, che però non si mise a discutere e dopo aver riflettuto qualche istante gli diede una risposta, anche se non troppo convinta: «Mah, l'unica cosa del genere che mi viene in mente è il vecchio rifugio antiaereo. Si trova parecchio più su, nel bosco. Io e Johan andavamo spesso a giocare lì, da piccoli.»

«E Jacob?» chiese Patrik. «Lui lo conosceva?»

«Sì, una volta abbiamo commesso l'errore di farglielo vedere. Lui è subito corso a fare la spia, e mio padre è arrivato lì con lui e ci ha proibito di tornarci. Era pericoloso, diceva. E così è finito il divertimento. Jacob è sempre stato il classico bravo bambino, anche troppo» disse Robert acido, ricordando la delusione di tanti anni prima. Patrik pensò che forse "bravo bambino" non sarebbe stata la definizione più adatta a Jacob in futuro.

Si affrettò a ringraziare e riattaccò.

«Penso di sapere dov'è, Martin. Riunisci tutti qui fuori.»

Cinque minuti dopo, sotto il sole cocente erano schierati otto poliziotti dall'aria grave. Quattro di Tanumshede, quattro di Uddevalla.

«Abbiamo ragione di credere che Jacob Hult si trovi nel bosco qui sopra, in un vecchio rifugio antiaereo. Probabilmente ha con sé Jenny Möller. Non sapendo se sia viva o morta, dobbiamo partire dal presupposto che sia viva ed essere molto cauti. Procediamo così: avanziamo con estrema prudenza finché non troviamo il rifugio, poi lo circondiamo. In *silenzio*» sottolineò Patrik, passando in rassegna la squadra con lo sguardo e soffermandosi un po' più a lungo su Ernst. «Armi in pugno, ma nessuno fa niente se non su mio esplicito ordine. È chiaro?»

Tutti annuirono seri.

«Da Uddevalla sta arrivando un'ambulanza, senza lampeggiante e senza sirena. Si fermerà al cancello della proprietà. I rumori si propagano facilmente nei boschi e non vogliamo che lui si renda conto che sta accadendo qualcosa. Non appena avremo la situazione sotto controllo chiameremo il personale sanitario.»

«Non sarebbe meglio far venire con noi uno di loro?» chiese uno dei colleghi di Uddevalla. «Se la troviamo, potrebbe essere necessario un intervento urgente.»

Patrik annuì. «Hai ragione, ma non possiamo aspettarli. In questo momento è più importante localizzarla, speriamo che nel frattempo l'ambulanza arrivi. Bene, allora andiamo.»

Robert aveva fornito a Patrik la descrizione del percorso: dovevano entrare nel bosco dal retro della casa e poi, cento metri più in là, prendere un sentiero che portava al rifugio. Il problema era che il sentiero era quasi invisibile per chi non sapeva che c'era, e per poco Patrik non lo mancò. Proseguirono lentamente, e dopo circa un chilometro gli sembrò di veder spuntare qualcosa tra le foglie. Senza una parola, si girò e chiamò a sé gli uomini che lo seguivano. Si sparpagliarono il più silenziosamente possibile intorno al rifugio, ma qualche fruscio non poté essere evitato. Patrik faceva una smorfia a ogni rumore, e sperava che le pareti spesse impedissero a Jacob di sentire.

Sfoderò la pistola e con la coda dell'occhio vide che Martin lo imitava. In punta di piedi, si avvicinarono e provarono ad aprire la porta. Era chiusa a chiave. Cazzo, e adesso? Non avevano nessun attrezzo per aprirla. L'unica alternativa era invitare Jacob a uscire spontaneamente. Tremando, Patrik bussò e si scostò rapidamente di lato.

«Jacob! Sappiamo che sei lì! Vieni fuori!»

Nessuna risposta. Tentò di nuovo.

«Jacob, so che non volevi fare del male alle ragazze di proposito. Hai solo seguito l'esempio di Johannes. Esci, così ne parliamo.»

Si accorse da solo di quanto le sue parole suonassero fiacche. Forse avrebbe dovuto frequentare qualche corso sulla gestione di situazioni critiche in presenza di ostaggi, o almeno portarsi dietro uno psicologo. In quel momento, però, non poteva che affidarsi alle proprie intuizioni su come ci si dovesse rivolgere a uno psicopatico per farlo uscire da un rifugio antiaereo.

Con sua grande sorpresa, un attimo dopo sentì scattare la serratura. La porta si aprì lentamente. Ai due lati Martin e Patrik si scambiarono un'occhiata. Sollevarono entrambi la pistola davanti al viso e contrassero i muscoli, pronti all'azione. Jacob uscì, tenendo Jenny tra le braccia. Non c'erano dubbi sul fatto che fosse morta e Patrik avvertì quasi fisicamente la delusione e il dolore nei cuori dei poliziotti, ora tutti esposti, con le armi puntate contro Jacob.

Lui li ignorò, rivolgendo invece lo sguardo verso l'alto.

«Non capisco» disse. «Sono il tuo eletto. Dovevi proteggermi.» Aveva l'aria confusa, come se il mondo fosse capovolto. «Perché ieri mi hai salvato e oggi mi neghi la tua grazia?»

Patrik e Martin si guardarono. Jacob era completamente fuori, ma questo lo rendeva soltanto più pericoloso. Non c'era modo di prevedere le sue mosse. Continuarono a tenergli le pistole puntate addosso.

«Metti giù la ragazza» disse Patrik.

Jacob aveva ancora lo sguardo rivolto verso il cielo, e continuava a parlare con il suo Dio invisibile.

«So che mi avresti concesso il dono, ma ho bisogno di più tempo. Perché distogli il tuo sguardo da me?»

«Metti giù la ragazza e alza le mani!» gli intimò Patrik. Ancora nessuna reazione da parte di Jacob. Teneva Jenny tra le braccia e non sembrava armato. Patrik valutò la possibilità di gettarlo a terra, dato che purtroppo non si correva più il rischio di fare del male alla ragazza. Era troppo tardi.

Non aveva ancora completato il pensiero che una sagoma alla sua sinistra fendette l'aria. Fu colto talmente di sorpresa che l'indice sul grilletto ebbe un fremito. Per poco non centrò con una pallottola Martin, o Jacob. Scosso, vide Ernst volare su Jacob atterrandolo con il suo peso. Jenny scivolò dalle braccia del suo aguzzino cadendogli davanti con un tonfo sordo, simile a quello di un sacco di farina.

Con espressione trionfante Ernst girò le braccia di Jacob dietro la schiena, senza che lui opponesse resistenza. Aveva ancora la stessa espressione confusa.

«Ecco fatto» disse Ernst e alzò gli occhi, aspettandosi il plauso del pubblico. Tutti rimasero impietriti, e quando si accorse dell'espressione truce di Patrik anche lui si rese conto di aver probabilmente preso, per l'ennesima volta, un'iniziativa non troppo ponderata.

Ancora tremante al pensiero di essere stato a un pelo dal ferire Martin, Patrik dovette trattenersi dal mettere le mani intorno al collo di Ernst per strozzarlo lentamente. Ne avrebbero parlato dopo. Adesso l'importante era occuparsi di Jacob.

Gösta staccò le manette dalla cintura e gliele assicurò ai polsi. Insieme a Martin lo tirò in piedi con gesti bruschi e poi rivolse uno sguardo interrogativo a Patrik, che si rivolse a due dei poliziotti di Uddevalla.

«Riportatelo a Västergården. Io arrivo subito. Indicate la strada al personale sanitario e dite che portino una barella.»

I due si avviarono con Jacob, ma Patrik li fermò. «Aspettate un attimo, voglio guardarlo negli occhi. Voglio vedere come è fatto un uomo capace di tanto.» Accennò con la testa al corpo senza vita di Jenny.

Jacob sostenne il suo sguardo, ma ancora con la stessa espressione confusa. Fissò Patrik e disse: «Non è strano che ieri Dio abbia fatto un miracolo per salvarmi ma permetta che oggi mi prendiate?»

Patrik cercò di leggergli negli occhi se diceva sul serio o se era tutta una recita per evitare le conseguenze delle sue azioni. Lo sguardo che incrociò, limpido come uno specchio, gli fece capire che quella era pura follia. Stancamente disse: «Dio non c'entra. È stato Ephraim. Te la sei cavata con l'esame del sangue perché Ephraim ti ha donato il midollo quando eri malato. Il che comporta che nel tuo sangue è stato immesso il sangue e quindi anche il dna di tuo nonno. Per questo le analisi non hanno dato lo stesso esito di quelle eseguite sul... materiale trovato sul corpo di Tanja. L'abbiamo capito solo quando gli esperti del laboratorio hanno fatto la mappatura delle vostre relazioni di sangue e il tuo ha mostrato che, molto stranamente, eri padre di Johannes e Gabriel.»

Jacob si limitò ad annuire, dicendo in tono mite: «E non ti sembra un miracolo, questo?» Poi venne portato via.

Martin, Gösta e Patrik restarono accanto al corpo di Jenny. Ernst si era affrettato a dileguarsi insieme ai poliziotti di Uddevalla e probabilmente nel prossimo futuro avrebbe fatto in modo di restare invisibile.

Tutti e tre avrebbero voluto avere una giacca in cui avvolgerla. La sua nudità era così mortificante, così umiliante. Le lesioni sul corpo erano identiche a quelle subite da Tanja, e probabilmente le stesse che avevano subito anche Siv e Mona.

Nonostante il carattere impulsivo, Johannes era un uomo scrupoloso. Il taccuino dimostrava con quanta cura annotasse ogni lesione inflitta alle sue vittime, per poi cercare di guarirle. Impostava tutto come uno scienziato. Le stesse lesioni a entrambe, nello stesso ordine. Forse per dare a se stesso l'impressione che fosse davvero un esperimento scientifico. Un esperimento in cui loro erano vittime sventurate, ma necessarie, perché Dio potesse restituirgli la capacità di guarire che aveva da bambino. Il dono che da adulto gli era venuto a mancare e che era diventato indispensabile riconquistare quando il suo primogenito, Jacob, si era ammalato.

Era una nefasta eredità, quella che Ephraim aveva lasciato a suo figlio e a suo nipote. La fantasia di Jacob era stata messa in moto dai racconti del nonno sulle guarigioni operate da Gabriel e Johannes durante l'infanzia. Il fatto che, per impressionare il nipote, Ephraim gli avesse detto che vedeva anche in lui quel dono aveva generato strane idee, alimentate negli anni dalla malattia di cui aveva rischiato di morire. Poi aveva trovato il taccuino di Johannes, e a giudicare dalle condizioni delle pagine lo aveva letto e riletto. La disgraziata coincidenza per la quale Tanja si era presentata a Västergården chiedendo di sua madre lo stesso giorno in cui Jacob aveva ricevuto il proprio verdetto di morte aveva portato, come conseguenza finale, alla situazione in cui si trovavano ora, con quella ragazza senza vita sotto gli occhi.

Sfuggendo alla presa di Jacob era caduta sul fianco, e sembrava quasi che si fosse raggomitolata in posizione fetale. Sorpresi, Martin e Patrik videro Gösta sbottonare la camicia mettendo a nudo un petto bianchissimo e glabro e senza una parola stenderla su Jenny, cercando di nascondere il più possibile la sua nudità.

«Non è giusto stare qui a guardarla così senza vestiti» grugnì. Poi incrociò le braccia sul petto per proteggersi dall'umidità del bosco.

Patrik si inginocchiò e prese istintivamente la mano fredda della ragazza nella sua. Era morta sola, ma almeno non avrebbe dovuto aspettare sola.

Qualche giorno più tardi il clamore cominciava a smorzarsi. Patrik, seduto davanti a Mellberg, non desiderava altro che liquidare la faccenda. Il suo capo aveva preteso un resoconto completo e, anche se Patrik sapeva benissimo che lo voleva solo per potersi vantare per anni del fondamentale apporto fornito alla soluzione del caso Hult, la cosa non lo turbava più di tanto. Dopo aver comunicato personalmente la morte di Jenny ai suoi genitori, faticava a pensare a onori e fama, quindi era più che disposto a concedere quella parte al commissario.

«Però io ancora non ho capito questa cosa del sangue» disse Mellberg.

Patrik sospirò e spiegò per la terza volta, ancora più lentamente di prima: «A Jacob, malato di leucemia, Ephraim dona il midollo osseo. Questo comporta che il sangue prodotto dal midollo di Jacob dopo il trapianto conservi il dna del donatore, cioè del nonno. In altre parole, da quel momento Jacob ha il dna di due persone: il suo e, nel sangue, quello di Ephraim. Per questo abbiamo ottenuto la sequenza del dna del nonno analizzando il sangue di Jacob, mentre analizzando lo sperma lasciato da Jacob sulla vittima abbiamo ottenuto la sequenza del suo dna. Ecco perché non coincidevano. Secondo il laboratorio centrale la probabilità statistica che un caso del genere si verifichi è talmente minima da sfiorare l'impossibile. Sfiorarlo, appunto...»

Finalmente Mellberg sembrava aver capito il ragionamento. Scosse la testa, stupito. «Ma questa è fantascienza! Eh già, Hedström, se ne sentono di tutti i colori. Comunque devo dire che abbiamo fatto un ottimo lavoro. Ieri il capo della polizia di Göteborg mi ha telefonato personalmente, ringraziandomi per l'efficienza dimostrata, e non ho potuto fare altro che dichiararmi d'accordo.»

Patrik trovava difficile parlare di efficienza, visto che non erano riusciti a salvare la ragazza, ma preferì non fare commenti. Certe cose non si potevano cambiare.

Gli ultimi giorni erano stati molto duri, segnati da una sorta di elaborazione del lutto. Aveva continuato a dormire male, tormentato dalle immagini degli schizzi e delle note sul taccuino di Johannes. Anche Erica era inquieta, e l'aveva sentita girarsi e rigirarsi anche nel letto, di notte. Per qualche motivo, però, non aveva trovato la forza di allungarsi e stringerla a sé. Doveva superare da solo quella fase.

Neppure i movimenti del bambino nel pancione riuscivano a trasmettergli il senso di benessere di prima. Era come se improvvisamente gli fosse stato ricordato quanto era pericoloso il mondo là fuori e quanto malvagie o folli potessero essere le persone. Si chiedeva come avrebbe fatto a proteggere un figlio da tutto questo. Di conseguenza si era come allontanato da Erica e dal bambino e dal rischio di poter un giorno provare sulla sua pelle il dolore che aveva letto sui volti di Bo e Kerstin Möller quando, con il pianto in gola, aveva dovuto comunicare loro che Jenny era morta. Come poteva un essere umano sopravvivere a un dolore così immenso?

Nei momenti più bui, la notte, aveva perfino preso in considerazione l'idea di scappare. Di prendere la sua roba e sparire. Lontano dalle responsabilità, dai doveri. Lontano dal rischio che l'amore per quel figlio diventasse un'arma puntata alla tempia il cui grilletto veniva lentamente premuto. Proprio lui, che era sempre stato il senso del dovere fatto persona, aveva preso per la prima volta in vita sua in seria considerazione la possibilità di scegliere la via d'uscita del vigliacco. Allo stesso tempo, sapeva che in quel momento Erica aveva più che mai bisogno di lui. Il fatto che Anna fosse tornata da Lucas con i bambini l'aveva gettata nella disperazione. Lo sapeva, eppure non riusciva ad avvicinarsi a lei.

Davanti a lui, la bocca di Mellberg continuava a muoversi. «Be', non vedo perché non dovremmo chiedere qualcosa in più nel prossimo bilancio preventivo, considerando il capitale di credibilità che abbiamo accumulato...»

Bla bla bla, pensò Patrik. Un fiume di parole senza senso. Soldi e onori, stanziamenti e lodi dai superiori. Misure insulse del successo. Gli venne voglia di prendere la sua tazza di caffè e versarne il contenuto bollente sul nido di capelli di Mellberg, solo per farlo tacere.

«E naturalmente il tuo contributo dovrà essere messo in evidenza» continuò Mellberg. «Sì, ho detto al capo della polizia che mi sei stato di grandissimo aiuto nel corso dell'indagine. Però non ricordarmelo quando sarà il momento di discutere dell'aumento di stipendio, intesi?» ridacchiò Mellberg, facendogli l'occhiolino. «L'unica cosa che non torna è la morte di Johannes Hult. Non avete idea di chi possa essere il colpevole?»

Patrik scosse la testa. Ne avevano parlato con Jacob, ma sembrava anche lui all'oscuro di tutto. Il caso era ancora insoluto, e probabilmente sarebbe rimasto tale.

«Be', se riusciste a ricostruire anche quella parte della storia, sarebbe la ciliegina sulla torta. Non guasta mica una lode vicino al dieci, no?» disse Mellberg. Poi tornò serio. «Ho valutato il vostro rapporto su Ernst, ma considerando i tanti anni di servizio ritengo che dovremmo mostrarci magnanimi e mettere una pietra sopra quel piccolo incidente. Voglio dire, tutto è bene quel che finisce bene.»

Patrik ricordò il fremito del dito sul grilletto, con Martin e Jacob in linea di tiro. La mano che stringeva la tazza di caffè prese a tremare. Come animata da volontà propria, cominciò a sollevare la tazza verso l'ingarbugliato riporto del capo, ma si bloccò quando qualcuno bussò alla porta. Era Annika.

«Patrik, ti vogliono al telefono.»

«Non lo vedi che siamo occupati?» ringhiò Mellberg.

«Veramente penso che preferisca rispondere, in questo caso specifico» rispose lei, rivolgendo a Patrik un'occhiata eloquente.

Lui la guardò con espressione interrogativa, ma la segretaria si rifiutò di dire altro. Quando furono nel suo ufficio, gli indicò il ricevitore appoggiato sulla scrivania e uscì discreta in corridoio.

«Perché diavolo non hai il cellulare acceso?»

Lui guardò il telefono, infilato nella custodia appesa alla cintura, e si accorse che la batteria era esaurita.

«È scarico. Perché?» Non capiva cosa ci fosse da arrabbiarsi. Poteva chiamare il centralino.

«Perché è cominciato! E tu non rispondevi né al fisso né al cellulare e allora...»

Lui la interruppe, confuso. «Cosa è cominciato? Di che stai parlando?»

«Il parto, cretino! Sono iniziate le doglie e si sono rotte le acque! Devi venire a prendermi, dobbiamo andare subito!»

«Ma scusa, non mancano tre settimane?» Era ancora molto confuso.

«Evidentemente tuo figlio non ne è stato messo al corrente, perché ha intenzione di uscire adesso!» Poi si sentì solo il segnale della linea interrotta.

Patrik rimase impietrito con la cornetta in mano. Sulle labbra gli si stava disegnando un sorriso ebete. Il suo bambino stava arrivando. Il bambino suo e di Erica.

Con le gambe che tremavano corse alla macchina e strattonò un paio di volte la maniglia. Qualcuno gli batté sulla spalla. Era Annika, che gli faceva dondolare le chiavi sotto il naso.

«Mi sa che fai prima se apri la portiera.»

Lui le strappò di mano le chiavi e salì in auto e partì sgommando in direzione di Fjällbacka. Annika guardò il segno nero sull'asfalto, e tornò ridacchiando al suo posto.

Agosto 1979

Ephraim era preoccupato. Gabriel si ostinava a ripetere che quello che aveva visto con la ragazza scomparsa era Johannes. Lui si rifiutava di crederlo, ma allo stesso tempo sapeva che Gabriel sarebbe stato l'ultima persona a mentire. Per lui la verità, l'ordine e la disciplina erano più importanti del suo stesso fratello, ed era per questo che a Ephraim riusciva così difficile liquidare quella sua affermazione. L'idea a cui si aggrappava era che Gabriel avesse semplicemente visto male. Che la poca luce avesse ingannato i suoi occhi, facendogli prendere un abbaglio. Sapeva che era una teoria campata in aria, ma conosceva anche Johannes, il suo spensierato e irresponsabile figlio che viveva la vita giocando. Come avrebbe potuto essere capace di uccidere qualcuno?

Si avviò lungo la strada che portava a Västergården, appoggiato al bastone da passeggio. In realtà non ne avrebbe avuto bisogno, dato che a suo modo di vedere aveva un fisico atletico quanto quello di un ventenne, ma gli sembrava che aggiungesse un tocco di classe. Bastone e cappello gli conferivano l'aspetto che si addiceva a un proprietario terriero, quindi lo usava ogni volta che poteva.

Lo tormentava il fatto che, a ogni anno che passava, Gabriel aumentasse il distacco tra loro. Sapeva che era convinto che lui gli preferisse Johannes, e a essere sincero forse non aveva tutti i torti. Con il secondo figlio era stato tutto più facile. Gli permetteva di trattarlo con indulgenza, il che faceva sentire Ephraim un patriarca nell'accezione più piena del termine. Johannes aveva bisogno di essere redarguito bruscamente, così lo faceva sentire utile, se non altro perché doveva tenere il figlio con i piedi per terra con tutte quelle donne che gli correvano dietro. Con Gabriel era diverso. Il disprezzo con cui suo figlio lo guardava lo induceva a trattarlo con una sorta di fredda superiorità. Sapeva che la colpa era sotto molti aspetti sua. Mentre Johannes esultava di gioia ogni volta che lui celebrava una funzione in cui i due bambini potevano fare la loro parte, Gabriel rimpiccioliva e appassiva. Ephraim se ne accorgeva e se ne sentiva responsabile, ma l'aveva fatto per il loro bene. Quando era morta Ragnhild, non aveva potuto che affidarsi alla propria parlantina e al proprio fascino per garantire a sé e ai figli cibo in tavola e vestiti con cui coprirsi. Era stato un caso fortunato che si fosse rivelato un talento naturale e che alla fine quella matta della vedova Dybling gli avesse lasciato in eredità la sua tenuta e il suo patrimonio. Dopotutto Gabriel avrebbe dovuto guardare un po' di più al risultato, invece di rimproverarlo in ogni occasione per la sua "orribile" infanzia. La verità era che, se non avesse avuto il colpo di genio di utilizzare i bambini in occasione delle assemblee, ora non avrebbero avuto nulla di quello che avevano. Nessuno sapeva resistere a quei due deliziosi frugoletti che, grazie alla provvidenza divina, avevano il dono di guarire i malati. Uniti al suo carisma e alla sua retorica, lo avevano reso irresistibile. Sapeva di essere un predicatore leggendario nel mondo nonconformista, e la cosa lo divertiva smisuratamente. Adorava il fatto di essere ormai noto con il soprannome, o nomignolo che dir si volesse, di Predicatore.

Era però rimasto sorpreso dalla disperazione con cui Johannes aveva accolto la notizia di aver ormai perso il dono. Lui aveva preso con un'alzata di spalle la decisione di smetterla con quell'imbroglio, e per Gabriel era stato un grande sollievo. Johannes, invece, era andato in crisi. All'inizio pensava che prima o poi avrebbe detto a entrambi che era solo una sua trovata, che quelli che "guarivano" erano persone assolutamente sane a cui aveva passato sottobanco qualche soldo per la sceneggiata. Ma con il passare degli anni aveva cominciato ad avere dei dubbi. A volte Johannes gli sembrava così fragile. Per questo lo preoccupava tanto tutta questa storia della polizia e degli interrogatori a cui era stato sottoposto. Era più fragile di quanto sembrasse ed Ephraim non riusciva a immaginare come sarebbe uscito dalla faccenda. Per questo gli era venuta l'idea di fare una passeggiata fino a Västergården e scambiare due parole con il figlio, per tastargli il polso e vedere come la stava prendendo.

Sulle labbra gli prese forma un sorriso. Jacob era tornato dall'ospedale una settimana prima, e passava ore e ore nella sua ala della casa. Lui adorava il nipote. Gli aveva salvato la vita, e questo avrebbe costituito un legame indissolubile tra loro due. Però non gliela davano a bere. Era possibile che Gabriel fosse convinto di essere il padre di Jacob, ma lui si era accorto benissimo di cos'era successo. Il padre del ragazzo era Johannes, glielo si leggeva negli occhi. Be', non era una cosa che lo riguardasse. Ma quel bambino era la sua gioia, nell'autunno della vita. Certo, voleva bene anche a Robert e Johan, però loro erano ancora piccoli. Ciò che gli piaceva di Jacob erano le sue sagge riflessioni, e ancora di più l'attenzione con cui ascoltava le storie che lui gli raccontava. Adorava gli aneddoti sull'infanzia di Gabriel e Johannes. Le storie delle guarigioni, le chiamava. «Nonno, raccontami le storie delle guarigioni» diceva ogni volta che saliva a trovarlo, e lui non aveva niente in contrario. Erano stati bei tempi. E poi, che male poteva fare al ragazzo se ricamava un po' intorno a quei racconti? Aveva preso l'abitudine di concluderli con una pausa, per poi puntare il dito nodoso sul petto del nipote e dire: «E anche tu, Jacob, hai quel dono nascosto dentro di te. Da qualche parte, nel profondo, aspetta di essere evocato.» Seduto ai suoi piedi con gli occhi sbarrati e la bocca spalancata, il bambino lo guardava, e lui adorava vederlo così.

Bussò alla porta della casa. Non venne ad aprire nessuno. Regnava il silenzio, sembrava che non ci fossero neanche Solveig e i bambini, che in genere si sentivano a chilometri di distanza. Dal fienile arrivò un rumore e così andò a vedere. Johannes stava trafficando con la trebbiatrice e non si accorse dell'arrivo di Ephraim se non quando se lo ritrovò alle spalle. Trasalì.

«Hai molto da fare, vedo.»

«Sì, c'è parecchio lavoro.»

«So che sei di nuovo stato convocato dalla polizia» disse Ephraim, che aveva l'abitudine di andare dritto al sodo.

«Sì» rispose Johannes, asciutto.

«E questa volta cosa volevano sapere?»

«Avevano altre domande sulla testimonianza di Gabriel, naturalmente.» Johannes continuava a trafficare con la trebbiatrice, senza guardare Ephraim.

«Lo sai, no, che tuo fratello non voleva danneggiarti?»

«Sì, lo so. È fatto così. Ma il risultato non cambia.»

«Vero, vero.» Ephraim si dondolò sui talloni, incerto su come continuare.

«È bello vedere di nuovo in piedi il piccolo Jacob, non trovi?» disse, in cerca di un argomento neutro. Sul viso di Johannes si aprì un sorriso.

«È meraviglioso. Come se non si fosse mai ammalato.» Si tirò su e guardò suo padre negli occhi. «Te ne sarò eternamente grato, papà.»

Ephraim si limitò a un cenno del capo e si accarezzò i baffi. Johannes continuò, insicuro: «Papà, se tu non avessi potuto salvare Jacob... pensi che...» esitò ma poi continuò deciso per non concedersi il tempo di fare retromarcia «... pensi che in questo caso sarei riuscito a recuperare il dono? Per guarire Jacob, intendo.»

La domanda fece arretrare Ephraim per la sorpresa. Inorridito si rese conto di aver creato un'illusione più grande di quanto avesse voluto. Il rimorso e il senso di colpa scatenarono in lui la rabbia, ma invece di difendersi se la prese con Johannes.

«Quanto sei stupido, ragazzo! Pensavo che prima o poi saresti diventato sufficientemente adulto per capire la verità senza che dovessi spiattellartela in faccia! Non era vero niente! Nessuno di quelli che tu e Gabriel "guarivate"» tracciò delle virgolette nell'aria «era davvero malato. Venivano pagati! Da me!» Gli gridò in faccia quelle parole, e qualche gocciolina di saliva colpì il figlio. Per un attimo si chiese cos'aveva fatto: dal viso di Johannes era defluita ogni traccia di colore. Barcollò avanti e indietro come un ubriaco, ed Ephraim ebbe paura che stesse per avere un attacco di qualche genere. Poi Johannes sussurrò, a voce talmente bassa che quasi non lo si udiva: «Allora ho ucciso invano quelle ragazze.»

L'angoscia e il rimorso esplosero dentro Ephraim, trascinandolo in un buco nero, buio, nel quale sfogare il dolore di quell'improvvisa consapevolezza. Il pugno partì andando a colpire in pieno Johannes al mento. Al rallentatore vide il figlio cadere all'indietro, sorpreso, contro la trebbiatrice. Quando la sua nuca colpì la superficie dura, si udì un tonfo sordo risuonare nel fienile. Inorridito, Ephraim guardò Johannes, steso esanime a terra. Si lasciò cadere in ginocchio e tentò disperatamente di trovare il battito. Nulla. Appoggiò un orecchio alla bocca del figlio sperando di sentire anche solo il più impercettibile dei respiri. Ancora nulla. Lentamente, si rese conto che Johannes era morto. Ucciso per mano del suo stesso padre.

Il primo impulso fu di correre a telefonare per chiedere aiuto. Poi ebbe la meglio l'istinto di sopravvivenza. E se c'era qualcosa in cui Ephraim Hult era maestro, era l'arte di sopravvivere. Se avesse chiamato aiuto sarebbe stato costretto a spiegare perché aveva colpito Johannes, e questo non doveva assolutamente succedere. Ormai le ragazze erano morte, e anche Johannes. Grazie a uno strano meccanismo, quasi biblico, giustizia era stata fatta. Quanto a lui, non aveva alcun desiderio di passare i suoi ultimi giorni in prigione. Sarebbe stato un castigo sufficiente vivere il tempo che gli restava sapendo di aver ucciso Johannes. Con determinazione si accinse a nascondere il suo crimine. Per sua fortuna, era in credito di alcuni favori.

Si trovava piuttosto bene, in quella nuova vita. I medici gli avevano dato sei mesi al massimo, e per lo meno poteva trascorrerli in pace. Certo, Marita e i bambini gli mancavano, ma potevano venire a trovarlo ogni settimana, e tra una visita e l'altra occupava il tempo pregando. Aveva già perdonato Dio per averlo abbandonato all'ultimo momento. Anche Gesù, nel Getsemani, si era rivolto al cielo chiedendo a suo padre perché l'aveva abbandonato, la sera prima che Dio sacrificasse il suo unico figlio. Se Gesù poteva perdonare, doveva farlo anche lui.

Trascorreva la maggior parte del tempo nel parco dell'ospedale. Sapeva che gli altri detenuti lo evitavano. Erano tutti condannati per qualche reato, per lo più omicidio, ma lo consideravano pericoloso. Non capivano. Lui non aveva provato piacere uccidendo le ragazze, non l'aveva fatto per sé, ma solo perché era suo dovere. Ephraim gli aveva spiegato che anche lui, come Johannes, era speciale, un eletto. Era suo dovere raccogliere quell'eredità e non lasciarsi consumare da una malattia che si ostinava a volerlo annientare.

E non si sarebbe arreso. Non poteva arrendersi. Nelle ultime settimane si era reso conto che forse il modo di procedere suo e di Johannes era sbagliato. Avevano tentato di trovare un metodo pratico per riconquistare il dono, ma forse non era così che doveva essere. Avrebbero dovuto cercare dentro di sé, invece. Le preghiere e il silenzio l'avevano aiutato a trovare maggiore lucidità. Gradualmente era diventato sempre più abile nel raggiungere quella condizione estatica in cui sentiva di avvicinarsi al piano originale di Dio, mentre l'energia lo pervadeva. In quelle occasioni, era tutto un formicolio di aspettative. Presto avrebbe cominciato a raccogliere i frutti di quella ritrovata consapevolezza. Certo, in quei momenti gli dispiaceva ancora di più che delle vite fossero state sprecate inutilmente, ma era in atto una guerra tra bene e male e le ragazze erano state sacrifici indispensabili.

Il sole del pomeriggio lo riscaldava, lì seduto sulla panchina del parco. La preghiera di quel giorno era stata particolarmente densa di energia, e gli sembrava di irradiare luce facendo a gara con il sole. Guardandosi la mano, la vide circondata da un tenue alone luminoso. Sorrise. Era cominciato.

Accanto alla panchina notò un piccione. Era steso sul fianco e la natura aveva già cominciato a riprenderselo per trasformarlo in humus. Rigido e sporco, aveva la pellicola lattiginosa della morte sugli occhi. Teso, Jacob si allungò in avanti per esaminarlo. Era un segno.

Si alzò dalla panchina e si accovacciò vicino al piccione. Lo studiò intenerito. Tremando, avvicinò l'indice della mano destra al corpicino e lo appoggiò leggermente sulle piume scompigliate. Non accadde nulla. La delusione minacciò di sopraffarlo, ma si costrinse a restare nel luogo in cui lo aveva condotto la preghiera. Dopo un po', il piccione ebbe un fremito. Subito dopo, una delle zampette rigide fu scossa da un sussulto. Poi accadde tutto in una volta. Le penne tornarono lustre, la pellicola lattiginosa sparì dagli occhi, il piccione si rimise in piedi e con un potente colpo d'ala si sollevò verso il cielo. Jacob sorrise compiaciuto.

Da una finestra che dava sul parco il dottor Stig Holbrand osservava Jacob insieme a Fredrik Nydin, che stava facendo tirocinio all'ospedale psichiatrico giudiziario.

«Quello è Jacob Hult. È un caso un po' speciale. Ha torturato due ragazze per cercare di guarirle. Sono morte per le lesioni subite, e lui è stato condannato per omicidio. Però non ha superato la perizia psichiatrica, e ha un tumore al cervello ormai incurabile.»

«Quanto tempo gli resta?» chiese il tirocinante. Vedeva l'aspetto tragico di quanto aveva appena sentito raccontare, ma non poteva fare a meno di trovarlo emozionante.

«Sei mesi, più o meno. Sostiene che riuscirà a guarirsi da solo e passa gran parte delle giornate a meditare. Noi lo lasciamo fare. Tanto, non fa male a nessuno.»

«Ma cosa sta combinando, adesso?»

«Non intendo dire che a volte non si comporti in modo strano.» Il dottor Holbrand socchiuse gli occhi e portò una mano alla fronte per vedere meglio. «Credo che stia lanciando in aria un piccione. Be', almeno quello era già morto» aggiunse asciutto.

Poi passarono al paziente successivo.

Più di ogni altro voglio ringraziare anche questa volta mio marito Micke, che come sempre antepone la mia attività di scrittrice a tutto il resto ed è il principale supporter che io abbia. Senza di te mi sarebbe stato impossibile cavarmela sia con il piccolo che con il romanzo.

Un grazie sentito anche al mio agente Mikael Nordin e a Bengt e Jenny Nordin della Bengt Nordin Agency, che hanno lavorato e lavorano instancabilmente per far arrivare i miei libri a un pubblico sempre più vasto.

I poliziotti della stazione di polizia di Tanumshede e il loro capo Folke Åsberg meritano di essere ricordati, non solo per essersi presi la briga di esaminare il materiale e di esprimere il loro parere, ma anche per aver accettato di buon grado che io abbia piazzato un paio di poliziotti particolarmente incompetenti in mezzo a loro. In questo caso la realtà non somiglia assolutamente alla finzione!

Una persona preziosissima per la stesura del *Predicatore* è stata la mia redattrice ed editor Karin Linge Nordh, che con molta più accuratezza di quanta io sia mai riuscita a chiamare a raccolta ha spulciato il dattiloscritto fornendomi una serie di suggerimenti molto sensati. Mi ha anche impartito un insegnamento fondamentale: when in doubt, delete. In generale, posso dire di aver avuto un'ottima accoglienza da parte della mia nuova casa editrice, Forum.

Tra le persone che mi hanno dato grande sostegno mentre

lavoravo a questo libro, e anche a quello precedente, ci sono Gunilla Sandin e Ingrid Kampås. Altri hanno dimostrato molta disponibilità leggendo e commentando: Martin e Helena Persson, mia suocera, Gunnel Läckberg, Åsa Bohman.

Per finire, un ringraziamento particolare va a Berith e Anders Torevi, che non solo hanno organizzato il lancio della *Principessa di ghiaccio* con grande passione ma si sono anche presi il tempo per correggere le bozze del *Predicatore*.

Tutti i personaggi e gli eventi descritti nel romanzo sono frutto della mia fantasia. Fjällbacka e i dintorni sono invece abbastanza fedeli alla realtà, anche se di tanto in tanto mi sono presa qualche libertà.

Enskede, 11 febbraio 2004

Camilla Läckberg-Eriksson
www.camillalackberg.com